KARUZELA
SAMOBÓJCZYŃ

S.J. BOLTON

Ulubione rzeczy
Karuzela samobójczyń

S. J. BOLTON

KARUZELA SAMOBÓJCZYŃ

Przekład
AGNIESZKA KABALA

AMBER

Korekta
Barbara Cywińska
Renata Kuk

Projekt graficzny serii i okładki
Małgorzata Cebo-Foniok

Zdjęcie na okładce
© Zbigniew Foniok

Druk
ABEDIK S.A.

Tytuł oryginału
Dead Scared

ISBN 978-83-4577-5

Warszawa 2013. Wydanie I

Wydawnictwo AMBER Sp. z o.o.
02-952 Warszawa, ul. Wiertnicza 63
tel. 620 40 13, 620 81 62

www.wydawnictwoamber.pl

Pamięci Petera Inglisa Smitha:
dobrego sąsiada, świetnego pisarza, bliskiego przyjaciela

Czym jest lęk, by głos ulotny?
Ból wieszczący, gdzie go brak,
I zwodzący nieroztropnych
Aż zabójczy padnie strzał!

William Wordsworth

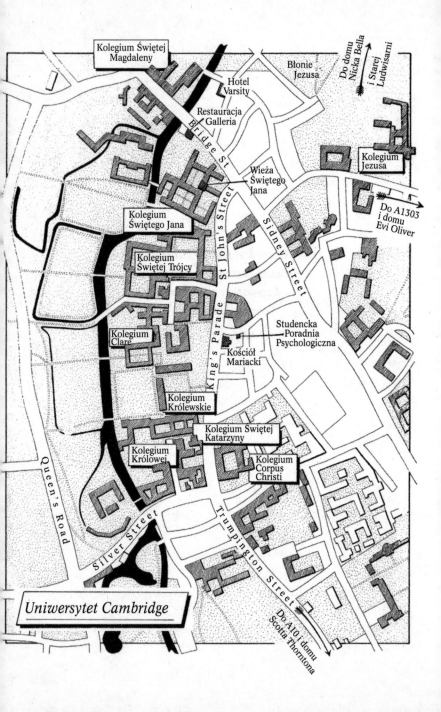

Kolegium Świętej
Magdaleny

Hotel
Varsity

Restauracja
Galleria

Błonie
Jezusa

Do domu
Nicka Bella
i Starej Ludwisarni

Bridge St

Wieża
Świętego
Jana

Kolegium
Jezusa

Kolegium
Świętego Jana

St John's Street

Do A1303
i domu
Evi Oliver

Kolegium
Świętej Trójcy

Sidney Street

Kolegium
Clare

King's Parade

Studencka
Poradnia
Psychologiczna

Kościół
Mariacki

Kolegium
Królewskie

Kolegium Świętej
Katarzyny

Queen's Road

Kolegium
Królowej

Kolegium
Corpus
Christi

Silver Street

Trumpington Street

Uniwersytet Cambridge

Do A101 i domu
Scotta Thorntona

Prolog

Kiedy duży przedmiot spada z wielkiej wysokości, prędkość jego lotu zwiększa się, aż działająca w górę siła oporu powietrza zrównoważy pchające go w dół przyspieszenie grawitacyjne. W tym momencie spadający przedmiot osiąga tak zwaną prędkość graniczną, która pozostanie niezmienna, dopóki obiekt nie napotka jakiejś większej siły – przeważnie ziemi.

Prędkość graniczna przeciętnego ludzkiego ciała wyliczona została na jakieś 195 kilometrów na godzinę. Zwykle zostaje osiągnięta piętnaście, szesnaście sekund od rozpoczęcia spadania, po pokonaniu dystansu od pięciuset do sześciuset metrów.

Popularnym błędem jest przekonanie, że ludzie spadający ze znacznych wysokości umierają przed uderzeniem. To rzadko się zdarza. Choć szok takiego doświadczenia może doprowadzić do śmiertelnego zawału serca, większość upadków po prostu nie trwa dość długo, by zdążyło do tego dojść. Teoretycznie ciało może również zamarznąć w temperaturach poniżej zera bądź człowiek może stracić przytomność w wyniku braku tlenu, ale oba te scenariusze mogą dotyczyć wyłącznie skoku z samolotu na znacznej wysokości, a – nie licząc najbardziej doświadczonych spadochroniarzy – ludzie robią coś takiego raczej rzadko.

Większość ludzi, którzy spadają bądź skaczą z dużej wysokości, umiera po uderzeniu, kiedy ich roztrzaskane kości powodują poważne uszkodzenia otaczających tkanek. Śmierć jest natychmiastowa. Przeważnie.

Kobieta stojąca na krawędzi jednej z najwyższych wież w Cambridge prawdopodobnie nie musi zawracać sobie głowy tym, kiedy osiągnie prędkość graniczną. Wieża ma prawie sześćdziesiąt metrów i ciało kobiety będzie przyspieszać przez całą drogę. Powinna za to bardzo poważnie przejąć się uderzeniem. Bo kiedy do niego dojdzie, kamienie bruku u stóp wieży roztrzaskają jej młode kości jak szlachetny kryształ. Ale w tej chwili nie przejmuje się chyba niczym. Stoi jak turystka podziwiająca widok.

Cambridge tuż przed północą to miasto czarnych cieni i złotego światła. Reflektor prawie pełnego księżyca oświetla wytworne jak weselny tort budynki, filary, które jak kamienne palce wskazują bezchmurne niebo, i nielicznych ludzi, którzy błądzą się jeszcze po ulicach jak zjawy. To pojawiają się w plamach światła, to znikają w cieniu.

Kobieta chwieje się i – jakby coś przyciągnęło jej uwagę – przechyla głowę w dół.

Powietrze u stóp wieży jest nieruchome. Strona wydarta z wczorajszego „Daily Mail" leży grzecznie na chodniku. Na szczycie wieje wiatr. Na tyle silny, że włosy kobiety łopoczą wokół jej głowy jak flaga. Kobieta jest młoda, może rok przed trzydziestką, może rok po, i byłaby piękna, gdyby jej twarz nie była pozbawiona wszelkiego wyrazu. Gdyby w jej oczach było jakiekolwiek światło. To twarz kogoś, kto wierzy, że jest już martwy.

Za to mężczyzna biegnący przez Pierwszy Dziedziniec Kolegium Świętego Jana jest żywy aż do bólu, bo w zwierzęciu zwanym człowiekiem nic nie afirmuje życia równie mocno jak przerażenie. Inspektor Mark Joesbury z wydziału Policji Metropolitalnej zlecającego swoim funkcjonariuszom najbardziej ryzykowne sprawy jeszcze nigdy w życiu nie bał się aż tak.

Na szczycie wieży jest zimno. Styczniowy chłód napływa znad Fens* i obejmuje miasto jak dłoń pedofila obejmuje rączkę małego bezbronnego dziecka. Kobieta nie ma zimowego ubrania, ale zdaje się nieświadoma chłodu. Mruga i nagle w jej martwych oczach pojawiają się łzy.

Inspektor Joesbury dotarł już do drzwi kaplicznej wieży i przekonał się, że nie są zamknięte na klucz. Uderzają z hukiem o kamienną ścianę, a jego lewy bark, który już zawsze będzie tym słabszym, czuje ostry ból. Na pierwszym zakręcie Joesbury dostrzega but – wąski, niebieski, skórzany pantofel na niskim obcasie, ze szpicem na palcach, lakierowany na wysoki połysk. O mało nie zatrzymuje się, żeby go podnieść, ale nagle dociera do niego, że tego nie zniesie. Już kiedyś trzymał w dłoniach but kobiety i sądził, że ją stracił. Biegnie dalej po schodach, licząc je po drodze. Nie dlatego, że ma jakiekolwiek pojęcie, ile ich jest, ale dlatego, że musi jakoś odmierzać w myślach dystans. Kiedy dociera na drugi podest, słyszy kroki z tyłu. Ktoś biegnie za nim.

Czuje zimne powietrze i w tej samej chwili widzi drzwi na szczycie. Wypada na dach bez najmniejszego pojęcia, co zrobi, jeśli ona już skoczyła. Ani co zrobi, do diabła, jeśli nie skoczyła.

– Lacey – krzyczy. – Nie!

---

* Nizinna, płaska, częściowo podmokła i depresyjna kraina geograficzna, na której obrzeżu położone jest Cambridge (wszystkie przypisy pochodzą od tłumacza).

1

All Bar One – knajpa koło Stacji Waterloo – była pełna po brzegi; niemal setka ludzi kłębiących się we wnętrzu przekrzykiwała się z muzyką. W Wielkiej Brytanii palenie od lat jest zakazane w miejscach publicznych, ale coś i tak wisiało wokół tego tłumu, zagęszczając powietrze i zmieniając całą scenerię w nieostre zdjęcie pstryknięte tanim aparatem.

Instynktownie wiedziałam, że go tu nie ma.

Nie musiałam patrzeć na zegarek, by wiedzieć, że spóźniłam się szesnaście minut. Zaplanowałam to co do sekundy. Większe spóźnienie wyglądałoby niegrzecznie albo jakbym próbowała dać mu coś do zrozumienia; za blisko wyznaczonej pory, i wyszłabym na napaloną. Spokojna i profesjonalna – tak brzmiał mój przekaz. Odrobinę wycofana. Lekkie spóźnienie było częścią tej gry. Tylko że teraz to on był spóźniony.

Przy barze zamówiłam swojego zwykłego drinka na trudne okazje i podciągnęłam się na pusty stołek. Popijałam bezbarwną ciecz, patrząc na własne odbicie w lustrach za barem. Przyszłam tu prosto z pracy. Jakoś udało mi się oprzeć pokusie, żeby wyjść wcześniej i poświęcić dwie godziny na prysznic, suszenie włosów, robienie makijażu i wybieranie ciuchów. Miałam twarde postanowienie nie wyglądać ładnie dla Marka Joesbury'ego.

Wyciągnęłam laptop z torby i położyłam go na barze – tak naprawdę nie zamierzałam pracować, chciałam tylko, żeby tak to wyglądało – i otworzyłam prezentację na temat brytyjskich przepisów dotyczących pornografii, którą w przyszłym tygodniu miałam przedstawić grupie rekrutów w Hendon. Kliknęłam w przypadkowy slajd: Ustawę o sądownictwie karnym i deportacji. Rekruci zapewne zdziwią się – jak dziwi się większość ludzi – że posiadanie niedziecięcej pornografii było całkowicie legalne do roku 2008, kiedy to ustawa zakazała ekstremalnych obrazów pornograficznych. I oczywiście będą chcieli wiedzieć, co kwalifikuje się jako „obraz ekstremalny". Stąd zawartość tabeli, na którą właśnie patrzyłam.

„Ekstremalny obraz pornograficzny to obraz przedstawiający akt seksualny, który:
– zagraża, czy też wydaje się zagrażać, życiu uczestnika.
– skutkuje poważnmi obrażeniami organów płciowych.
– odbywa się z udziałem ludzkich zwłok.
– odbywa się z udziałem zwierzęcia"

Poprawiłam literówkę w drugim punkcie i dodałam kropkę po czwartym.

Joesbury się nie zjawił. I nawet nie musiałam się rozglądać. Wiedziałabym to w chwili, w której przestąpiłby próg.

Dwadzieścia cztery godziny wcześniej miałam pięciominutową odprawę z moim przełożonym na Komisariacie Southwark. Otóż, SWK10, wciąż nazywany potocznie OS10 – czyli Specjalistyczny Wydział Kryminalny Policji Mertopolitalnej, zajmujący się operacjami niejawnymi, poprosił o moją pomoc przy jakimś śledztwie. I nie poprosili o jakąkolwiek młodą posterunkową, ale konkretnie o mnie, a oficer prowadzący to dochodzenie, inspektor Mark Joesbury, miał się ze mną spotkać następnego wieczoru.

– Co to za sprawa? – zapytałam. Usłyszałam, że inspektor Joesbury wprowadzi mnie w temat. Mój przełożony sznurował usta i był mocno skwaszony pewnie dlatego, że podkradano mu personel bez podania przyczyny.

Jeszcze raz spojrzałam na zegarek. Joesbury spóźniał się już dwadzieścia trzy minuty, mój drink znikał o wiele za szybko i dokładnie o wpół do wybierałam się do domu.

Dotarło do mnie, że nawet nie pamiętam, jak on wygląda. O, miałam jakieś tam pojęcie o wzroście, budowie i karnacji, i pamiętałam te turkusowe oczy, ale nie potrafiłam przywołać w myślach obrazu jego twarzy. Co było dość dziwne, skoro nie znikał z mojej głowy nawet na sekundę.

– Lacey Flint, jak babcię kocham – odezwał się głos tuż za moimi plecami.

Wzięłam głęboki wdech i odwróciłam się powoli. Ujrzałam Marka Joesbury'ego, lekko ponad metr osiemdziesiąt wzrostu, barczystego, opalonego nawet w styczniu, z jasnymi, turkusowymi oczami. W bujnej, rozczochranej, rudej peruce.

– Jestem tu incognito – powiedział. I puścił do mnie oko.

2

Miejsce parkingowe dla niepełnosprawnych przed domem doktor Evi Oliver dla odmiany było wolne. Choć na starym ceglanym murze wisiała wyraźna tabliczka z napisem „Prywatny parking", zdarzało się często, szczególnie w weekendy, że Evi po powrocie do domu zastawała tu samochód jakiegoś turysty z kulawą nogą. Dzisiaj miała szczęście.

Przygotowała się na nieunikniony ból i wysiadła z samochodu. Była pół godziny spóźniona z lekami, które zresztą nie radziły już sobie z bólem tak jak dawniej. Rozłożyła kulę, chwyciła ją pod lewą pachę i czując się odrobinę pewniej, wyjęła z kabiny aktówkę. Jak zwykle lekko się zadyszała z tego wysiłku. I jak zwykle ciemność i odludzie nie pomagały.

Choć Evi chciała jak najszybciej znaleźć się pod dachem, zmusiła się, by się rozejrzeć i nasłuchiwać przez chwilę. Dom, w którym mieszkała od pięciu i pół miesiąca, znajdował się na końcu ulicy; otaczały go zamknięte murami uniwersyteckie ogrody i rzeka Cam. Była to chyba jedna z najbardziej zacisznych uliczek w Cambridge.

Nikogo nie było widać, a ciszę zakłócały tylko odgłosy ruchu na sąsiedniej ulicy i wiatr w pobliskich drzewach.

Było późno. Dziewiąta wieczór w piątek i zwyczajnie nie dało się siedzieć w pracy dłużej. Jej nowi koledzy i tak przylepili jej już etykietkę smętnej, kalekiej starej panny, przedwcześnie postarzałej, która nie ma życia poza pracą. Właściwie się nie mylili. Evi rzeczywiście wysiadywała przy biurku aż do zamknięcia budynku przez ochronę. Ale nie trzymała jej tam pustka reszty jej życia. Trzymał ją tam strach.

3

Słyszałam chichoty wokół nas, wyłapałam parę ciekawskich spojrzeń. Jednym uchem słyszałam, jak Joesbury prosi gościa za barem o szklankę piwa IPA, a dla pani jeszcze raz to samo. Kiedy wreszcie złapałam oddech i wytarłam oczy, Joesbury miał zdziwioną minę.

– Chyba jeszcze nigdy nie słyszałem, jak się śmiejesz – powiedział. Lekko kręcąc głową, jakbym to ja była wariatką, patrzył, jak barman nalewa mi drinka. Bombay sapphire z dużą ilością lodu w wysokiej szklance. Podsunął mi ją z uniesionymi brwiami. – Pijesz czysty gin? – spytał.

– Nie. Z lodem i cytryną – odparłam; widziałam, że barman i parę osób obok gapi się na nas. Do diabła, w co ten Joesbury się bawił?

– Do diabła, w co ty się bawisz? – spytałam go. – Zamierzasz siedzieć w tym czymś przez cały wieczór?

– Nie, głowa mnie od tego swędzi. – Zdjął perukę, rzucił ją na bar i wziął swoją szklankę. Porzucona kupa włosów leżała przed nim jak przydrożna padlina, kiedy podrapał się za lewym uchem. – Ale mogę założyć później – dodał. – Jeśli będziesz chciała.

Włosy mu urosły, od kiedy widziałam go ostatni raz; z tyłu sięgały kołnierzyka. Miały ciemniejszy odcień brązu, niż zapamiętałam, i odrobinę falowały. Z tą dłuższą fryzurą było mu do twarzy, zmiękczała kontury jego czaszki i wydłużała kości policzkowe, przez co był o niebo przystojniejszy. W łagodnym oświetleniu baru blizna wokół jego prawego oka była ledwie widoczna. Poczułam, że bolą mnie mięśnie żuchwy. Przez cały czas szczerzyłam się do niego jak głupia.

– Więc spytam jeszcze raz, co to ma być? – Pomyślałam, że jeśli będę zrzędzić, może się nie zorientuje, jak niedorzecznie się cieszę, że go widzę. – Czy w twoim zawodzie wypada tak się rzucać w oczy?

– Pomyślałem, że to przełamie lody – odpowiedział, ocierając piwną piankę z górnej wargi. – Kiedy widzieliśmy się ostatni raz, sytuacja była dość napięta.

Kiedy ostatnio widziałam się z Joesburym, wykrwawiał się na śmierć. Ja zresztą też. Więc sytuacja rzeczywiście była „dość napięta".

– Co u ciebie? – spytałam, choć znałam odpowiedź całkiem dobrze. Przez ostatnie dwa miesiące bezwstydnie żebrałam o informacje u naszych wspólnych znajomych. Wiedziałam, że postrzał, który dostał tamtego wieczoru, wyrwał mu spory kawał tkanki płucnej, ale chirurdzy i czas zdołali to załatać. Wiedziałam, że spędził cztery tygodnie w szpitalu, że na kolejne trzy miesiące został odsunięty od pełnego zakresu obowiązków, ale potem spokojnie mógł wrócić do czynnej służby.

– Chyba odpuszczę sobie tegoroczny Londyński Maraton – stwierdził, wyciągając rękę i chwytając moją dłoń, przez co poczułam się, jakby w żołądku zawibrowały mi mocno napięte gitarowe struny. – Ale poza tym w porządku. – Odwrócił mój nadgarstek, by zajrzeć pod spód, i przez chwilę patrzył na gruby plaster, który wciąż nosiłam, bardziej dlatego, że nie lubiłam patrzeć na bliznę pod nim, niż dlatego, że wymagała osłony. Po trzech miesiącach była już całkowicie zagojona. Jak dla mnie wciąż za słabo. – Myślałem, że może mnie odwiedzisz – ciągnął. – Te szpitalne piżamki były całkiem twarzowe.

– Wysłałam misia – odparłam. – Pewnie poczta zgubiła.

Oboje wiedzieliśmy, że kłamię. I nie powiedziałam mu, że tak naprawdę przez prawie godzinę oglądałam obrazki na stronie internetowej niemieckiego Steiffa, wybierając misia, jakiego bym mu posłała, gdyby coś takiego było możliwe. Miś, na którego wreszcie się zdecydowałam, był podobny do tego, którego dał mi kiedyś Joesbury, tyle że większy i bardziej zadziorny. Kiedy ostatni raz zaglądałam na stronę, był oznaczony jako „nieosiągalny". Sama bym tego lepiej nie ujęła. Joesbury patrzył teraz na moją twarz, a konkretnie na mój przemodelowany nos. Wyprostowali mi go miesiąc temu, bo był złamany, i pooperacyjne sińce już prawie zniknęły.

– Niezła robota – zauważył. – Nie jest odrobinę dłuższy, niż był?

– Uznałam, że dzięki temu będę wyglądać bardziej inteligentnie.

Wciąż trzymał mnie za nadgarstek, a ja nie próbowałam zabrać ręki.

– Słyszałem, że oddelegowali cię do pornosów – dodał. – Dobrze się bawisz?

– Zbieram materiały i piszę podsumowania – warknęłam, bo nie znoszę, kiedy mężczyźni choćby sugerują żarty z pornografii. – Z jakichś powodów uważają, że jestem dobra w szczegółach.

Joesbury dał mi spokój i widziałam, że jego nastrój się zmienił. Odwrócił się i spojrzał na stolik przy oknie.

– No dobra, skoro towarzyskie pogaduszki mamy już za sobą, powinniśmy usiąść – powiedział. Nie czekając na moją zgodę, wetknął sobie perukę pod pachę, wziął nasze drinki i ruszył przez salę. Poszłam za nim, mówiąc sobie, że nie mam prawa czuć się rozczarowana. To nie była randka.

Joesbury miał ze sobą plecak. Wyciągnął z niego cienką brązową teczkę i nie otwierając jej, położył na stole między nami.

– Mam pozwolenie od twoich szefów z Southwark, żeby prosić cię o pomoc przy dochodzeniu – powiedział, i w tej chwili mógłby być jakimkolwiek funkcjonariuszem starszym stopniem, wprowadzającym w temat młodszą koleżankę. – Potrzebujemy kobiety. Takiej, która może uchodzić za dziewczynę tuż po dwudziestce. W naszym wydziale nie ma nikogo takiego. Pomyślałem o tobie.

– Jestem wzruszona – odparłam, grając na czas. Dochodzenia prowadzone przez OS10 wiązały się z wysyłaniem tajniaków w niebezpieczne miejsca. Nie byłam pewna, czy jestem gotowa na kolejną niebezpieczną przygodę.

– Jeśli dobrze się spiszesz, to będzie dobrze wyglądało w papierach – oznajmił.

– Zapewne odwrotnie też.

Joesbury się uśmiechnął.

– Mam rozkaz powiedzieć ci, że decyzja należy wyłącznie do ciebie. A Dana kazała mi cię poinformować, że jestem nieodpowiedzialnym debilem, że jest o wiele za wcześnie po sprawie Rozpruwacza, żeby w ogóle myśleć o wciąganiu cię w takie śledztwo, i że powinnaś kazać mi iść do diabła.

– Przekaż jej pozdrowienia – poprosiłam.

Dana, czyli inspektor Dana Tulloch, była szefem Wydziału Zabójstw, z którym współpracowałam zeszłej jesieni. Była też najlepszą kumpelką Joesbury'ego. Lubiłam Danę, ale nie potrafiłam pozbyć się niechęci do jej zażyłości z Joesburym.

– Ale z drugiej strony – ciągnął Joesbury – tą sprawą zajęliśmy się w zasadzie przez Danę. Skontaktowała się z nią nieoficjalnie jej stara przyjaciółka ze studiów, obecnie szefowa poradni psychologicznej Uniwersytetu Cambridge.

– Co to za sprawa? – spytałam.

Joesbury otworzył teczkę.

– Ciągle masz taki mocny żołądek? – Skinęłam głową, choć ostatnio raczej go nie testowałam. Joesbury wyjął cienki plik zdjęć i podsunął mi je po stole. Spojrzałam na pierwsze z brzegu i musiałam na sekundę zamknąć oczy. Naprawdę, na świecie są rzeczy, których lepiej nigdy nie oglądać.

4

Evi myszkowała wzrokiem wzdłuż ceglanego muru otaczającego jej ogród, wokół pobliskich budynków, po ciemnych miejscach pod drzewami, zastanawiając się, czy lęk zdominuje całą resztę jej życia.

Lęk przed byciem samą. Lęk przed cieniami, które nabierają ciała. Przed szeptami, które wysączają się z ciemności. Przed piękną twarzą, która okazuje się tylko maską. Lęk przed tymi kilkoma krokami między bezpiecznym samochodem a domem.

Musiała je kiedyś zrobić. Zamknęła samochód i ruszyła w stronę frontowej furtki. Kute żelazo było stare, ale zawiasy zostały wymienione, więc furtka otwierała się pod najlżejszym dotknięciem.

Wschodni wiatr dujący znad Fens był dziś wyjątkowo silny i liście dwóch drzew laurowych szeleściły niczym stary papier. Nawet maleńkie listeczki bukszpanowego żywopłotu tańczyły i podskakiwały. Po obu stronach chodnika rosły krzaczki lawendy. W czerwcu ich zapach witał ją w domu jak uśmiech na ukochanej twarzy. Teraz nieprzycięte łodyżki były nagie.

Dom w stylu królowej Anny, zbudowany prawie trzysta lat temu dla dziekana jednego ze starszych kolegiów, został zaproponowany Evi na kwaterę, kiedy przyjęła nową posadę, choć był chyba ostatnim miejscem, w jakim spodziewała się zamieszkać. Wielkie domiszcze z miękkiej, ciepłej cegły, z wykończeniami z jasnego wapienia, było jedną z bardziej prestiżowych miejsc, jakimi dysponowała uczelnia. Jego poprzedni lokator, światowej sławy profesor fizyki, który dwa razy o włos minął się z Nagrodą Nobla, mieszkał w nim przez prawie trzydzieści lat. Kiedy zapalenie opon mózgowych odebrało mu władzę w nogach, uniwersytet przystosował dom do potrzeb osoby niepełnosprawnej.

Profesor zmarł dziewięć miesięcy temu, a kiedy Evie zaproponowano stanowisko szefowej Studenckiej Poradni Psychologicznej plus pół etatu wykładowcy i opiekuna naukowego, uniwersytet uznał, że inwestycja może się zwrócić choć po części.

Chodniczek z kamiennych płyt był krótki. Raptem pięć metrów przez środek wymyślnego wzoru z niskich żywopłotków. Parę kroków i znajdzie się na ozdobnym ganku. Wiszące latarnie po obu stronach drzwi oświetlały chodnik na całej długości. Zwykle cieszyła się, że świecą. Ale dziś nie była tego pewna. Bo bez nich pewnie nie dostrzegłaby ścieżki z jodłowych szyszek, prowadzącej od furtki do drzwi.

5

Patrzysz na Bryony Carter – wyjaśnił mi Joesbury. – Lat dziewiętnaście. Studentka pierwszego roku medycyny.

– Co się stało?

– Podpaliła się – odparł. – W wieczór bożonarodzeniowego balu jej kolegium, parę tygodni temu. Może była wkurzona, że jej nie zaproszono, ale kolacja właśnie się kończyła, kiedy wpadła do środka jak żywa pochodnia.

Zaryzykowałam spojrzenie na postać otuloną płomieniami.

– Koszmar – stwierdziłam, ale to i tak nie oddawało moich uczuć. Postanowić umrzeć z własnej ręki to jedno. Ale uśmiercić się za pomocą ognia? – I ludzie to widzieli?

Joesbury kiwnął głową.

– Nie tylko widzieli. Parę osób zrobiło jej zdjęcia komórkami. Ta dzisiejsza młodzież!

Zaczęłam przeglądać resztę zdjęć. Płonąca dziewczyna odrzuciła głowę do tyłu i nie było widać jej twarzy. Za to jedno mogłam być wdzięczna. Większym problemem były małe, niewyraźne kształty widoczne przez płomienie: wyglądały jak stopione kawałki masy odpadające od ciała. A jej lewa dłoń, wyciągnięta w stronę aparatu, była czarna. Przypominała raczej kurzą łapę niż cokolwiek, co mogło przynależeć do ludzkiego ciała.

Piąte zdjęcie z rzędu ukazywało dziewczynę na podłodze. Długowłosy mężczyzna w wieczorowej marynarce, sądząc po minie głęboko wstrząśnięty, stał przy niej z gaśnicą w objęciach. Obok leżało wywrócone wiaderko na lód. Dziewczyna w niebieskiej sukience trzymała w dłoni dzbanek z wodą.

– Była mocno naćpana jakimś nowomodnym halucynogenem – poinformował Joesbury. – Można tylko mieć nadzieję, że nie bardzo wiedziała, co się dzieje.

– Co to ma wspólnego z OS10? – spytałam.

– To było pierwsze pytanie, jakie zadałem – odparł. – Miejscowa dochodzeniówka nie jest jakoś szczególnie przejęta. Wykonali klasyczną analizę trzech punktów, by stwierdzić samobójstwo, i nie znaleźli nic nietypowego.

Zastanawiałam się przez moment, ile aktów samobójczych można by uznać za bardziej nietypowe niż samospalenie.

– Nie znam tego – powiedziałam. – Tej analizy trzech punktów.

– Środki, motyw, zamiar – wyjaśnił Joesbury. – Przy podejrzeniu samobójstwa najpierw sprawdzasz, czy ofiara miała pod ręką środki do zadania sobie śmierci. Pistolet blisko dłoni, pętla na karku i coś, na czym można stanąć, tego typu sprawy. W przypadku Bryony przed salą bankietową znaleziono kanister z benzyną, a funkcjonariusz prowadzący śledztwo znalazł paragon w jej pokoju. Znalazł też ślady narkotyku, który strzeliła sobie dla kurażu.

Ktoś pochylił się nade mną, by postawić pustą szklankę na stoliku, i dostrzegł zdjęcie. Nie podnosząc wzroku, wsunęłam fotki pod teczkę.

– Następny punkt to motyw – ciągnął Joesbury. – Bryony od jakiegoś czasu miała depresję. Była bystrą dziewczyną, ale z trudem nadążała z nauką. Skarżyła się, że nie może spać.

– A zamiar? – spytałam.

Joesbury skinął głową.

– Zostawiła list do matki. Krótki i bardzo smutny, jak słyszałem. Raport policjanta, który pierwszy zjawił się na miejscu, i raport ekipy kryminalistycznej na temat stanu jej pokoju są w teczce – ciągnął. – Nie dostrzegli żadnych dowodów pozorowania.

Pozorowania, czyli sztuczek stosowanych czasem przez zabójców, którzy chcą, by morderstwo wyglądało na samobójstwo. Położenie pistoletu tuż przy dłoni ofiary to klasyczny przykład. Brak odcisków palców na pistolecie wskazywałby na pozorowanie.

– A poza tym kilkaset osób widziało, jak to zrobiła.

– Owszem, widzieli, jak płonie – potwierdził Joesbury. – I to już trzecie samobójstwo na uniwersytecie w tym roku akademickim. Czy mówi ci coś nazwisko Jackie King?

Zastanowiłam się chwilę i pokręciłam głową.

– Zabiła się w listopadzie. Trafiła do paru ogólnokrajowych gazet.

– Widocznie przegapiłam. – Od sprawy, nad którą oboje pracowaliśmy ostatniej jesieni, z całym rozmysłem unikałam gazet i ogólnokrajowych wiadomości. Nigdy nie przyzwyczaję się do oglądania własnego nazwiska w newsach, a nieustanne przypominanie, przez co przeszedł nasz zespół, nie mogło, jak by to powiedział psychoterapeuta, pomóc w procesie zdrowienia.

– Wciąż nie rozumiem – ciągnęłam. – Dlaczego OS10 interesuje się samobójstwem studentki?

Joesbury wyjął z plecaka kolejną teczkę. Proszenie go, żeby jej nie otwierał, raczej nie wchodziło w grę, więc siedziałam i czekałam, aż wyciągnie kolejną porcję zdjęć. Choć nie potrzeba ich było wielu. Już pierwsze dało mi wystarczająco dobre pojęcie, o co biega. Dziewczyna, ewidentnie martwa, z mokrymi włosami i ubraniem. I z liną mocno zawiązaną wokół kostek.

– To było samobójstwo? – spytałam.

– Wszystko na to wskazuje – odparł. – A w każdym razie nic nie wskazuje, że było inaczej. Tu masz Jackie w lepszej formie.

Joesbury przełożył ostatnie zdjęcie na wierzch. Jackie King wyglądała na dziewczynę, która lubi przebywać na świeżym powietrzu. Miała na sobie żeglarską bluzę, jej włosy były długie, jasne, błyszczące i proste. Była młoda, zdrowa, inteligentna i atrakcyjna – przecież chyba miała po co żyć?

– Biedaczka – powiedziałam i czekałam na ciąg dalszy.

– Trzy samobójstwa w tym roku, trzy w zeszłym, cztery dwa lata temu – wyliczał Joesbury. – Cambridge zaczyna ustanawiać bardzo niezdrowe rekordy, jeśli chodzi o młodych ludzi odbierających sobie życie.

6

Evi zatrzymała się, zaklinając w duchu wiatr, by zelżał. Chciała usłyszeć ten chichot, to szuranie stóp, które powiedziałyby jej, że ktoś patrzy. Bo ktoś musiał patrzeć. Niemożliwe, żeby te szyszki przyleciały na ścieżkę same, niesione wiatrem. Było ich w sumie dwanaście, po jednej dokładnie na środku każdej płyty chodnika. Tworzyły linię prostą prowadzącą pod same drzwi.

To się działo już trzeci wieczór z rzędu. Wczoraj i przedwczoraj jeszcze dało się jakoś wyjaśnić. Za pierwszym razem szyszki były porozrzucane, jakby przyniósł je wiatr. Wczoraj ich kupka leżała tuż za furtką. To już było bardziej celowe.

Kto mógł wiedzieć, jak bardzo nienawidziła jodłowych szyszek?

Odwróciła się na pięcie, podpierając się kulą, by nie stracić równowagi. Za dużo hałasu czynionego przez wiatr, żeby cokolwiek usłyszeć. Za dużo cieni, by mieć pewność, że jest sama. Powinna wejść do środka. Ruszyła chodniczkiem tak szybko, jak była w stanie, aż dotarła do drzwi i weszła do domu. Kolejna szyszka, większa od reszty, leżała na wycieraczce.

Evi trzymała domowy wózek z boku drzwi wejściowych. Nie odrywając oczu od szyszki, zatrzasnęła za sobą drzwi i usiadła na wózku. Chwycił ją w szpony stary, irracjonalny lęk, z którego zdawała sobie sprawę, ale nie była w stanie w żaden sposób pokonać, sięgający czasów, kiedy jako pulchna, ciekawska czterolatka podniosła dużą jodłową szyszkę spod drzewa.

Była na wakacjach z rodziną, w południowych Włoszech. Drzewa w lesie były ogromne, sięgały do nieba, a przynajmniej tak się wydawało małej dziewczynce. Szyszka też była wielka, jej małe, pulchne rączki były przy niej maleńkie. Podniosła ją, zachwycona odwróciła się do matki i poczuła łaskotanie na lewym nadgarstku.

Kiedy spojrzała w dół, jej dłonie i przedramiona były pokryte ruchliwymi owadami. Pamięta, jak wyła, kiedy któreś z rodziców zgarniało z niej robale. Ale niektóre dostały się pod ubranie i rodzice musieli rozebrać ją w lesie. I teraz, po tylu latach, wspomnienie zachwytu zmieniającego się w obrzydzenie wciąż potrafiło wytrącić ją z równowagi.

Nikt nie mógł o tym wiedzieć. Nawet rodzice od dziesięcioleci nie wspominali o tym incydencie. Dziwaczny żart, i tyle, pewnie nawet nie miał nic wspólnego z nią. Może bawiło się tu jakieś dziecko – zostawiło szlak szyszek i wrzuciło jedną przez szczelinę na listy. Evi ruszyła na wózku w stronę kuchni. Dotarła do drzwi.

Na kuchennym stole, który wychodząc z domu, zostawiła czysty, leżała kupka dużych jodłowych szyszek.

7

Samobójstwa wśród młodych ludzi to raczej nic niezwykłego – powiedziałam, zastanawiając się nad tym na bieżąco. – Wśród studentów odsetek samobójstw jest wyższy niż w całej populacji, zgadza się? Czy w Walii nie było parę lat temu czegoś takiego?

– Myślisz o Bridgend – odparł Joesbury. – Choć z technicznego punktu widzenia tam w grę nie wchodziła uczelnia. Rzeczywiście, zdarzają się masowe fale samobójstw. Ale to rzadkość. I ta koleżanka Dany nie jest jedyną osobą, którą to niepokoi. Przez zainteresowanie mediów zarząd uniwersytetu też robi się coraz bardziej nerwowy. Dziwaczne, publiczne samobójstwa nie stawiają w najlepszym świetle jednej z wiodących instytucji naukowych świata.

– Ale nic nie wskazuje na działania przestępcze? – spytałam.

– Wręcz przeciwnie. I Bryony, i Jackie leczyły się psychiatrycznie – powiedział Joesbury. – Jackie w przeszłości, Bryony całkiem niedawno.

– Bryony chodziła na terapię?

– Owszem – odparł Joesbury. – Nie do tej przyjaciółki Dany, jak jej tam... – Wyjął plik kartek z teczki i zaczął je przeglądać. – Oliver – powiedział po chwili. – Doktor Evi Oliver... więc nie do niej, ale kogoś z jej kolegów. Uniwersytet ma własny zespół psychiatrów i psychologów, i doktor Oliver jest ich szefową.

– A ta druga dziewczyna? – spytałam.

Joesbury skinął głową.

– Jackie też miała problemy, jak twierdzą jej przyjaciółki. Podobnie jak młodzieniec, który powiesił się po trzech tygodniach na uczelni. – Joesbury spojrzał w notatki. – Jake Hammond. Dziewiętnastoletni student filologii angielskiej.

– O ilu przypadkach mówimy?

– O dziewiętnastu w ciągu pięciu lat, licząc z Bryony Carter – powiedział Joesbury.

– Hm, rozumiem, dlaczego zarząd się martwi – rzuciłam. – Ale ciągle nie rozumiem, dlaczego zajmuje się tym OS10.

Joesbury wyciągnął się na krześle i założył ręce za głowę. Był szczuplejszy, niż go pamiętałam. Stracił trochę masy mięśniowej na klacie i ramionach.

– Uczelniana sieć psiapsiółek – odparł. – Doktor Oliver skontaktowała się ze swoją kumpelką z Cambridge, Daną, która z kolei skontaktowała się ze swoją dawną policyjną mentorką, jeszcze jedną absolwentką Cambridge.

– Czyli?

– Sonią Hammond.

Joesbury czekał, aż załapię. Nie załapałam.

– Komendant Sonią Hammond – podpowiedział mi. – Obecnie szefową Specjalistycznego Wydziału Kryminalnego w Scotland Yardzie.

Załapałam.

– Twoją przełożoną. Nie wiedziałam, że podlegasz kobiecie.

Joesbury uniósł brew. Zapomniałam, że potrafi coś takiego.

– Historia mojego życia – rzucił. – Komendant Hammond ma córkę w Cambridge, więc szczególnie się tym interesuje.

– Mimo wszystko – powiedziałam. – Niby co takiego ma odkryć tajna operacja w mieście śniących wież?

– Zdaje się, że miasto śniących wież to Oksford – stwierdził Joesbury. – Doktor Oliver ma teorię, że te samobójstwa to nie jest zbieg okoliczności. Jej zdaniem dzieje się tam coś mocno podejrzanego.

8

Evi podziękowała młodej policjantce i zaryglowała frontowe drzwi wciąż bardziej roztrzęsiona, niż chciała przyznać. Funkcjonariuszka była uprzejma, dokładnie przeszukała dom i poprosiła, żeby Evi koniecznie zadzwoniła, gdyby wydarzyło się coś jeszcze. Ale poza tym najwyraźniej nie planowała podjąć żadnej akcji poza napisaniem raportu. Nie było żadnych śladów włamania, jak wyjaśniła, a jodłowe szyszki trudno uznać za groźne.

Oczywiście miała trochę racji. Nie tylko Evi miała klucze do domu. Ludzie z firmy sprzątającej przychodzili tu co wtorek pod jej nieobecność. Budynek był własnością uczelni i nie było wykluczone, że któryś z konserwatorów złożył w nim nieplanowaną pilną wizytę. Po co konserwator miałby przynosić do domu szyszki, to już była inna kwestia, ale młoda policjantka nie zamierzała się nad nią głowić.

Evi przejechała przez kuchnię i nalała wody do czajnika. Właśnie go włączyła, kiedy coś zgrzytnęło po szybie kuchennego okna. Podskoczyła tak wysoko, że o mało nie spadła z wózka.

– To tylko drzewo – powiedziała do siebie; w tej chwili przypomniała sobie, że ciągle nie wzięła leków przeciwbólowych. – Znowu to cholerne drzewo.

Okno kuchni wychodziło na ogrodzony murem ogród od tyłu schodzący aż na brzeg rzeki. Tuż za domem rósł potężny cedr, którego dolne gałęzie przy silnym wietrze drapały o okna parteru.

Evi wzięła leki, odczekała parę minut, aż zadziałają, a potem zjadła kolację: tyle ile zdołała w siebie wmusić. Zebrała naczynia i poturlała się na wózku w stronę sypialni, zatrzymując się po drodze, by podnieść szyszkę z wycieraczki. Bez emocji wyrzuciła ją z powrotem przez szparę na listy. Te z kuchennego stołu były już na dworze, w koszu na śmieci.

Odkręciła kurki nad wanną i zaczęła się rozbierać. Na nocnej szafce leżał otwarty list. Przyszedł parę dni temu w grubej, bąbelkowej kopercie. Kiedy Evi wytrząsnęła ją nad łóżkiem, wypadły muszelki, kamyki, uschłe wodorosty, a wreszcie rodzinne zdjęcie. Teraz leżało na szafce. Mama, tata, dzieci. Byli jej pacjentami w zeszłym roku i stali się przyjaciółmi. Właśnie kupili na wpół zrujnowany bungalow przy nadmorskiej drodze w Lytham St Annes w Lancashire; matka pisała, że wiosną zamierzają wyburzyć ruderę i zbudować swój nowy, wymarzony dom. To będzie już ich druga próba; pierwsza niezbyt się udała. Podkreślali w liście, że Evi zawsze będzie mile widzianym gościem. Nie było żadnej wzmianki o Harrym.

Choć wiedziała, że nie powinna, otworzyła szufladę nocnej szafki i wyjęła artykuł z gazety, który znalazła w archiwum internetowym. Nie traciła czasu na czytanie słów – znała je na pamięć. Potrzebowała tylko spojrzeć na jego twarz.

Wanna pewnie już się napełniła. Jeszcze tylko sekunda, by popatrzeć na włosy w odcieniu gdzieś pomiędzy rudawym blondem a miodowym, na jasnobrązowe oczy, kwadratową szczękę i wargi, które chyba zawsze wyginały się w uśmiechu, nawet kiedy, tak jak na tym zdjęciu, starał się wyglądać poważnie. I jeszcze jedna sekunda, by zapytać się w duchu, kiedy dobre dni – te, potrafiła zepchnąć go na dno umysłu, jak stare wspomnienia – staną się częstsze niż te złe, kiedy dobijał się o nieustanną uwagę, tak żywy, że niemal czuła cytrynowo--imbirowy zapach jego skóry. I jeszcze jedna sekunda na zadanie sobie pytania, kiedy wreszcie minie ból.

Kiedy woda w wannie zaczęła stygnąć, Evi już prawie spała. Wcisnęła włącznik windy, która wyciągnęła ją z kąpieli. Udało jej się ustać bez podpórki wystarczająco długo, żeby się wytrzeć i nasmarować skórę balsamem. Masz taką miękką skórę, wyszeptał jej kiedyś. Kiedy wychodziła z łazienki, miała w oczach łzy i nawet nie próbowała sobie wmawiać, że to tylko ból, ostatnio o wiele silniejszy wieczorami, zmusza ją do płaczu.

Nie dostrzegła więc napisu na lustrze, widocznego tylko dzięki parze z gorącej wody.

„Widzę cię".

9

Podejrzanego w jakim sensie? – spytałam Joesbury'ego.

– Doktor Oliver uważa, że działa tam... i teraz cytuję notatki... podziemna subkultura gloryfikująca akt samobójczy – odparł. – Sądzi, że te dzieciaki, wspierane przez grupę działającą online, podjudzają się nawzajem.

– To samo ludzie mówili na temat Bridgend – stwierdziłam.

– To zawsze bardzo trudne do udowodnienia – przyznał Joesbury. – Ale są udokumentowane przypadki paktów samobójczych. Ludzie spotykają się, zwykle w necie, i decydują się razem skończyć ze sobą. Nawzajem dodają sobie odwagi do zrobienia tego.

Skinęłam głową. Parę razy czytałam o takich sprawach.

– Bardziej niepokojąca – ciągnął Joesbury – jest działalność szumowin, bo tylko tak można ich nazwać, które na stronach internetowych i czatach wyszukują przygnębione, bezbronne osoby. Nawiązują z nimi przyjaźnie, udają, że się troszczą, ale przez cały czas popychają tych ludzi w kierunku samobójstwa. Są też strony, na których ludzie o skłonnościach samobójczych mogą porozmawiać z podobnymi sobie, podyskutować o najskuteczniejszych sposobach, wspólnie zebrać się na odwagę przed ostatecznym krokiem. – Joesbury znów spojrzał w notatki. – Doktor Oliver nazywa to „wzmocnieniem negatywnym skłonności destruktywnych" – przeczytał – „czasami rozmyślnym i zbrodniczym".

– To chyba jakaś wesoła osóbka – stwierdziłam.

– Dana mówi, że niezła laska – odparł Joesbury z uśmiechem, za który chętnie dałabym mu w gębę.

– Więc zakładając, że się zgodzę – powiedziałam – na czym konkretnie ma polegać moje śledztwo?

– Właściwie nie będziesz prowadzić śledztwa jako takiego – oznajmił Joesbury. – Na tym etapie sprawa nie zasługuje jeszcze na oficjalne dochodzenie. Twoim zadaniem będzie spędzić trochę czasu z doktor Oliver, by wiedziała, że taktujemy ją poważnie.

– Więc jestem symbolicznym prezencikiem, który ma jej poprawić samopoczucie? – przerwałam mu.

– Nie do końca. Chcemy też, żebyś wtopiła się w życie studenckie i donosiła nam o wszystkich nietypowych zjawiskach. Będziesz zwracać szczególną uwagę na fora i czaty popularne w miejscowej sieci. Będziesz naszą wtyką.

Milczałam przez parę sekund.

– Chcemy, żebyś była studentką, która może myśleć o samobójstwie – ciągnął Joesbury. – Niezaradną, zbyt wrażliwą, podatną na depresję. Chcemy też, żebyś była zauważalna, więc musisz się trochę bardziej wysilić z wyglądem. Ładna wariatka. Tego nam potrzeba.

– Więc autopsja Bryony nie ujawniła absolutnie niczego podejrzanego? – zapytałam bardziej dlatego, że potrzebowałam zyskać trochę czasu, niż dlatego, że chciałam to rzeczywiście wiedzieć.

– Nie było autopsji.

Czekałam chwilę, patrząc, jak Joesbury przerzuca zdjęcia. W końcu wyciągnął jedno i odwrócił przodem do mnie. Ukazywało postać leżącą na szpitalnym łóżku, pod przejrzystym namiotem, groteskowo spuchniętą i tak dokumentnie pokrytą opatrunkami, że przypominała egipską mumię. Obie ręce sterczały jej na boki pod kątem prostym. Z jej ciała zdawała się wyrastać masa kabli i rurek.

– Ona żyje? – spytałam. Nie miałam bladego pojęcia, dlaczego to jest sto razy gorsze, niż gdyby umarła; wiedziałam tylko, że tak jest.

– To zdjęcie zrobiono dwadzieścia cztery godziny po przyjęciu jej do szpitala – wyjaśnił Joesbury. – Nikt się nie spodziewał, że przeżyje. Minęły już trzy tygodnie, a ona zwalczyła infekcję, nie wpadła we wstrząs i niewydolność oddechową. Może nawet wyzdrowieje. Ale nie wiadomo, czy cokolwiek nam powie. Spalił jej się język.

Niewiele można odpowiedzieć na takie stwierdzenie.

– Więc co mam robić?

– Przeczytaj akta – odparł. – Zastanów się nad tym. Dana chce, żebyś do niej zadzwoniła. Będzie próbowała wybić ci to z głowy.

Spojrzałam na niego.

– A ty tam będziesz? – spytałam. – Znaczy, w Cambridge.

Zmrużył turkusowe oczy.

– Niekoniecznie na tym etapie – odparł. – Będę tam wpadał, żeby mieć na ciebie oko, ale dziewięćdziesiąt procent roboty w terenie będzie na twojej głowie.

Tak działał OS10. Najpierw na miejsce wysyłani byli funkcjonariusze młodsi stopniem, często na rok albo i dłużej, by zbierać informacje i dosyłać raporty. Kiedy wyłaniał się wyraźniejszy obraz sytuacji, do akcji wkraczał cięższy kaliber.

– Widzisz mnie w roli ekscentrycznego profesora? – mówił Joesbury. – W muszce i tweedach? W długiej, powłóczystej todze? Rozczochranej peruce?

Ze swoim muskularnym ciałem i bliznami na twarzy Joesbury przypominał raczej na wpół oswojonego bandziora. Teraz znów się do mnie uśmiechał. I to z tym uśmiechem zawsze najtrudniej było mi sobie poradzić. Lepiej po prostu na niego nie patrzeć. I wyjść jak najszybciej. Sprawa była załatwiona. Teczka na stole została zamknięta, jej zawartość zniknęła mi z oczu. Ruda peruka leżała parę centymetrów od mojej dłoni.

– Ten zwierzaczek jest bardzo miękki – zauważył Joesbury. – Chcesz pogłaskać?

Uniosłam wzrok.

– A o którym zwierzaczku mówimy?

Jego wyszczerz poszerzył się jeszcze bardziej.

– Boże, ależ za tobą tęskniłem – stwierdził.

Cisza. Wciąż patrzyliśmy na siebie nad stołem. Naprawdę musiałam już iść.

– Chcesz iść coś zjeść? – zaproponował.

Więc teraz to mogła być randka.

– Prawdę mówiąc, mam już plany. – Spojrzałam na zegarek. – Powinnam się zbierać.

Joesbury odchylił się na krześle, jego uśmiech zniknął. Uniósł prawą rękę i zaczął pocierać bliznę na skroni.

– A te plany nie obejmują przypadkiem wycieczki do Camden?

Kiedy poznałam Joesbury'ego, w piątkowe wieczory zwykle jeździłam do Camden, żeby podrywać mężczyzn. Nie zbliżyłam się do tego miejsca od pewnej październikowej nocy. A moje plany na dzisiejszy wieczór obejmowały chińszczyznę na wynos i wcześniejsze pójście do łóżka z kryminałem Lee Childa.

– Coś w tym rodzaju. – Wstałam. – Odezwę się do ciebie w weekend.

Patrzył, jak podnoszę torbę i wsuwam do niej teczkę. Pozwoliłam spojrzeniu zabłądzić na prawą stronę jego klatki piersiowej, w miejsce, które, kiedy widzieliśmy się ostatnio, było przesiąknięte krwią.

– Cieszę się, że wyzdrowiałeś – powiedziałam. I wyszłam.

10

Pół godziny później byłam już w domu, jadłam makaron po singapursku z pudełka i otwierałam teczkę sprawy Bryony Carter. Zdjęcia stanowczym gestem odsunęłam na bok, z wyjątkiem jednego, przedstawiającego Bryony przed samospaleniem. Widniała na nim wyjątkowo ładna dziewczyna z jasnymi, rudawymi włosami, o jasnej skórze i błyszczących błękitnych oczach.

Najpierw przeczytałam raport dochodzeniówki. Napisany został trzy dni po zdarzeniu i sprawiał wrażenie dość rzetelnego. O 21.45, w chwili, kiedy w auli Kolegium Świętego Jana podawano właśnie kawę, do wnętrza wpadła postać w płomieniach. Przytomny świadek, niejaki Scott Thornton, jak wynikało z raportu członek kadry kolegium, chwycił najbliższą gaśnicę. Kiedy już ją opróżnił, a Bryony leżała na podłodze, polecił gościom przynosić wodę. Zarządził, by wszyscy obecni polewali biedną Bryony wodą z dzbanków, butelek, wiaderek z lodem, nawet ze szklanek, a sam tymczasem z komórki wezwał pogotowie. Scott Thornton niemal z całą pewnością uratował Bryony życie. Czy Bryony mu za to kiedyś podziękuje, to już była inna kwestia.

Kiedy dziewczyna z poważnymi obrażeniami została zabrana do szpitala, mundurowi przeprowadzili dokładne przeszukanie budynku i terenu kolegium. W zacienionym miejscu placu zwanego Drugim Dziedzińcem znaleziono kanister, a ziemia wokół była przesiąknięta benzyną. Na kanistrze były odciski palców Bryony, i tylko jej.

Jej pokój, kilkaset metrów od miejsca zdarzenia, był schludny i czysty. Zrobiła tego dnia pranie i oddała kilka książek do biblioteki. Na szafce przy łóżku leżał pisany na komputerze list do matki. Paragon za kanister znaleziono wśród innych paragonów w przegródce na ołówki w szufladzie biurka. Na podłodze pokoju leżała pipeta, stalowa siateczka i cybuch, których używała do wdychania silnego halucynogennego narkotyku.

Jej współlokatorka, niejaka Talaith Robinson, powiedziała podczas przesłuchania, że Bryony już od jakiegoś czasu była nieszczęśliwa i niespokojna, ale nikt nie spodziewał się po niej tak drastycznego kroku. Raport przygotował jakiś sierżant, a podpisał jego przełożony, inspektor John Castell.

Miejscowa policja miała w zwyczaju, jak wyczytałam dalej, przeprowadzić szczegółowe śledztwo na temat stanu psychicznego ofiar samobójstw. Ponieważ wyzdrowienie Bryony wciąż było bardzo wątpliwe, Wydział Dochodzeniowy również w jej przypadku zamówił raport psychologiczny. Dostarczyła go doktor Oliver, psychiatra odpowiedzialna za ogólny stan zdrowia psychicznego Bryony.

Z podsumowania doktor Oliver dowiedziałam się, że Bryony była młodą kobietą, która wykazywała silną potrzebę bycia kochaną i posiadania opiekuna, która najchętniej oddałaby odpowiedzialność za własne życie komuś innemu – dobremu, silniejszemu partnerowi, bratniej duszy, która by się nią zajęła. Raport mówił o napiętych stosunkach z obojgiem rodziców. Ojciec, któremu praca zajmowała dużo czasu, rzadko bywał w domu, a matka nie była szczególnie zainteresowana Bryony, najmłodszym z czwórki dzieci. Bryony wyrosła w przekonaniu, że jest utrapieniem dla całej rodziny.

Niepewne siebie, nieszczęśliwe dziecko wyrosło na pasywną kobietę, rozpaczliwie pragnącą miłości i uwagi. Bryony, choć inteligentna i ładna, była zaborcza i nadwrażliwa w związkach, nawet w przyjaźniach. W Cambridge cierpiała na bezsenność i nocne koszmary. Pod koniec semestru opuszczała już większość zajęć. Jej lekarz domowy, niejaki doktor Bell, przepisał jej lek przeciwdepresyjny, citalopram.

Po podsumowaniu następowało kilka stron notatek, poczynionych podczas indywidualnych sesji psychoterapeutycznych. Wstałam, zaniosłam puste pudełko po chińszczyźnie do zlewu i nalałam sobie kieliszek wina.

Tylko pobieżnie przejrzałam medyczny raport na temat stanu Bryony głównie dlatego, że większość technicznych szczegółów nic mi nie mówiła. Mój wzrok przyciągnęła krótka notka na temat narkotyku wykrytego w jej krwi.

Dimetylotryptamina, czy też DMT. Nigdy o niej nie słyszałam, ale krótka randka z Google powiedziała mi, że to bodajże najsilniejszy psychodeliczny narkotyk znany rodzajowi ludzkiemu, w Wielkiej Brytanii zakwalifikowany do klasy A, substancji najbardziej szkodliwych, a tym samym całkowicie nielegalnych. Zwykle przyjmowany wziewnie, wywołuje krótkotrwałe, ale bardzo intensywne doświadczenia, podczas których percepcja rzeczywistości może ulec znacznemu zniekształceniu. Zażywający przyznawali się do widzenia wróżek, elfów, aniołów, nawet Boga.

Im więcej czytałam, tym większa ogarniała mnie irytacja. Bryony miała rodzinę, dobre wykształcenie i możliwość studiowania na jednym z najbardziej szanowanych na świecie uniwersytetów. Miała o wiele więcej niż ja, ale mnie nigdy nie przyszło do głowy naćpać się i podpalić, żeby zepsuć ludziom skądinąd udaną świąteczną imprezę.

Z drugiej strony, jeśli doktor Oliver miała rację, ta wrażliwa, bezbronna dziewczyna padła ofiarą ludzi, których kręci emocjonalne gnębienie i ostateczna destrukcja innych istot ludzkich. Którzy wierzą, że są dość sprytni, by zadawać ból bez brudzenia sobie rączek.

11

Evi obudziła się nagle, przekonana, że ktoś puka do okna jej sypialni. Przez kilka sekund leżała nieruchomo. Nic. To tylko sen, jeden z tych złych, które zaczynają się od dziwnego, zniekształconego stworzenia tłukącego w okno. Wiedziała, że musi zasnąć z powrotem, zanim zacznie myśleć, bo inaczej nie będzie spać całą noc. Przekręciła się na drugi bok i w tej chwili znów coś zaczęło stukać. Uniosła głowę z poduszki, żeby lepiej słyszeć.

Teraz, kiedy była już całkiem przytomna, wiedziała, że dźwięk nie dobiega od okna. Wielki cedr nie sięgał na tę stronę domu. Pukanie dobiegało z miejsca wprost nad jej głową. Z pokoju na górze. Wyciągnęła rękę, znalazła włącznik lampki i usiadła.

Puk, puk, puk. Telefon miała przy łóżku. Policja albo ochrona uniwersytetu mogła tu być w parę minut. Jeśli im powie, że wydaje jej się, że ktoś jest na piętrze, nie będą zwlekać. Z drugiej strony poczułaby się jak idiotka, gdyby wezwała paru osiłków w mundurach do inwazji wiewiórek.

Siedziała nieruchomo na łóżku, nie mogąc się zdecydować.

Czy to cieniutkie, nieustępliwe stukanie to mogą być wiewiórki? Prędzej dziób uwięzionego ptaka. Dźwięk ustał. Po sekundzie rozległ się znowu. Puk, puk, puk przez kilka sekund i znów cisza. Evi miała tylko dwie możliwości. Wezwać pomoc i zaryzykować, że wyjdzie na idiotkę, albo osobiście zbadać sprawę. Wstała, wzięła kulę pod pachę i wyszła z sypialni.

Schody w domu były wyposażone w windę, ale Evi nie cierpiała używać niczego, przez co czuła się kaleka i stara, więc po prostu sypiała na dole, korzystając z sypialni i łazienki dla gości. Teraz jednak usiadła na krzesełku i wcisnęła guzik, by dojechać na górę. Kiedy mechanizm się zatrzymał, w domu zapanowała niezakłócona cisza. Evi zdała sobie sprawę, że nie wzięła ze sobą telefonu. Gdyby cokolwiek się stało, byłaby uwięziona na piętrze bez możliwości wezwania pomocy.

Pokój dokładnie nad jej sypialnią znajdował się na końcu korytarza. Nie słyszała nic. Drzwi były zamknięte. Otworzyła je i zapaliła światło.

Pokój był pusty. Nie miał przylegającej łazienki. Zasłony były rozciągnięte. Nie było się za czym schować. Nie było tu niczego niezwykłego, jeśli nie liczyć odrobiny popiołu i paru gałązek wokół kominka. Evi uznała, że uwięziony ptak czy gryzoń mógł być wyjaśnieniem dziwnego odgłosu, i poczuła ulgę. Wiedziała, że zamówienie czyszczenia komina będzie kłopotem, ale właściwie to drobiazg. Była w połowie pokoju, kiedy znów usłyszała pukanie.

Z tak bliska było już oczywiste, skąd dobiega. Jednak nie z komina, ale z jednej z pięknych, dębowych szafek wbudowanych w ścianę po bokach kominka. Z prawej. Evi podeszła bliżej. Dźwięk był cichutki, blaszany. Przecież nie mogła się bać czegoś, co wydawało tak niegroźny odgłosik?

Położyła dłoń na klamce szafki, doskonale świadoma, że bardzo się boi. I doskonale świadoma, że nie ma wyboru. Otworzyła drzwi.

Przez sekundę nie widziała niczego. Patrzyła wprost przed siebie, ze zmrużonymi oczami, spodziewając się, że coś wyfrunie jej w twarz. W następnej chwili spojrzała w dół i zobaczyła kościanego człowieka.

12

Pierwszą sesję z psychologiem Bryony miała w trzecim tygodniu semestru. Choć rok akademicki dopiero się zaczął, ona już miała problemy, trudno jej było odnaleźć się w rozhukanym studenckim życiu, wśród docinków i częstych dowcipów płatanych przez kolegów.

Dopiłam drugi kieliszek wina i stwierdziłam, że długo już nie wysiedzę. Ale dotarłam do notatek z trzeciej sesji Bryony i nagle zupełnie opuściła mnie senność.

Podczas tej sesji Bryony opowiedziała o swoich lękach. Twierdziła, że ktoś wchodzi nocą do pokoju i dotyka jej przez sen. Zapiski z sesji nie były dokładnymi transkrypcjami, więc nie mogłam wiedzieć dokładnie, jak terapeutka zareagowała na podejrzenia Bryony, ale z notatek odniosłam wrażenie, że nie brała dziewczyny zbyt poważnie.

Na czwartym i piątym spotkaniu Bryony znów mówiła o swoich obawach, o przekonaniu, że nie jest bezpieczna we własnym pokoju. Coraz częściej cierpiała na bezsenność i miewała koszmary, musiała dosypiać w ciągu dnia. Czuła się coraz bardziej zmęczona, cierpiała na tym jej nauka. Znalazła się na równi pochyłej przemęczenia i niepokoju.

Terapeutka wielokrotnie użyła w notatkach słowa „urojenia".

Podczas szóstej sesji Bryony oznajmiła, że nocny intruz posunął się dalej niż tylko do dotykania, być może nawet odbył z nią pełny stosunek seksualny. Twierdziła, że czuje na pościeli zapach męskiego potu i wody po goleniu. Znalazła na ciele zadrapania, a nawet ślad lekkiego ugryzienia na barku. Wszystkie te obrażenia, jak odnotowała terapeutka, mogły być wynikiem samookaleczenia.

Dotarłam do końca teczki i usiadłam wygodniej, żeby pomyśleć. Joesbury chciał, żebym pojechała do Cambridge, by wypatrywać niezdrowej subkultury mającej zły wpływ na młodych ludzi. To miała być rutynowa obserwacja, nikt nie spodziewał się, że cokolwiek odkryję. Nie powiedział wprost, że jadę tam, by uspokoić szefową OS10, ale byłam praktycznie pewna, że właśnie tak myślał. Teraz zaczynałam mieć wrażenie, że może w tym być coś więcej.

13

Nie, nie kościany człowiek, to nie mógł być kościany człowiek. Kościani ludzie to była głupia, wiejska tradycja w miejscu, które zostawiła za sobą, setki kilometrów stąd. To była tylko dziecięca zabawka. Piętnastocentymetrowy szkielecik z mechanizmem do nakręcania. Zwykła, często spotykana zabawka, szczególnie popularna w Halloween. Nakręcasz kluczyk i puszczasz kościotrupka. Będzie szedł po twardej powierzchni, dopóki nie natrafi na przeszkodę albo sprężyna się nie rozkręci.

Sama nie wiedząc, czy ciągle się boi, czy nie, Evi podniosła szkielecik. Do skrzydełka kluczyka przylepiony był mały kawałek masy blu tack. Wyglądało na to, że zabawka została mocno nakręcona, a potem przylepiona tą masą do wnętrza szafki. Kiedy mechaniczna siła próbującego się obrócić kluczyka stała się zbyt wielka, zabawka wyrwała się ze swoich lepkich oków.

Było tu dziś jakieś dziecko – to było jedyne wyjaśnienie. Sprzątaczka, która przyszła innego dnia niż zwykle, przyprowadziła ze sobą dziecko. Może było zbyt chore, żeby pójść do szkoły, i nie miała go z kim zostawić. Chłopiec bawił się w domu, zostawił na piętrze zabawkę, poukładał szyszki na chodniku i zostawił ich kupkę na kuchennym stole.

Evi sprawdziła resztę pokoi na górze, nie znalazła nic. W końcu pozwoliła, żeby winda zwiozła ją z powrotem na dół. Zostawiła szkielecik na stoliku w przedpokoju i poszła do kuchni. Sama nie wierzyła w swoją teorię chorego dziecka i zastanawiała się, co ma z tym wszystkim zrobić, na litość boską.

Gdyby natychmiast zapaliła światło, niemal z pewnością nie zauważyłaby odzianej na czarno postaci, kucającej na jednym z niższych konarów cedru, gapiącej się przez niezasłonięte kuchenne okno. Nawet bez światła mogłaby nie zauważyć przykucniętej postaci, tak nieruchomej, że niemal wtapiała się w ciemność. Mogłaby w ogóle nie zauważyć jej obecności, gdyby nie maska.

Maska też była czarna, ale fluorescencyjną farbą namalowano na niej kontury trupiej czaszki. Światła było akurat na tyle, by Evi miała całkowitą pewność, że kościany człowiek siedzi niecałe dwa metry od kuchennego okna i obserwuje ją.

14

Zachodnia Walia, dwadzieścia trzy lata wcześniej

*Humpty Dumpty na murze siadł**.

Chłopiec rozlazłym krokiem szedł w dół po schodach, drapiąc się w głowę, pod pachą, po tyłku, jak to zwykle nastoletni chłopcy tuż po wstaniu z łóżka.

– I Humpty Dumpty z muru spadł.

Jego zbyt długie dżinsy kłapały o wyfroterowaną, drewnianą podłogę holu na dole. Wysoki, stary zegar przy drzwiach wejściowych mówił, że było jakoś pomiędzy wpół do a za dwadzieścia dwunasta w południe. Nie można już było wymagać od niego większej dokładności. Chłopiec pamiętał coś mętnie, że mama mówiła, że wybiera się do kampusu na zebranie; tato pewnie był w swoim gabinecie. Jego trzyletnia siostra była gdzieś blisko, sądząc po szczebiotaniu. Znowu będzie chciała, żeby bawił się

---

* Rymowanka o Humpty Dumpty w przekładzie Macieja Słomczyńskiego.

z nią we wróżki. Najnowsze szaleństwo. Tańce w ogrodzie i budowanie wróżkowych domków pod drzewami.

– Humpty Dumpty na głowę padł.

Jeszcze jej się czasem myliło.

Chłopiec zatrzymał się pod drzwiami gabinetu taty i powąchał powietrze. Zwietrzała kawa? Normalka. Mocno wypieczony tost? Normalka. Toaleta, którą zapomniała spłukać siostra? Normalka. Proch strzelniczy? Nie, to nie było normalne.

Rok wcześniej, kiedy miał dwanaście lat, ojciec zaczął go zabierać na strzelnicę i mama wiecznie się żaliła, że przynoszą do domu ostry zapach kordytu. To nie kordyt, poprawił ją ojciec; kordytu nie używa się od czasów II wojny światowej. My pachniemy prochem.

Ale tato nie używał broni już od pół roku.

– Nie chcę, żeby ojciec zabierał cię na strzelnicę, dopóki nie poczuje się lepiej – powiedziała mama. Więc wszystkie sztuki broni były zamknięte w pancernej szafce w gabinecie, a chłopiec nie miał pojęcia, gdzie ojciec trzyma klucz. – Broń i nastoletni chłopcy to mieszanka wybuchowa – przypominała mu regularnie mama.

– A nie sprawią wszystkie Króla konie ni żołnierze.

Jego siostra była w gabinecie. Chłopiec otworzył drzwi, wszedł do środka i zobaczył to, co zostało z jego ojca.

15

Sobota, 12 stycznia (dziesięć dni wcześniej)

Jest druga w nocy, Flint.

– Byłeś zajęty?

Dał się słyszeć odgłos tłumionego ziewnięcia.

– Tylko śniłem o tobie, jak zwykle – odparł Joesbury.
Zignorowałam to.

– Dlaczego mi nie powiedziałeś, że ona została zgwałcona? – spytałam.

– Nie było na to żadnych dowodów. Nie będziesz badać sprawy gwałtu, Flint, ani żadnego innego aspektu niedoszłego samobójstwa Bryony Carter. Twoim zadaniem będzie...

– ...doświadczyć na własnej skórze studenckiego życia w Cambridge. Dowiedzieć się, czy teoria doktor Oliver o tej jakiejś subkulturze ma jakiekolwiek podstawy. Czy naprawdę będę coś studiować?

– Psychologię – odpowiedział Joesbury. – Przedmiot doktor Oliver. Dzięki temu będzie wam najłatwiej spędzać razem czas.

– Jak długo mam tam być?

– Jeśli po trzech miesiącach nie będziesz miała absolutnie niczego konkretnego, wyciągniemy cię.

Usłyszałam skrzypnięcie sprężyn materaca i bardzo ciche stęknięcie, które Joesbury wydał z siebie, zapewne podnosząc się z łóżka. I nagle w mojej głowie pojawiły się obrazki, bez których mogłabym się obejść.

– Komu będę składać raporty? – zapytałam.

– Mnie. Głównie drogą mailową. Z pewnością ulży ci, kiedy ci powiem, że nie oczekujemy od ciebie żadnego akademickiego wysiłku. Więc kiedy twoja współlokatorka będzie klepać prace zaliczeniowe, ty będziesz mogła pisać mi ładne, długie raporty.

– Współlokatorka? – Miałam prawie dwadzieścia osiem lat. Mieszkanie przez najbliższe trzy miesiące z obcą nastolatką uśmiechało mi się tak samo jak pisanie co wieczór maili do Joesbury'ego.

– Dzielicie tylko salon. Sypialnie macie oddzielne – odparł Joesbury. – A dziewczyna, z którą będziesz mieszkać,
była współlokatorką Bryony Carter. Ona najlepiej będzie wiedziała, czy dzieje się tam coś podejrzanego.

Chwila milczenia.

– Chyba warto ci powtórzyć, że nie jedziesz tam prowadzić śledztwa, tylko obserwować i raportować. Ta psychiatrzy-
ca, doktor Oliver, będzie jedyną osobą na uczelni, która będzie
wiedziała, kim jesteś – ciągnął Joesbury. – Miejscowa dochodzeniówka nie będzie miała pojęcia o tej operacji, więc w razie
czego nie udzieli ci wsparcia. Ale nie będziesz go potrzebować.

– Jak szybko mam się tam znaleźć? – spytałam.

Minęło kilka sekund.

– Jesteś pewna?

– Ta sprawa śmierdzi na odległość – powiedziałam. –
A zresztą, nic mnie nie trzyma w Londynie.

Jeszcze kilka sekund i:

– Doceniam to, Flint – odpowiedział tonem chłodniej-
szym o stopień czy dwa. – Semestr właśnie się zaczął, więc
straciłaś dopiero tydzień. Możemy cię tam umieścić w poniedziałek wieczorem, jeśli się na to piszesz.

Potwierdziłam, że się zgadzam, i kiedy już umówiliśmy się
na niedzielę na szczegółową odprawę, Joesbury życzył mi dobrej nocy i się rozłączył. Przeszłam przez swoje małe mieszkanie do oranżerii na tyłach.

W świątecznej przerwie od pracy powtykałam solarne
lampki wokół małego trawniczka i nawet w styczniu rozsie-
wały w nocy słaby blask. Na liściach osiadał szron, zmieniając
ich różne odcienie zieleni w misterne białe koronki. Trawa wyglądała jak lukier na świątecznym torcie.

Nigdy nie byłam w Cambridge. Wychowałam się w rodzi-
nach zastępczych i domach dziecka. Nie miałam problemów

z nauką – byłam dość bystra – ale nigdy nie myślałam poważnie o studiach. Najlepsze brytyjskie uniwersytety nigdy nie były dostępne dla kogoś takiego jak ja, a teraz miałam być studentką na jednym z nich, wśród ludzi, którzy intelektualnie mogli wycierać mną podłogę.

Jezu, na co ja się porwałam? Nie miałam pojęcia, jak być tajniaczką. OS10 bardzo rygorystycznie szkolił swoich ludzi. Program szkolenia był ciężki i nawet ci, którzy się dostali, nie zawsze byli w stanie go ukończyć. I choć zdarzało się, że zwykli funkcjonariusze brali udział w tajnych operacjach, rzadko delegowano ich do zadań rozciągniętych w czasie. Poza tym wstąpiłam do Policji Metropolitalnej, by ścigać poważne przestępstwa wobec kobiet. Jeśli kilka najbliższych miesięcy spędzę poza obiegiem, mogę stracić szansę przeniesienia do którejś ze specjalistycznych jednostek. Dlaczego się na to zgodziłam?

Jakbym potrzebowała odpowiedzi. Robiłam to dla Joesbury'ego.

16

Mark Joesbury zapalił światło i odrzucił kołdrę. Pokój był wyziębiony: lato czy zima Mark sypiał przy otwartym oknie. Był też pełen światła. W okna jego sypialni nie zaglądali żadni sąsiedzi, więc rzadko chciało mu się zaciągać rolety. Kiedy nie mógł spać – ostatnio prawie co noc – lubił patrzeć na świetlne, księżycowe wzory na ścianach, słuchać ruchu ulicznego, śledzić przypływy i odpływy cieni.

Wstał, skorzystał z toalety i nalał sobie szklankę wody. Kiedy pił, poczuł, że ból głowy już się zaczyna, jak zwykle.

Ostatnio pojawił się u niego ciągły, łaskoczący kaszel z samego dna płuc, co według jego lekarza było oczywistym znakiem, że za dużo pije. Wiedział, że przestanie, bez problemu, kiedy tylko wróci do normalnej roboty. I kiedy przejdzie mu ta głupia obsesja na punkcie Lacey Flint.

I świetnie się zabrał do rozwiązania tego ostatniego problemu, wciągając ją w swoją najnowszą sprawę.

Komputer w jego maleńkim pokoju gościnnym nigdy nie był wyłączony. Mark klepnął spację, by obudzić ekran, i napisał krótki mail. Jedno słowo.

„Śpisz?"

Odpowiedź przyszła po paru sekundach.

„Nie".

Joesbury podniósł telefon i wcisnął czwórkę – szybkie wybieranie. Pod trójką miał komórkę Dany Tulloch, pod dwójką domowy telefon byłej żony, z którą mieszkał jego syn. Człowiek zaprogramowany pod czwórką odebrał szybko.

– Co tam? – spytał.

– Zgodziła się – odparł Joesbury.

– Świetnie. – Ciche odgłosy w tle, jakby ktoś jadł.

– Ja się tam nie cieszę – oznajmił Joesbury.

– Już o tym rozmawialiśmy. – Cichy jęk.

– Nie powinniśmy przed nią ukrywać, co jest grane.

– Wie tyle, ile potrzebuje. Decyzja już podjęta. Zaglądałeś ostatnio na YouPorn?

Joesbury poczuł, że zaczyna mieć gęsią skórkę.

– Raczej nie – odpowiedział szefowi.

– To obejrzyj sobie *Świńska brunetka i jej nowe sposoby używania języka*.

– Znajdź sobie dziewczynę, szefie. I zacznij żyć.

– To samo mógłbym powiedzieć o tobie, stary. Do zobaczenia rano.

Joesbury rozłączył się i wrócił do sypialni. Tak, potrzebował zacząć żyć. I znaleźć sobie miłą, nieskomplikowaną dziewczynę. Jakąś pielęgniarkę albo stewardesę. Tylko że tak naprawdę chciał Lacey. Wciąż miał w dłoni telefon. Jego palec zawisł nad jedynką. Rozmawiali niecałe dziesięć minut temu. Na pewno jeszcze nie spała. Położył się do łóżka i okrył ramiona kołdrą. Telefon leżał obok niego na poduszce.

Mark wiedział, że nie zadzwoni.

17

Niedziela, 13 stycznia (dziewięć dni wcześniej)

Dziewczyna za kierownicą mini cabrio gapiła się wprost przed siebie, na pustą drogę. Drzewa po obu stronach były bardzo wysokie i cienkie, jak długie palce szkieletów sięgające do nieba. Nieliczne liście, które jeszcze nie opadły, były nieruchome, jak z kamienia. Wiatr, który wcześniej hulał po Fens niczym opętana dusza, wreszcie się chyba zmęczył i dziewczyna nie słyszała już niczego.

Z wyjątkiem głosu w swojej głowie.

Nagła wibracja powiedziała jej, że silnik samochodu znów pracuje. Lewa ręka sięgnęła w dół. Ręczny hamulec był spuszczony. A więc to już.

Coś – to mogła nawet być jej własna stopa – wciskało pedał gazu. Z początku niepewnie, potem coraz bardziej zdecydowanie. Mocniej i mocniej, aż pedał oparł się o podłogę samochodu.

Kiedy lina, jednym końcem mocno przywiązana do pnia buka, a drugim do szyi dziewczyny, rozwinęła się na całą długość, rozległ się dźwięk jakby fajerwerku wypluwającego ostatni snop iskier.

Mini pędził przed siebie jeszcze parę sekund, choć stopy dziewczyny nie wciskały już pedałów. Zatrzymał się dopiero po zderzeniu z małym dostawczakiem jadącym w przeciwną stronę. Kierowca nie został ranny, ale to, co zobaczył za kierownicą mini, miało go prześladować w nocnych koszmarach jeszcze długo.

Oderwana głowa dziewczyny uwolniła się z liny, poturlała kawałek wzdłuż drogi i zatrzymała wreszcie w poletku skoszonych pokrzyw.

18

Poniedziałek, 14 stycznia (osiem dni wcześniej)

A to jest Drugi Dziedziniec, panno Farrow – powiedział pedel, zwracając się do mnie nazwiskiem, którym miałam się posługiwać przez kolejne miesiące. Najbliższą przyszłość miałam przeżyć jako Laura Farrow.

– Jest piękny – odezwałam się, wiedząc, czego ode mnie oczekuje. Tak naprawdę chciałam powiedzieć, że jest przytłaczający.

Całe miasto Cambridge było przytłaczające. Wspaniałość prastarych budowli, tajemnicze ogrody i znane nazwiska na tabliczkach na murach; młodzieńcy na rowerach, z szalikami w barwach kolegiów beztrosko owiniętych na szyjach i jasnoskóre, dobrze odżywione dziewczęta o długich kończynach i inteligentnych oczach. Wszystko krzyczało o świecie, którego nigdy tak naprawdę nie zrozumiem i do którego nie będę naprawdę przynależeć. A czerwono-granatowo-błękitny szalik, który sama miałam na szyi, palił mnie, jakby był kradziony. Z każdym krokiem wśród tych stłoczonych, średniowiecznych budynków czułam, że się kurczę. Pomyślałam, że nietrudno będzie mi udawać bezradną studentkę, zagubioną w nowym środowisku.

Kilka minut wcześniej stawiłam się pod główną bramą kolegium, do którego miałam wstąpić. Kolegium Świętego Jana, jednego z najstarszych i najbardziej prestiżowych na uniwersytecie. Dyżurny pedel, mężczyzna w średnim wieku, ze schludnie uczesanymi włosami i w nieskazitelnym uniformie, już na mnie czekał. Przedstawił się jako George.

– Większość studentów nie musi pokonywać tej trasy pieszo – mówił, kiedy przechodziliśmy przez coś, co wyglądało jak zamkowa wieża bramna, a było po prostu pasażem z jednego dziedzińca na drugi. – Na początku każdego semestru mamy tu system rozwożenia studentów, ale dziś prościej było po prostu pomóc ci zanieść bagaże.

Obejrzałam się za siebie i uśmiechnęłam do młodszego mężczyzny, który niósł dwie z moich walizek. Jedna z nich, wypakowana książkami, była dość ciężka. Druga mieściła moją nową studencką garderobę. Ja niosłam torbę z moim nowym, wyfasowanym ze Scotland Yardu laptopem, osobistymi drobiazgami i przyborami papierniczymi. George uparł się dźwigać torbę ze sprzętem sportowym.

– Dużo tu macie pedeli – powiedziałam, kiedy kolejny mężczyzna, równie elegancki w uniformie jak sam George, minął nas, pozdrawiając mojego przewodnika po imieniu.

– Bo jest dużo studentów – odparł George. – Jesteśmy jednym z największych kolegiów uniwersytetu.

Już to wiedziałam. Wczoraj, późnym wieczorem, inspektor Dana Tulloch zrobiła mi wykład w siedzibie Scotland Yardu.

Kiedy już spopieliła Joesbury'ego wzrokiem, spróbowała mi wyjaśnić zależności między uniwersytetem a kolegiami, i w jaki sposób system Cambridge różni się od większości uczelni w Wielkiej Brytanii.

– Uniwersytet jest jak parasol – tłumaczyła. – Zapewnia nauczanie, głównie w postaci wykładów, prowadzi egzaminy i przyznaje stopnie naukowe. Zapewnia też inne wspólne udogodnienia, takie jak boiska sportowe, główną bibliotekę i tak dalej.

Kiwnęłam głową. Na razie szło nieźle.

– Natomiast kolegia są jak domy – ciągnęła Tulloch. – Jest ich trzydzieści jeden. Każde ma kaplicę, by dbać o potrzeby duchowe, jadalnię do potrzeb fizycznych, bibliotekę, by dbać o wiedzę, świetlice do rekreacji, wielkie sale dla profesorów i wykładowców, małe sale dla studentów.

– Profesorowie i wykładowcy – powtórzyłam, zastanawiając się, czy nie powinnam robić notatek.

– Kolegia przydzielają każdemu studentowi opiekuna, który działa niemal *in loco parentis* – ciągnęła Dana. – Opiekun nadzoruje tok twojej nauki, ale dba także o twój dobrostan. Twoją opiekunką, dla dobra tej naszej małej szarady, będzie moja przyjaciółka Evi.

Jeszcze nie poznałam Evi.

– Długo tu pracujesz? – spytałam George'a.

– Po prawej biblioteka – powiedział, kiedy wchodziliśmy do jakichś budynków po zachodniej stronie dziedzińca. Przeszliśmy przez nie i znaleźliśmy się na krytym, kamiennym moście. Pod nami płynęła rzeka. – Ja jestem najmłodszym członkiem personelu – wyjaśnił. – Zastępuję tylko jednego ze starszych pedeli, który musiał pójść na zwolnienie. A teraz jesteśmy na Nowym Dziedzińcu, zbudowanym w 1831 roku w stylu neogotyckim.

Do tej pory nie potrafiłabym powiedzieć, czym charakteryzuje się styl neogotycki, ale patrząc na Nowy Dziedziniec, stwierdziłam, że neogotyk oznacza przesadnie fikuśne budowle, wieżyczki jak z bajki, misterne rzeźbienia, które wydawały się bardziej odpowiednie dla weselnych tortów niż dla konstrukcji z kamienia. Przeszliśmy kolejną bramę i ujrzeliśmy o wiele nowsze budynki.

– Tutaj mieszka większość studentów pierwszego roku – oznajmił George, kiedy ruszyliśmy w stronę osłoniętego daszkiem wejścia do nowej bursy. – Jak my to mówimy, Tom? – Odwrócił się do mężczyzny, który szedł za nami z moimi walizami.

– Najpierw wsadzić ich do tyłu – odparł Tom, facet po trzydziestce, z ciemnymi włosami i łagodnymi brązowymi oczami. – Na drugim roku przepchnąć ich kawałek do przodu, a na ostatnim roku na Pierwszy Dziedziniec. Kiedy są już przy samym wyjściu, łatwiej ich wykopać.

Uśmiechnęłam się, bo wiedziałam, że tego ode mnie oczekują.

Weszliśmy do nowego budynku, wspięliśmy się po schodach i ruszyliśmy korytarzem, który kojarzył mi się ze szpitalem albo dużym komisariatem policji. Kiedy byliśmy już prawie na końcu, George otworzył kluczem drzwi i odsunął się, by przepuścić mnie przodem.

– Tu masz klucz – powiedział, kładąc go na biurku biegnącym przez całą długość jednej ze ścian. – Zapasowy trzymamy w portierni, a twoja współlokatorka ma jeszcze jeden. Miła dziewczyna, chociaż rzadko ją widujemy. No dobrze. Cisza nocna między jedenastą wieczór i siódmą rano, imprezy wymagają zgody opiekuna, a pokojówka doniesie nam o wszystkich naruszeniach porządku.

Pokój miał jakieś cztery na cztery metry. Pod dwiema przeciwległymi ścianami stały dwa długie biurka. Były tu dwa fotele, dwa biurowe krzesła, dwa mocowane do ściany regały. Z tego „salonu" wychodziło dwoje drzwi. Jedne z nich były uchylone, dostrzegłam za nimi małą sypialnię.

George patrzył, jak się rozglądam.

– Wszystkim z początku wydaje się to dziwne – zauważył – ale szybko się przyzwyczaisz. Masz godzinę do kolacji.

Zamrugałam gwałtownie. W oczach miałam łzy i George je widział.

– Miło nam powitać panią w Świętym Janie, panno Farrow – powiedział. – Wiesz, gdzie nas szukać, gdybyś nas potrzebowała.

Nasłuchiwałam, jak ich kroki cichną w korytarzu. Przez ich życzliwość czułam się jeszcze większą oszustką.

– Lepiej przywyknij – powiedziałam sobie i zabrałam się do rozpakowywania.

Godzinę później wiedziałam już, że nigdy nie przywyknę. Czułam się uwięziona w bańce hałasu, wśród pewnych siebie głosów i nieustannego pobrzękiwania sztućców. Otaczały mnie blade twarze nad czarnymi togami, świece i bukieciki kwiatów, kryształowe pucharki niczym krople deszczu na krochmalonych obrusach, a wszystko to w wielowiekowej jadalni, w której Wordsworth i Wilberforce nie byli postaciami historycznymi, ale absolwentami.

– Zdaje się, że te kwiaty mają tu wytrzymać cały tydzień – odezwał się rudowłosy chłopak o chudej twarzy, siedzący naprzeciw mnie. Spojrzałam w dół na płatki, które bezwiednie wyskubałam z żółtej stokrotki, i znów na chłopaka, od którego, mimo zaledwie osiemnastu lat, buchała pewność siebie i swoboda, o jakiej mogłam tylko pomarzyć.

– Ta dama jest pierwszy raz w Jadalni, odpuść jej trochę – poprosił student drugiego roku fizyki po mojej prawej. Zlitow' się nade mną już wcześniej, kiedy stałam w polichromowanym portyku i ubrana w pożyczoną togę czułam się jak statystka w *Harrym Potterze*. Wprowadził mnie do środka, znalazł mi miejsce i zrobił, co w jego mocy, żeby zabawić mnie rozmową. Po dwudziestu minutach się poddał. Byłam tak zdenerwowana, że nie pamiętałam nic ze swojej zmyślonej historii i na każde zadane pytanie odpowiadałam monosylabami. Byłam głodna, ale wobec trzydaniowej, podanej przez kelnerkę kolacji przekonałam się, że nie mogę nic przełknąć. Chciało mi się pić, ale bałam się wziąć w rękę niewiarygodnie cieniutki, kryształowy kieliszek. Wiedziałam, że muszę poznać tych ludzi, a nie byłam w stanie wykrztusić z siebie ani słowa.

Jedna wielka klapa. Każdy, kto na mnie spojrzy, będzie wiedział, że jestem tu intruzką. Joesbury popełnił wielki błąd, posyłając mnie tutaj, a ja popełniłam jeszcze większy, zgadzając się na to. Byłam w tak totalnie obcym środowisku, że równie dobrze mogłam wylądować na Marsie. I to był poniedziałek wieczór, na litość boską – normalnie pracowałabym do późna, w drodze do domu wpadłabym na siłownię, a potem upchnęłabym jakiegoś gotowca z Tesco do mikrofalówki.

Kiedy pozbierano już zastawę po kawie i ludzie zaczęli wychodzić, wstałam i szybko przemknęłam się przez tłum. Postanowiłam, że zadzwonię do Joesbury'ego i powiem, że nic z tego nie będzie.

– Laura! – Jakaś dłoń spoczęła na moim ramieniu. Odwróciłam się. Student fizyki wyszedł z jadalni za mną. – Miło było cię poznać – powiedział. – I nie martw się. To miejsce jest dziwaczne, trzeba się po prostu przyzwyczaić.

Kiedy chwiejnie truchtałam do pokoju w pożyczonych butach na obcasach, dotarło do mnie, że pomijając moje osobiste obawy, postać pod tytułem niepewna, zagubiona Laura Farrow chyba właśnie zagrała całkiem niezły pierwszy akt.

19

Wtorek, 15 stycznia (siedem dni wcześniej)

To nieprawda, że odsetek samobójstw na uczelniach jest wyższy niż wśród reszty populacji. Wiem, że sporo ludzi tak uważa, ale tak nie jest.

Doktor Evi Oliver, jedyna osoba na Uniwersytecie Cambridge, która wiedziała, że jestem policyjną tajniaczką, wypiła łyczek wody ze szklanki na biurku. Robiła to bardzo często od mojego przyjścia: unosiła szklankę do ust, popijała nerwowo i odstawiała z powrotem. Przez resztę czasu bawiła się spinaczem albo przekładała papiery. Nie musiałam być psychiatrą, by widzieć, że jest tak samo zdenerwowana jak ja. Oczywiście biorąc pod uwagę wiadomość o najnowszym samobójstwie w Cambridge – studentce pierwszego roku, która zdekapitowała się wczesnym rankiem w niedzielę – nie było się czemu dziwić. W tym mieście działo się coś bardzo dziwnego.

– Ale zdarza się głównie wśród ludzi młodych – powiedziałam, starając nie dać się zdekoncentrować rzece studentów, kłębiącej się po brukowanym placu tuż za oknem. Poradnia psychologiczna prowadzona przez doktor Oliver znajdowała się w mieście, kawałek drogi od większości uczelnianych budynków. Widziałam domy w stylu regencji, dalej biurowce, narożnik centrum handlowego. Byłyśmy na piętrze, ale duży, jasny, narożny gabinet doktor Oliver miał okna od podłogi do sufitu. – Młodzi ludzie reagują na wszystko nieproporcjonalnie – ciągnęłam. – Chyba czytałam gdzieś, że postrzegają samobójstwo jako doniosły czyn. Niekoniecznie kojarzą je z byciem martwym na zawsze.

Przez ostatnie dwa dni sporo czytałam na temat samobójstw. I wiedziałam jedno: w Wielkiej Brytanii odsetek samobójców oscylował w pobliżu szesnastu osób na sto tysięcy rocznie. W mieście rozmiarów Cambridge, z populacją niecałych stu dziesięciu tysięcy, należało się spodziewać, że każdego roku życie odbierze sobie jakieś szesnaście do osiemnastu osób. W tym kontekście czwórka czy piątka martwych studentów nie wydawała mi się szczególnie alarmująca.

Doktor Oliver odchyliła się do tyłu i pociągnęła sznur zamykający żaluzje, skutecznie odcinając mnie od widoku.

– Słońce strasznie razi o tej porze dnia – powiedziała, a ja nie mogłam oprzeć się wrażeniu, że dostałam po łapach za brak uwagi. Ale skoro chciała mojej pełnej uwagi, mogła ją mieć.

Evi Oliver wyglądała jak rosyjska laleczka. Jej włosy sięgające podbródka były prawie czarne i lśniły jak krucze skrzydła. Jej skóra była z rodzaju tych, które opalają się na łagodny, przydymiony róż, ale w styczniu była jasna jak śmietana. Pani doktor miała na sobie lawendowy sweter, w którym było jej bardzo do twarzy. Była młodsza i ładniejsza, niż się spodziewałam. Najwyżej trzydzieści pięć lat, i jak to ujął Joesbury, niezła laska. Była też – co powiedział mi wózek inwalidzki i aluminiowa kula – niepełnosprawna.

Przyłapała mnie na tym, że się na nią gapię, i zamrugała. Jej długie, czarne rzęsy, grube od tuszu, okalały oczy tak ciemnoniebieskie, że niemal indygo.

– Samobójstwa to druga najczęstsza przyczyna śmierci wśród młodzieży – oznajmiła. – I ich liczba wzrasta, szczególnie wśród młodych mężczyzn. Ale przekonanie, że populacje

studenckie są szczególnie narażone, opiera się na kilku nie-
rzetelnych badaniach i jest zwyczajnie błędne.

Usiadłam wygodniej na krześle.

– Słucham dalej – powiedziałam.

– Tu, w Cambridge, prowadzono badania na temat samobójstw od 1970 do 1996 – ciągnęła doktor Oliver. – Wykazały,
że statystycznie na uniwersytecie dochodzi do dwóch samobójstw rocznie. A jednak w ciągu ostatnich pięciu lat mieliśmy
ich dwadzieścia. Dwa razy więcej, niż należałoby się spodziewać.

– Wszystkie te przypadki zostały zbadane przez miejscowy wydział dochodzeniowy? – spytałam, choć znałam już odpowiedź.

Evi skinęła głową.

– Owszem. I tutaj moja argumentacja zaczyna wyglądać
dość marnie, bo to wszystko były książkowe przypadki.

– W jakim sensie?

– Połowa z tych osób była leczona na depresję lub podobne przypadłości. Kolejne pięć osób miało w przeszłości zaburzenia depresyjne, lękowe czy stresowe.

– A depresja to powszechne zjawisko wśród samobójców – dokończyłam. – W tym momencie pani argumentacja
nie wygląda marnie. Praktycznie jej nie ma.

To miał być żart. Chyba miałam nadzieję, że ona się
uśmiechnie i trochę rozluźni. Fakt, że była tak strasznie spięta, i mnie nie pomagał się odprężyć.

– Co z Nicole Holt? Tą ostatnią dziewczyną? – spytałam,
kiedy pogodziłam się już z faktem, że uśmiechu nie będzie.

– Nie była naszą pacjentką – odparła Evi. – Jak na razie
niewiele o niej wiem.

– Przeprowadzono autopsję? – spytałam.

Evi skinęła głow
ą.

– Tak, zdaje się, że nawet dzisiaj. Ale wyniki nie zostaną ujawnione aż do czasu przewodu koronerskiego, a to może być i za parę miesięcy.

– Była ładną dziewczyną – stwierdziłam, przypominając sobie zdjęcie, które widziałam na różnych portalach informacyjnych w necie. Nicole była wysoka i smukła, miała długie, ciemne włosy i wielkie oczy. Bryony też była atrakcyjna. – Czy ładne kobiety są bardziej skłonne odbierać sobie życie?

– Nic o tym nie wiem – powiedziała Evi. – Ja uznałabym, że raczej wręcz przeciwnie, nie sądzi pani?

– Bryony Carter uważała, że była gwałcona – zaczęłam z innej beczki. – Ma pani jakieś zdanie na ten temat?

Evi spojrzała w notatki z zaciśniętymi ustami, jakby mocno się zastanawiała. W ruchach jej głowy było coś uroczego i wdzięcznego. Przypominała mi balerinę.

– Bryony nie czuła się bezpieczna w nocy w swoim pokoju – powiedziała w końcu. – Kilka razy, jak mówiła, miała niezwykłe, brutalne sny seksualne, a po przebudzeniu czuła się, jakby ktoś uprawiał z nią seks.

– Pani koleżanka jej nie uwierzyła – zauważyłam.

Evi znów spojrzała w zapiski.

– Na pewno nie powinna w żaden sposób dawać do zrozumienia, że jej nie wierzy – odparła. – Utrzymanie zaufania jest niezmiernie ważne w relacji lekarz–pacjent. Ale sądząc z jej notatek, chyba ma pani rację.

– A pani zdaniem co się tutaj dzieje? – zapytałam.

Evi zastanawiała się przez chwilę; jakby lekko oklapła na krześle.

– Nie mam pojęcia – odpowiedziała. – Ale są sprawy, które mnie niepokoją. Po pierwsze to, że z wśród tych dwudziestu samobójstw z ostatnich pięciu lat liczba kobiet przewyższa liczbę mężczyzn jakieś pięć do jednego.

– Statystycznie powinno być odwrotnie – powiedziałam.

– Właśnie. Druga sprawa, która mnie martwi… – Umilkła i zmarszczyła czoło; zastanawiała się przez chwilę. – Otóż – podjęła znów – sama oryginalność i różnorodność zastosowanych metod. Były tu skoki z wysokich budynków, samospalenie, samodzielne zasztyletowanie, dekapitacja. Zupełnie jakby rywalizowali, kto wymyśli najdziwaczniejszy sposób opuszczenia tego świata. Nie zdziwiłabym się, gdyby istniała gdzieś strona internetowa, która przyznaje im punkty.

Więc teraz to ona żartowała, żeby złagodzić napięcie. Była tak samo zdenerwowana jak ja.

– Poza tym te metody są nietypowe – ciągnęła Evi. – Kiedy kobiety decydują się popełnić samobójstwo, wybierają jak najmniej drastyczne środki. Najczęstsze jest przedawkowanie. Nie jest najskuteczniejsze, oczywiście, dlatego samobójczynie miewają za sobą historię nieudanych prób, niemniej kobiety unikają sposobów gwałtownych i brutalnych. Podcięcie nadgarstków w ciepłej kąpieli to kolejny z kobiecych sposobów, ale…

Jej spojrzenie padło na mój nadgarstek, na plaster przykrywający paskudną bliznę. Czekałam na pytanie, które nie padło.

– Samospalenie – rzuciła, kręcąc głową. – To niemal niespotykane w naszej kulturze. No i ta nieszczęśnica w niedzielę rano. Na litość boską, kto mógł wpaść na taki pomysł?

Mocno zaburzony umysł, pomyślałam. A spotkałam takich parę swego czasu.

– Wspomniała pani o stronie internetowej. Powiedziano mi, że pani zdaniem może tu działać subkultura, zachęcająca do autodestrukcyjnych zachowań.

– Strony internetowe dla samobójców są bardzo różne, od zakładanych w dobrej wierze, ale ze złym skutkiem, po absolutnie upiorne – wyjaśniła Evi. – Obawiam się, że coś takiego dzieje się i tutaj. Tylko nie mogę znaleźć żadnego dowodu.

– Szukała pani?

– Nieustannie. Są portale internetowe i intranetowe, blogi, czaty i tweety, nieskończona ilość, dotyczące życia w Cambridge. Istnieją praktycznie wirtualne miasto i uczelnia, unoszące się nad tym prawdziwym. Ale strony, na które udało mi się trafić, są raczej nieszkodliwe. Nie jestem zbyt biegła w informatyce, ale ciągle mam wrażenie, że dzieje się tu coś, do czego nie udało mi się uzyskać dostępu. Słyszałam, że pani jest dobra w te klocki.

– Niezła – przyznałam.

Evi spojrzała na zegarek, potem na monitor komputera.

– Czeka na mnie pacjent – powiedziała i znów spojrzała na mnie. – Okej. Jest pani dorosłą, dwudziestotrzyletnią studentką, która zaczęła studia licencjackie dwa lata temu, ale musiała przerwać w połowie z powodu problemów zdrowotnych – podsumowała mój kamuflaż. – Miała pani w przeszłości depresję i stany lękowe i od osiemnastu miesięcy bierze pani leki. Mam to wszystko w bazie danych, w pani kartotece. Zgodziłam się przyjąć panią na swój fakultet psychologii, bo uznałam pani dotychczasowe prace za bardzo obiecujące. A do tego zatrudniam panią nieformalnie i dorywczo do pomocy w badaniach. Dzięki temu nikt nie będzie się dziwił, dlaczego spędzamy razem czas. Ma pani wszystkie moje numery telefoniczne, żeby móc kontaktować się ze mną o dowolnej porze?

Przytaknęłam i podziękowałam jej.

Popatrzyła na mnie ze zmarszczonym czołem.

– Laura Farrow – stwierdziła. – To nie jest pani prawdziwe nazwisko, prawda?

Pokręciłam głową.

– A może pani powiedzieć, jak brzmi prawdziwe? – zapytała.

Nie mogłam się nie uśmiechnąć. Lacey Flint było tak samo fałszywym nazwiskiem jak Laura Farrow.

– Lepiej nie – odparłam, tak jak mnie poinstruowano. – To zapobiegnie pomyłkom.

Kiedy wstałam, kiwnęła zamyślona głową i odniosłam wrażenie, że tak naprawdę to jej wszystko jedno. Byłam dla niej tylko środkiem do osiągnięcia celu. Ale nagle mnie zaskoczyła.

– Dana mówiła, że jest pani wyjątkowa – powiedziała.

Zatrzymałam się w połowie drogi między jej biurkiem a drzwiami, nie bardzo wiedząc, co na to odpowiedzieć. Nigdy wcześniej nikt nie nazwał mnie wyjątkową.

– Mówiła też, że przeżyła pani trudne pół roku – ciągnęła, nie odrywając oczu od biurka. – Mam zwyczaj zadawania ludziom zbyt wielu pytań, Lauro. Proszę mi na to nie pozwolić.

20

Kuropatwa być może widziała cień drapieżnika wiszącego nad nią. Być może poczuła powiew wiatru, kiedy sokół zanurkował. Być może miała nawet ułamek sekundy, by spojrzeć śmierci w oczy i powiedzieć dzień dobry, zanim silne szpony wydusiły z niej życie. Sokolnik wątpił w to. Rzadko widywał szybszą śmierć.

Dwa ptaki, łowca i zdobycz, zniknęły mu z oczu za żywopłotem, więc sokolnik przyspieszył kroku. Merry, starszy i bardziej niezawodny z jego dwóch pointerów, potruchtał przodem i doprowadził go wprost do miejsca, gdzie mocny, zakrzywiony dziób sokoła rozdzierał już kuropatwę. Mężczyzna schylił się i podniósł sokoła, po czym wyjął nóż i odciął kuropatwie głowę. Dał ją zwycięzcy.

Kiedy sokół jadł, człowiek, który czasem był dość głupi, by mówić sobie, że jest jego właścicielem, spojrzał na rozpędzone, szare niebo. Górne chmury przybierały właśnie głęboki, ciemny fiolet typowy dla zimowych zachodów. Słabe, styczniowe słońce było już zaledwie echem na horyzoncie, została niecała godzina światła. Przywiązawszy sokoła do ramy, mężczyzna przeciągnął dłonią po jego głowie, szepcząc pochwałę.

Kuropatwa dołączyła do pozostałych w torbie i sokolnik ruszył dalej. Kiedy zadzwoniła jego komórka, zaklął cicho, ale wyciągnął ją z głębokiej kieszeni sztormiaka.

– Nick Bell – przedstawił się. Po sekundzie dodał: – Mówią, że jest bardzo źle?

Słuchał jeszcze przez kilka sekund.

– Okej – rzucił. – Już jadę.

21

I jak ci minął ten tydzień, Jessico?

– W porządku.

Evi się uśmiechnęła. Między dziewczyną siedzącą na krześle naprzeciwko niej a policjantką, która właśnie je zwolniła, nie mogło być więcej niż pięć lat różnicy, ale Evi nie potrafiła sobie wyobrazić dwóch bardziej różnych twarzy. Policjantka była niemal klasycznie piękna, ale jej twarz milczała jak kamień. Nie zdradzała niczego. Za to ta dziewczyna, z tymi swoimi wielkimi, brązowymi oczami i skórą koloru kawy, nie potrafiła ukryć niczego. Trzepoczące rzęsy, błysk łez, oczy, które nie potrafiły utrzymać kontaktu. I wierciła się tak strasznie, jakby ją oblazły mrówki. Ta dziewczyna mogła mówić, że wszystko jest w porządku; język jej ciała mówił coś wręcz przeciwnego.

– Cieszę się, że dzisiaj przyszłaś – powiedziała Evi. – Martwiłam się w zeszłym tygodniu, kiedy się nie odezwałaś.

Jessica Calloway spojrzała na dłonie na swoich kolanach, a potem w wielkie okno. Uniosła dłoń i potarła policzek.

– Przepraszam – wyszeptała. – Dzwoniłam następnego dnia. Może dwa dni później.

– Tak, rzeczywiście, dziękuję – odparła Evi. – Przekazano mi, że byłaś chora, zgadza się?

Jessica skinęła głową. Wsunęła palec we włosy i zaczęła nawijać nań ciasny, tleniony lok.

– Mam nadzieję, że to nic poważnego – ciągnęła Evi. Wiedziała już, że Jessica nie była u swojego lekarza. Gdyby tak było, przychodnia Evi zostałaby zawiadomiona.

– Pewnie jakiś wirus – uznała Jessica. – Szczerze mówiąc, niewiele pamiętam. Po prostu padłam. Przespałam cały dzień, noc i jeszcze jeden dzień. Obudziłam się w gównianym stanie. Przepraszam.

– Nie ma sprawy. Ja też się tak czasem czuję – odparła Evi. – Jak tam twój apetyt?

Jessica westchnęła jak nastolatka, której mama znowu truje.

– Okej – powiedziała. – Całkiem niezły.

Evi przebiegła wzrokiem z góry na dół po ciele Jessiki, aż do futrzanych botków, w których ginęły jej łydki. Dżinsy były na nią za luźne, a szew na barku bluzki zwisał nisko. Wyglądała, jakby schudła jeszcze bardziej przez te dwa tygodnie, kiedy Evi jej nie widziała.

– Ktoś ci znowu robił głupie dowcipy? – spytała Evi.

Oczy dziewczyny zaszkliły się jeszcze mocniej.

– Możesz mi o tym opowiedzieć? – naciskała Evi.

Jessica pokręciła głową.

– Nie wiem, co niektórzy ludzie mają w głowach – zastanawiała się. – Co ja komu złego zrobiłam?

– Nic – odpowiedziała stanowczo Evi. – Obie wiemy, że to, co się dzieje, to nie jest twoja wina. Niektórzy ludzie, widząc łagodność i wrażliwość, nie mają dość inteligencji, żeby zrozumieć, na co patrzą. Postrzegają to jako słabość i żerują na niej. Ci ludzie mają poważny problem i nie mogę im w żaden sposób pomóc. Ale tobie mogę.

– Wie pani, co zrobili tym razem? – Pojawił się cień gniewu, i bardzo dobrze. Gniew był lepszy niż akceptacja. Evi czekała. – Weszli do naszego korytarza, tam, gdzie są szafki do suszenia prania, i znaleźli moje rzeczy. Zabrali mi bieliznę.

– Ukradli ci bieliznę?

– Tak, ale to nie było najgorsze. Podmienili ją na gigantyczne rzeczy. Babcine majty i wielkie biustonosze na fiszbinach. Jakby mówili: kogo ty chcesz oszukać, to są rzeczy, jakie musisz nosić.

Evi odczekała chwilkę, by ukryć irytację. Większość ludzi zbyłaby taki dowcip śmiechem. Dla Jessiki, która od dwunastego roku życia cierpiała na zaburzenia odżywiania i jako nastolatka dwa razy lądowała w szpitalu, kiedy jej waga spadła poniżej czterdziestu kilo, nie było to ani trochę zabawne.

– Zgłosiłaś kradzież? – spytała Evi.

– Tak. Jedna z koleżanek powiedziała mi, że powinnam, i poszła ze mną na policję. Ale powiedzieli, że nie będą się zajmować studenckimi dowcipami.

– Gdziekolwiek indziej to byłaby kradzież z włamaniem i mobbing – oświadczyła Evi. – W Cambridge to dowcip.

– Pamięta pani, jak mówiłam o tej stronie internetowej? Tej z moimi zdjęciami?

– Tak – odparła Evi. – Próbowałam ją znaleźć. Ale żadna z wyszukiwarek nie mogła jej zlokalizować.

Jessica schyliła się i wyciągnęła z torby laptop.

– Pokażę pani – powiedziała. Otworzyła komputer i włączyła go. Po kilku sekundach poklikała klawiaturą, odczekała jeszcze chwilę, po czym obróciła laptop ekranem do Evi.

Evi podniosła urządzenie i przechyliła lekko, by widzieć wyraźniej. Była to parodia Facebooka. Nazywała się Facefeeders – Obżeracze. *Kto żarł ciasto w tym tygodniu?* – głosił podtytuł, umieszczony tuż nad kilkoma zdjęciami Jessiki.

Tylko że to nie była Jessica. Jessica była śliczną dziewczyną o wymiarach modelki, kiedy była zdrowa i szczęśliwa, i żałośnie wychudzoną, kiedy nie była. Na tych zdjęciach ktoś cyfrowo przerobił drobne ciało Jessiki, rozdymając je do ogromnych rozmiarów. Wszystkie fotki były nagie. I o rubensowskich proporcjach – wielkich brzuchach, okrągłych pośladkach z dołeczkami, ogromnych, obwisłych piersiach. Twórcy udało się nawet pogrubić twarz Jessiki.

O dziwo, zdjęcia wcale nie były nieatrakcyjne, ale Jessica widziała siebie przemienioną w potwora. I były w internecie, gdzie każdy mógł je zobaczyć.

– Przypomnij mi, jak znalazłaś tę stronę? – spytała Evi. – Ktoś ci o niej powiedział?

– Wyskoczyła mi w poczcie, kiedy pracowałam któregoś wieczoru – odparła Jessica. – Kliknęłam bez zastanowienia.

Evi zapisała sobie w notesie, że musi powiedzieć Laurze o tej stronie.

– Domyślasz się, kto może to robić? – spytała.

Jessica pokręciła głową.

– Nie – zaprzeczyła. – Wszyscy, którym o tym mówiłam, uważają, że to obrzydliwe.

– Zgadzam się – powiedziała Evi. – I nie chodzi mi o to, że te zdjęcia są obrzydliwe same w sobie, bo nawet gdybyś była tak duża jak dziewczyna na tych fotografiach, i tak byłabyś piękna. Wiem, że w to nie wierzysz, ale byłabyś. Są obrzydliwe, bo zostały stworzone, żeby zadać ci ból.

Po policzkach Jessiki płynęły łzy.

– Mam wrażenie, że wszyscy je widzieli – powiedziała. – Kiedy idę na wykład czy ćwiczenia, czy nawet do baru albo jadalni, mam wrażenie, że wszyscy szepczą, jaka jestem gruba. Słyszę ich nawet przez sen.

– Ciągle źle sypiasz?

Jessica pokręciła głową.

– Pamięta pani, jak opowiadałam o tej nocy, kiedy komórka dzwoniła mi co pół godziny, dopóki jej nie wyłączyłam?

– Pamiętam – potaknęła Evi. – Nie dowiedziałaś się, kto to był?

– Nie – odparła Jessica. – I teraz, chociaż zawsze ją wyłączam przed pójściem spać, i tak słyszę, jak dzwoni.

– Nie rozumiem.

– Budzę się kilka razy w ciągu nocy i wydaje mi się, że słyszałam komórkę. Ale to niemożliwe, bo jest wyłączona. Śni mi się, że mnie budzi, no i mnie budzi.

– Jak długo to już trwa?

Dziewczyna pokręciła głową.

– Ze dwa tygodnie – oceniła. – A jak nie komórka, to głosy.

– Głosy?

– W snach. Szepczą o tym, jak strasznie tyję.

– Jessico, kiedy ostatni raz porządnie się wyspałaś?

Dziewczyna nie była w stanie odpowiedzieć. Za bardzo się starała powstrzymać od płaczu.

– Dziewczyno, ty się musisz wyspać. Mogę ci dać coś, co ci pomoże. Tylko na parę tygodni, byle przerwać to błędne koło. Czy zgodziłabyś się na... Co? O co chodzi?

Dziewczyna była przerażona.

– Nie mogę – powiedziała. – Nie mogę brać pigułek nasennych.

– To zrozumiałe, że podchodzisz do nich nieufnie, ale będziemy bardzo uważać, żebyś się nie uzależniła.

– Nie o to chodzi – odparła Jessica. – Pani nie rozumie.

– To prawda, nie rozumiem. Proszę, spróbuj mi wytłumaczyć.

– Te przerwy, te dzwonki telefonów w snach, te głosy... ja myślę, że w ten sposób mój mózg mnie broni, nie pozwala mi zbyt głęboko zasnąć.

– Ale dlaczego twoja podświadomość miałaby to robić?

– Z powodu prawdziwych snów, które miewam, kiedy śpię tak głęboko, że nie mogę się obudzić.

– A jakie one są?

– Niewyobrażalne. Jakbym była w piekle.

22

Po wyjściu od doktor Oliver nie wróciłam do swojego pokoju. Ta pudełkowata przestrzeń, starannie wyczyszczona ze śladów bytności poprzedniej lokatorki, dziwnie mnie przygnębiała, więc zamiast wracać na uczelnię, ruszyłam do samochodu i pojechałam do szpitala na skraju miasta, gdzie, jak wiedziałam, znajdę Bryony Carter.

Pielęgniarka na oddziale oparzeniowym wskazała mi izolatkę w jakichś trzech czwartych długości korytarza. Przystanęłam na sekundę w otwartych drzwiach. Oglądałam zdjęcia. Wiedziałam, czego się spodziewać.

Było o wiele gorzej, niż się spodziewałam. Nie mogłam wejść do tego pokoju. Zwyczajnie nie mogłam.

Wyobrażałam sobie coś klinicznego – czystego, schludnego, białego i sterylnego. Nie zdawałam sobie sprawy, że krew i inne płyny będą się sączyć przez ciemne, poplamione opatrunki. Nie spodziewałam się, że skóra pokrywająca jej twarz i bezwłosą głowę będzie odsłonięta i będzie wyglądać jak coś, co do tej pory widywałam tylko na trupach. Nie wiedziałam, że jej lewa ręka została amputowana tuż nad łokciem.

W pokoju było strasznie gorąco. No i ten zapach... o Chryste, nie byłam w stanie.

– Nic jej nie boli. Jest w tej chwili nafaszerowana środkami uspokajającymi.

Wpatrywałam się jak zaklęta w nieruchomą postać pod przejrzystym namiotem. Nie zauważyłam, że w pokoju jest ktoś jeszcze. Mężczyzna, który odezwał się do mnie, stał przy oknie; był ubrany jak na spacer po polach, w gruby, niebieski sweter z wełny i dżinsy.

– Miała wcześniej mały kryzys – ciągnął. – Przez ostatnich kilka dni próbowali ją odstawić od respiratora, ale poziom tlenu gwałtownie spadł. Więc podłączyli ją znów, na dwadzieścia cztery godziny, żeby ją ustabilizować.

Z trudem przełknęłam ślinę. Uznałam, że zapach będzie do zniesienia, jeśli będę oddychać przez usta. Wąchałam gorsze rzeczy.

– Pani jest jej przyjaciółką? – spytał i dopiero w tej chwili porządnie mu się przyjrzałam. Był po trzydziestce i mógłby być modelem w czasopiśmie dla wielbicieli wiejskiego stylu życia: wysoki, szczupły, z kręconymi włosami barwy mokrego lisa. – Jeśli tak, to jest pani pierwszą, która zdołała przejść przez próg – dodał.

Nawet nie zauważyłam, kiedy weszłam do salki.

– Właśnie wprowadziłam się do jej dawnego pokoju – odparłam. Wymyśliłam jakąś bajeczkę w drodze tutaj. – I znalazłam to pod jej łóżkiem. – Wyjęłam książkę z torby. – Jedna kartka ma zagięty róg. Zdaje się, że to czytała przed wypadkiem.

– *Jane Eyre* – przeczytał, spoglądając na kieszonkowe wydanie klasyki Penguina. – Czy bohater nie zostaje tam ciężko poparzony?

– Nie pomyślałam o tym – przyznałam. Zrobiło mi się głupio. – Chyba jednak to zabiorę.

– Proszę zostawić – powiedział. – Niech jej rodzice zdecydują, kiedy znów się zjawią.

Zmusiłam się, żeby jeszcze raz spojrzeć na dziewczynę pod plastikowym namiotem.

– Dlaczego jej twarz tak wygląda? – spytałam. – Skóra sprawia wrażenie martwej.

– Bo to nie jest jej skóra – odparł mężczyzna. – I jest martwa. To skóra martwego dawcy, tylko przykrywa jej twarz. Wie pani co, właśnie miałem się napić kawy, a pani chyba też by to dobrze zrobiło. Chodźmy stąd.

23

Możesz mi opowiedzieć o tych snach? – zapytała Evi.

Jessica opuściła krzesło i stała teraz przy oknie. Dwa tygodnie temu była młodą dziewczyną z historią stanów lękowych i zaburzeń odżywiania; z trudem radziła sobie z pierwszym w życiu oddaleniem od domu i z rygorystycznymi wymaganiami uczelnianego życia. Teraz sprawiała wrażenie głęboko zaburzonej i przejawiała zachowania, które podsuwały Evi myśl o hospitalizacji.

– Wszyscy miewamy złe sny, Jessico – stwierdziła, kiedy pacjentka się nie odzywała. – Nie będę się tu bawić w Freuda, ale uważam, że sny mogą wskazać, co nas dręczy.

– A pani – spytała Jessica, nie odwracając się – miewa złe sny?

To pytanie zaskoczyło Evi i odpowiedziała bez zastanowienia.

– Nawet nie masz pojęcia.

Jessica odwróciła się na pięcie i teraz patrzyła Evi prosto w twarz.

– I co się pani śni? – spytała.

– Coś, co spotkało mnie trochę ponad rok temu – odparła Evi. – Nie mogę ci podać szczegółów, bo to dotyczy też innych ludzi, innych pacjentów, ale to był bardzo trudny czas. I stał się bardzo przerażający. I chociaż już jest po wszystkim, ciągle często mi się to śni.

– I chciała pani kiedykolwiek o tym z kimś rozmawiać? – spytała Jessica.

– Ależ rozmawiam – odpowiedziała Evi. – A ty bardzo sprytnie odwróciłaś kota ogonem i nagle rozmawiamy o mnie. Wróćimy teraz do tematu, jeśli nie masz nic przeciwko.

Dziewczyna wydawała się spokojniejsza. Usiadła i zaczęła rozcierać ramiona, jakby było jej zimno. Naprawdę była koszmarnie chuda. Evi czekała.

– Ja się boję klaunów – powiedziała Jessica po chwili.

– Jak wielu ludzi – odparła Evi. – To bardzo powszechna fobia.

– Ale ja się naprawdę boję – ciągnęła Jessica. – Nawet kiedy patrzę na obrazek klauna, zaraz robi mi się zimno.

– I śnią ci się klauni?

– Tak myślę.

Evi czekała. Nic. Uniosła brwi. Wciąż nic.

– Tak myślisz? – ponagliła delikatnie.

– Właściwie nie pamiętam – powiedziała Jessica. – Właśnie to jest najdziwniejsze. Wiem, że jestem w wesołym miasteczku. Pamiętam obracające się światła, muzykę. Bo widzi pani, jak miałam cztery lata, zgubiłam się w wesołym miasteczku. Rodzice zgubili mnie w tłumie. Kiedy mnie znaleźli, stałam obok takiego mechanicznego, śmiejącego się klauna w pudełku z pleksi. Potem nie mówiłam przez tydzień.

– To na pewno było przerażające doświadczenie dla czterolatki – przyznała Evi. – Zgubić się w obcym, hałaśliwym, zatłoczonym miejscu i nagle stanąć twarzą w twarz z klaunem. A teraz przyjechałaś na uczelnię, w obce miejsce, po raz pierwszy z dala od rodziców. Nic dziwnego, że twój umysł wraca do tego przerażającego doświadczenia z dzieciństwa.

– Pewnie ma pani rację – powiedziała Jessica. – Tylko że... najgorsze jest to, że nie wiem, co się dzieje w tych snach.

– Co masz na myśli?

– Pamiętam światła, muzykę, śmiechy i jaskrawe kolory. Wirujące rzeczy, na przykład koniki na karuzeli... ale nic poza tym.

– Być może tylko to pamiętasz z tamtego incydentu z dzieciństwa.

– Więc dlaczego budzę się wykończona? – spytała Jessica. – I obolała, jakby ktoś bił mnie przez całą noc. Dlaczego budzę się z krzykiem?

24

Wyszłam z pokoju Bryony na korytarz. Mężczyzna o włosach koloru rdzy wyszedł za mną i wskazał mi automat z kawą przy dyżurce pielęgniarki oddziałowej. Kiedy paskudnie pachnąca ciecz napełniła już kubki, usiedliśmy na pobliskich krzesłach.

– Wszystko w porządku? – zapytał mnie.

Skinęłam głową.

– Przepraszam – powiedziałam. – Po prostu nie byłam przygotowana na...

– Nikt nigdy nie jest. Tak przy okazji, jestem Nick Bell. Lekarz domowy Bryony.

Nick Bell pachniał otwartą przestrzenią, bagnem i zimowym lasem. W porównaniu z chemicznymi zapachami szpitalnych korytarzy i zgniłym smrodem oddziału oparzeniowego siedzenie koło niego było jak spacer do domu w rześkim, zimowym powietrzu.

– Czy ona ma szanse wyzdrowieć? – spytałam, kiedy już podałam mu nazwisko, które wciąż brzmiało mi obco.

Wzruszył ramionami.

– Bryony to jeden z najpoważniejszych przypadków, jakie mieli tu od jakiegoś czasu – zauważył. – Ma oparzenia pierwszego, drugiego, trzeciego, a nawet czwartego stopnia na prawie osiemdziesięciu procentach ciała. Przy dziewięćdziesięciu procentach to niemal zawsze kończy się śmiercią.

Z weekendowej lektury wiedziałam, że oparzenia pierwszego stopnia są powierzchowne, jak na przykład oparzenia słoneczne, drugi stopień sięga głębiej i uszkadza warstwę skóry właściwej, a oparzenia trzeciego stopnia, które do tej pory uważałam za najpoważniejsze, wnikają w tłuszcz i mięśnie pod skórą.

– Czwartego stopnia, czyli jakie? – spytałam.

– Oparzenia czwartego stopnia uszkadzają kość – odparł. – Chirurgom nie udało się uratować jej prawej ręki.

Schyliłam się, żeby odstawić kawę na podłogę, i poczułam, że wcale nie mam ochoty się prostować. Więc siedziałam tak, z łokciami na kolanach, wpatrując się w płytki podłogi. Nagle poczułam lekki dotyk dłoni na ramieniu.

– Lauro, biorąc pod uwagę rozmiar jej obrażeń, ona radzi sobie całkiem nieźle. – Dłoń zniknęła. – Płomienie zostały ugaszone dość szybko, a to oznacza, że uszkodzenia dróg oddechowych nie były zbyt poważne. Niedługo powinna oddychać samodzielnie. Teraz największym wyzwaniem jest wygojenie się ran.

– A to możliwe? – zapytałam, dostrzegając piękne, szylkretowe piórko na rękawie jego swetra.

– Powierzchowne oparzenia powinny wygoić się same – stwierdził. – Naskórek całkiem sprytnie radzi sobie z regeneracją. Te głębsze będą wymagały przeszczepu skóry z jakiegoś innego miejsca na jej ciele. Jesteś pewna, że chcesz o tym słuchać?

Kiwnęłam głową. O dziwo, pomagało mi to.

Bell popijał kawę, jakby nie była wrząca i obrzydliwa.

– Trudność polega na tym, że, ponieważ tak duży obszar skóry Bryony został poparzony, z niewielu miejsc można pobierać przeszczepy – wyjaśnił. – Lekarzom udało się stworzyć takie miejsce na jej lędźwiach i pobrać z niego przeszczepy do przykrycia najgorszych ran, na lewym barku. Jak na razie przyjmują się całkiem nieźle.

– Więc to jest dobra wiadomość – zauważyłam.

– Tak. Ale teraz trzeba poczekać, aż miejsce dawca się zregeneruje, zanim będzie można pobrać kolejny przeszczep. To długi i bolesny proces i niestety nie da się tego obejść.

– Jedno małe miejsce na plecach musi wyhodować dość skóry do pokrycia jej całego ciała? – spytałam.

– Dokładnie tak. – Bell skinął głową, jakbym była uczennicą, która właśnie pojęła jakieś ważne prawo. – A na razie – ciągnął – skóra martwego dawcy osłania jej rany, redukuje ból, jaki powodowałoby wystawienie na powietrze i pomaga walczyć z utratą płynów i infekcjami. I choć pochodzi z martwego ciała, z technicznego punktu widzenia wciąż jest żywa, a to znaczy, że mogą w nią wrastać naczynia krwionośne z rany. Chirurdzy stosują tę metodę od tysięcy lat. To się nazywa przeszczep allogeniczny.

Postawił kawę na podłodze i przeciągnął dłonią po włosach. Były jeszcze wilgotne od deszczu padającego na dworze. Obejrzałam się na zamknięte drzwi pokoju, w którym leżała uśpiona dziewczyna, podtrzymana przy życiu przez skórę martwej osoby.

– Myśli pan, że kiedykolwiek zdoła nam powiedzieć dlaczego? – spytałam.

Raczej poczułam, niż zobaczyłam, że Nick Bell kręci głową u mojego boku.

– Nawet jeśli przeżyje, prawdopodobnie będzie pamiętać bardzo niewiele – powiedział. – Pewnie nigdy się nie dowiemy, co ją spotkało.

25

Meg, ja myślałam, że on wskoczy przez kuchenne okno – powiedziała Evi. – Że odbije się od gałęzi, wpadnie przez szybę i będzie po mnie.

– Chcesz chwilę odpocząć?

Dwie kobiety dotarły do drewnianej ławki pod różaną pergolą. Evi zablokowała koła wózka, a jej towarzyszka – koleżanka po fachu i również absolwentka Cambridge, Megan Prince – usiadła obok niej. Kiedy Evi poczuła potrzebę porozmawiania z kimś o wydarzeniach z zeszłego roku, Megan, która studiowała raptem dwa lata wyżej od niej, była oczywistym wyborem: znana i zaufana, ale nie nazbyt bliska jako przyjaciółka. Evi spotykała się z Megan raz na tydzień od trzech miesięcy. Nie czuła wielkiej poprawy, ale przecież sama najlepiej wiedziała, że coś takiego wymaga czasu.

Megan jak zawsze pachniała paczulą i marlboro lightami – był to zapach jeszcze ze studenckich czasów, którego jakoś nie potrafiła zostawić za sobą.

– Zdaje się, że kiedyś się tu włamałam – zauważyła Evi, rozglądając się po idealnych wzorkach klombów, bukszpanowych żywopłotków i trawiastych alejek. Po dniu słabego, zimowego słońca szron wciąż błyszczał na cienkich gałązkach dookoła, a ciernie róż wydawały się ostre jak stal. – Z trawką i cydrem.

– Sama?

– Niemal z pewnością nie. – Evi się uśmiechnęła. – Ale imiona i twarze mi umykają.

– Jak to po cydrze i trawce.

Zapadło milczenie; obie kobiety patrzyły na niemal dwumetrowy ceglany mur wokół ogrodu, na który teraz Evi nie miałaby szans się wdrapać.

– Wezwałaś policję? – spytała Megan, jakby chciała jak najszybciej wrócić do przerwanej rozmowy. – Mam na myśli piątkową noc.

Evi odwróciła się z powrotem w jej stronę. Nie było sensu rozmyślać nad przeszłością, ale unikanie jej nie zawsze było łatwe, bo Megan była równie chuda, młoda i rozczochrana jak za dawnych czasów.

– Z sypialni zamkniętej na klucz – odparła. – Ale oczywiście zanim przyjechali, nie było po nim śladu.

Megan otuliła szczelniej dekolt klapami żakietu i zacisnęła szczęki, jakby powstrzymywała dreszcz. Wciąż nie ubierała się odpowiednio ciepło w zimne dni.

– Nim? – spytała.

Evi wzruszyła ramionami. Nie miała pojęcia, jakiej płci była zamaskowana postać w jej ogrodzie.

– Policja szybko przyjechała? – wypytywała Megan.

– Tak. Najpierw paru mundurowych, a kilka minut później śledczy z dochodzeniówki. – Wprost przed nią na różanej łodyżce wylądował rudzik. Znieruchomiał i zdawał się patrzeć wprost na Evi.

– Potraktowali sprawę poważnie?

Rudzik zerwał się do lotu i Evi uniosła wzrok.

– Oczywiście – odparła. – Dlaczego mieliby nie potraktować?

Megan spojrzała w ziemię i poruszyła się niespokojnie, jakby ławka była zimna albo mokra.

– I co znaleźli? – spytała.

– Nic – odparła Evi. – Żadnych śladów włamania. Żadnych odcisków stóp w ogrodzie. W domu żadnych świeżych odcisków palców oprócz moich.

Chwila ciszy, która zaczęła się przeciągać. Kiedy to Evi siedziała w fotelu terapeutki, przeczekiwała taką ciszę.

– Chcesz coś powiedzieć, prawda? – zapytała Megan.

– Nie spodoba ci się to, co powiem.

– Dawaj.

Evi zebrała się w sobie.

– Czy istnieje jakaś możliwość, że ktoś mógł uzyskać dostęp do notatek, które robiłaś w trakcie naszych sesji? – spytała.

Megan założyła za ucho luźny lok włosów. W końcu się odezwała.

– Myślisz, że ktoś się włamał do moich danych? – spytała. – A potem włamał się do twojego domu i skorzystał z tej wiedzy, żeby cię śmiertelnie wystraszyć?

Evi rozciągnęła twarz w przepraszającym uśmiechu.

– To nie brzmi zbyt prawdopodobnie, co? – przyznała. – Ale te dowcipy wydają się takie osobiste. A o tym, co się działo w zeszłym roku, nie rozmawiałam z nikim oprócz ciebie. Nikt oprócz ciebie nie wie o mojej fobii dotyczącej jodłowych szyszek. Pamiętasz, jak rozmawiałyśmy o tym na jednej z pierwszych sesji?

– To nie jest nieprawdopodobne, to jest zwyczajnie niemożliwe – stwierdziła Megan. – Nasze komputery w przychodni są doskonale zabezpieczone. Muszą być, przecież chronimy tajemnice wszystkich pacjentów. Nawet moi koledzy nie mogą się dostać do moich danych bez moich haseł, a większość z nich, szczerze mówiąc, ma problemy z włączeniem komputera po przyjściu do pracy.

– Przepraszam – powiedziała Evi. – Po prostu w piątek bardzo się wystraszyłam. To sprawiało wrażenie, jakby ktoś dostał się do wnętrza mojej głowy.

– Kościany człowiek – rzuciła Megan; jej czoło przecięły zmarszczki. – Ale z tego, co mówiłaś, kościani ludzie przypominali bardziej kukły palone na stosie piątego listopada. Rama wypchana śmieciami i ubrana w ciuchy. Nie byli szkieletami. Jesteś pewna, że ta postać na drzewie to miał być kościany człowiek?

Evi poczuła, że napięcie częściowo ją opuszcza.

– Masz rację – przyznała po kilku sekundach. – W tym miejscu, o którym ci mówiłam, byli ludzie przebrani za szkielety, ale to nie oni byli kościanymi ludźmi. Szkielety niosły kościanych ludzi na stos.

Cienkie, podkreślone kredką brwi Megan zniknęły pod lokami grzywki.

– To było dziwne miasto – przyznała Evi.

– Przypomnij mi, żebym je omijała, kiedy wybiorę się na wycieczkę po Penninach.

Obie milczały przez chwilę.

– Do juwenaliów* już niedługo – zauważyła Megan. – Przebrania są wtedy niemal obowiązkowe. A jodłowych szyszek wszędzie pełno o tej porze roku.

– Racja – przytaknęła Evi. – Ale to nie zmienia faktu, że ktoś był w moim domu.

– Chodzi ci o szyszki na stole? Co policja powiedziała na ten temat?

– Nie uznali ich za groźne – odparła Evi. – Ale poradzili mi zmianę zamków. I skorzystałam z tej rady. Uczelniany konserwator zmienił je wczoraj.

Kobiety znów umilkły na chwilę; Megan patrzyła na swoje szkarłatne paznokcie, a Evi obserwowała, jak suchy listek odpada od różanej gałązki.

– Myślisz jeszcze o Harrym? – spytała Megan.

Jakby mogła przestać o nim myśleć. On po prostu był w jej głowie, jak niewypowiedziana świadomość samej siebie. Co nie znaczyło jeszcze, że chciała o nim rozmawiać. Zresztą,

---

* Na brytyjskich uczelniach święto studenckie, tzw. *RAG week*, trwa cały tydzień między lutym a kwietniem. Odbywają się koncerty, uliczne zabawy i przebieranki, a także zbiórka pieniędzy na cele dobroczynne.

było już późno, uniwersytecki pedel niedługo będzie chciał zamknąć ogród.

– Ciągle cię niepokoją te samobójstwa? – zapytała Megan. – Rozmawiałaś jeszcze raz z dochodzeniówką?

Evi spojrzała w ziemię. Nie mogła powiedzieć Megan o tajnym śledztwie, które zaczęło się dzięki niej. O dziewczynie, którą przyjęła na swój fakultet. Ha, więc teraz ukrywała coś przed swoją terapeutką. Pokręciła głową.

– Dochodzeniówka uważa, że te samobójstwa to tylko samobójstwa – odparła. – Nic podejrzanego. Nie ma żadnych dowodów na podżeganie czy udział osób trzecich. Z całym szacunkiem zasugerowali mi, żebym skupiła się raczej na zapewnieniu pomocy psychologicznej członkom uniwersyteckiej społeczności, a policyjną robotę zostawiła im.

– No cóż, wszyscy chętnie mówimy policji, jak ma wykonywać swoją pracę, kiedy uważamy za stosowne – odparła Megan z uśmiechem. Nagle uśmiech zniknął. – Czy nie było przypadkiem serii samobójstw, kiedy my tu studiowałyśmy? – spytała. – A może to było jeszcze przed twoimi czasami?

Evi zastanowiła się chwilę i pokręciła głową.

– Z tego, co wiem, liczba samobójstw nie przekraczała normalnego poziomu aż do pięciu lat wstecz – stwierdziła. Jeszcze raz spojrzała na zegarek. – Koniec sesji. Nie wiesz, czy Nick jest dziś po południu w przychodni?

– Zdaje się, że wezwali go do szpitala. Mam mu zostawić wiadomość?

– Nie trzeba. Zadzwonię do niego do domu.

Kobiety wyszły z ogrodu i przeszły kawałek ulicą do przychodni, w której Megan urzędowała przez dwa dni w tygodniu.

Kiedy skręciły za róg, Evi zauważyła, że drogi, japoński sedan blokuje jej samochód. Kierowca, kiedy je dostrzegł, wysiadł z auta. Evi była pewna, że już go kiedyś widziała. Wysoki, przed czterdziestką, z krótkimi, ciemnymi włosami i kwadratową szczęką, potężnej budowy. Jego ciemny garnitur wyglądał na drogi i dobrze na nim leżał. Evi patrzyła, jak jego wzrok skupia się na Megan, idącej tuż za nią. Kiedy leniwy, pewny siebie uśmiech zmiękczył jego rysy, odwróciła się i zobaczyła, że i Meg uśmiecha się do niego.

– Hej – powiedział do Meg, puszczając jej ledwie dostrzegalne oczko, zanim zwrócił się do Evi. – Inspektor Castell, Policja Cambridgeshire.

– John Castell? – spytała Evi, spoglądając to na niego, to na Meg.

Meg skinęła głową, wciąż uśmiechnięta.

– Tak, to jest John – potwierdziła. – John, poznaj Evi. Teraz ją pamiętasz?

Castell uśmiechnął się jak należy i wyciągnął rękę. Szeroki uśmiech dodał jego skądinąd pospolitej twarzy sporo uroku.

– Chyba tak – przyznał. – Studiowałem w Kolegium Emmanuela. Prawo i psychologia. Wyglądasz jakby znajomo.

– No cóż, miło cię wreszcie poznać jak należy – powiedziała Evi. – Przepraszam, jeśli przeze mnie czekałeś na Meg.

– Szczerze mówiąc, szukałem ciebie – odparł. – Twoja sekretarka powiedziała mi, że tu jesteś. Poproszono mnie, żebym przejrzał raport z twojego zgłoszenia z piątkowej nocy.

– To ja was zostawiam – rzuciła Meg. Wyciągnęła się, żeby cmoknąć Castella w policzek i weszła do budynku.

– Nie sądziłam, że piątkowa noc zasługuje aż na inspektora – zdziwiła się Evi. – Czyżbym miała specjalne względy, bo przyjaźnię się z Meg?

– Po części – przyznał Castell. – Ale obserwuję również sprawę samobójstw, więc już parę razy natknąłem się na twoje nazwisko. Chciałbym z tobą porozmawiać o piątku, jeśli się zgodzisz.

– Oczywiście.

Castell sięgnął do kieszeni i wyjął mały, cienki kawałek papieru w woreczku z przejrzystego plastiku. Evi wzięła go i spojrzała. Druk był bardzo blady.

– Co to jest? – spytała.

– Paragon – odparł Castell. – Ze sklepu z kartkami i pamiątkami w mieście. Z datą sprzed trzech tygodni. Na dwie kartki z życzeniami i małą nakręcaną zabawkę.

Evi zmrużyła oczy, by odczytać ledwie widoczne litery.

– Tu jest napisane „zabawka kościotrup" – odcyfrowała.

– Zabraliśmy zabawkę, którą znalazłaś w piątek, do tego sklepu – powiedział Castell. – Potwierdzili, że jeszcze dwa tygodnie temu mieli takie na stanie.

– Więc gdzie znaleźliście paragon?

Castell pochylił się jakby odrobinę bliżej.

– No więc właśnie w tym problem, Evi – powiedział. – Według funkcjonariuszy, którzy byli u ciebie w piątek w nocy, został znaleziony w twoim biurku w domu.

26

Kobieta za biurkiem głównej recepcji szpitala gapiła się na Nicka Bella, jakby był gwiazdą rocka, która przypadkiem weszła tu z ulicy. Właściwie jej się nie dziwiłam. Ja sama starałam się unikać wyjątkowo przystojnych mężczyzn, bo zawsze zachowywali się, jakby wyświadczali ci wielką łaskę, ale w Bellu, w tym, że wydawał się zupełnie nieświadom swojego wyglądu i poświęcał ci pełną uwagę, było coś, co pochlebiało każdej kobiecie, nawet najbardziej odpornej.

Wróciliśmy jeszcze do Bryony, ale nie było wielkiego sensu siedzieć z pacjentką tak nafaszerowaną lekami.

– Jeśli jest przytomna, to po prostu siedzę przez chwilę i mówię do niej – stwierdził Bell ściszonym głosem. – O czymkolwiek. Co piszą w wiadomościach, jak radzą sobie różne uczelniane drużyny. Wyobrażam sobie, że to musi być dla niej dość dezorientujące, kiedy tak leży, nie mając pojęcia, ile czasu upłynęło, i słyszy tylko skradające się wokół niej pielęgniarki i lekarzy mamroczących w jakimś medycznym bełkocie.

– A jej rodzina? – spytałam.

Usta Nicka wygięły się lekko, ale nie spojrzał mi w oczy.

– Odwiedzali ją – powiedział. – Ale dawno ich nie widziałem. Mieszkają dość daleko. Przyjaciół też nie ma wielu. Nie wiem, może potrzebuje właśnie ciszy i spokoju. Może próbuję tylko ratować własne sumienie.

Wychodząc ze szpitala, nie rozmawialiśmy. Nick wydawał się szczerze zatroskany stanem Bryony. Powietrze na dworze było tak zimne, że poczułam się, jakbym dostała w twarz.

– Nie będzie ci łatwo – zauważył, kiedy dotarliśmy na parking. Gdzieś po drodze przeszliśmy na ty. – Zaczynać studia już po rozpoczęciu roku akademickiego. Przyjaźnie już się zawiązały. Wszyscy dookoła wiedzą, co robią. Są zajęci. Nie będą mieli czasu opiekować się nową.

– Dam sobie radę – odparłam, ale przypomniałam sobie, że nie jestem już samodzielną, radzącą sobie w każdej sytuacji Lacey Flint. Byłam Laurą Farrow, niepewną i bezbronną. – Ale wiem, co masz na myśli – wycofałam się szybko. – Każdy należy do jakiejś hermetycznej paczki. Jeszcze nawet nie poznałam mojej współlokatorki. Nigdy jej nie ma.

Dotarliśmy do mojego samochodu. Bell spojrzał na chmury, które po zachodzie słońca przybrały kolor grafitu, i znów na mnie.

– To było bardzo miłe, że odwiedziłaś Bryony – powiedział. – Trzymaj się.

Odwrócił się, podszedł szybkim krokiem do starego range rovera, wsiadł do kabiny i odjechał.

27

Pojechałam z powrotem do kolegium drogą B, na której zginęła Nicole Holt. Resztki policyjnej taśmy wciąż czepiały się drzew, a na poboczu ktoś zostawił kwiaty ze stacji benzynowej. Zaparkowałam i wysiadłam z samochodu.

Miejsce było dość niesamowite. Wąska droga, na której ledwie mogły się minąć dwa samochody, z wysokimi drzewami po obu stronach. Żadnych latarń, żadnego krawężnika. Nie było to miejsce, w którym samotna kobieta chciałaby wylądować wieczorem w zepsutym samochodzie. Pomyślałam, że to bardzo samotne miejsce, by odbierać sobie życie.

Z niedzielnej odprawy dowiedziałam się, że Nicole trzy dni przed śmiercią kupiła mocną, nylonową linkę w sklepie żelaznym (policja znalazła paragon w jej pokoju) i przywiązała ją do grubego bukowego pnia. Drugim końcem obwiązała sobie szyję.

Buk, wciąż owinięty policyjną taśmą, stał po lewej stronie drogi, patrząc od miasta. I dobry metr bliżej asfaltu niż jego sąsiedzi. Wybierając akurat to drzewo, Nicole zminimalizowała szanse, że lina zaplącze się o inne.

Wzięłam latarkę z samochodu i teraz już jej potrzebowałam. Omiotłam jej promieniem pień drzewa. Trochę ponad metr nad ziemią kora była zdarta, zapewne przez gwałtownie zaciśniętą linę, gdy rozwinęła się do końca.

Mini cabrio przyspiesza do setki w 11,8 sekundy, a przynajmniej tak było napisane w raporcie wydziału dochodzeniowego na temat śmierci Nicole. Na tak krótkim odcinku drogi samochód nie miał dość miejsca, by aż tak się rozpędzić, prawdopodobnie jechał jakieś pięćdziesiąt kilometrów na godzinę, może trochę więcej. Ale i tak wystarczająco szybko, by oderwać szczupłą szyję.

Zaczęłam chodzić wzdłuż drogi, rozmyślając, że popełnienie samobójstwa w taki sposób wymagało sporo planowania. Trzeba było przemyśleć prędkość, odległość, długość potrzebnej liny. Gdyby była za krótka, Nicole mogłaby teraz leżeć z Bryony, przeklinając skręcony kark. Była studentką historii. Samobójstwo wymagające obliczeń matematycznych jakoś do niej nie pasowało.

W końcu dotarłam do miejsca, gdzie, jak sądziłam, lina się napięła i głowa Nicole oddzieliła się od ciała. Powinno być mnóstwo krwi, a wiedziałam, że w Cambridge nie padało od sobotniego popołudnia.

Wystraszyłam się, że być może chodzę po różowym szronie i szybko spojrzałam w dół. Nie było żadnej krwi, tylko na wpół zgniłe resztki bukowych orzeszków i łupin kasztanów. I świeże ślady opon. Odwróciłam się i szłam za nimi kilka metrów. Kiedy zniknęły, zatrzymałam się i poświeciłam latarką dookoła. W miejscu, gdzie stałam, samochód zjechał z jezdni i potoczył się trawiastym poboczem. Kawałek przede mną skręcił gwałtownie, by ominąć zwał ziemi i przejechał jeszcze z sześćdziesiąt kroków, zanim wrócił na jezdnię.

Okej, pomyślmy. Ślady musiały być świeże, bo w raporcie policyjnym była wzmianka o pogodzie. Padało w sobotę po południu, więc jezdnia i ziemia były wilgotne. Ale potem nie było już deszczu, więc wszelkie ślady czy odciski powstałe później niż popołudniem musiały wciąż być widoczne. Wczesnym rankiem w niedzielę policja rozciągnęła taśmę wzdłuż tego odcinka drogi i na każdym z jego końców, kawałek w głąb lasu. Taśma jeszcze tu była.

Więc między późnym popołudniem w sobotę a wczesnym rankiem w niedzielę jakiś samochód zjechał z asfaltu i przejechał dwadzieścia metrów poboczem.

Wyjęłam telefon i pstryknęłam kilka zbliżeń bieżnika. Zawróciłam i ruszyłam z powrotem wzdłuż śladu. Przeszłam nad kupką ziemi; w tej chwili zaczął padać lodowaty, drobny deszcz.

Tych śladów nie mógł zrobić mini. Zamierzałam porównać wzór bieżnika, żeby mieć pewność, ale to było niemożliwe. Na drodze widziałam kredowy znak zrobiony przez policję, wskazujący miejsce, gdzie lina się rozciągnęła i Nicole poniosła śmierć. Tamten samochód zjechał na pobocze dalej od miasta. Nawet jeśli mini skręcił, kiedy Nicole już nie żyła (bez kierowcy całkiem możliwe), nie mógł samodzielnie ominąć kupy ziemi. Był tu jakiś inny pojazd.

28

Evi weszła do domu, korzystając z nowych kluczy dostarczonych jej przez dział techniczny uniwersytetu. Wnętrze było zimne, choć ogrzewanie powinno było się włączyć godzinę temu. Po wejściu do kuchni sprawdziła ustawienia. I ogrzewanie, i podgrzewanie wody były wyłączone. Zaklęła cicho i pstryknęła obydwoma przełącznikami. Kiedy była zmarznięta, ból zawsze się nasilał, a dzisiaj spędziła już za dużo czasu na dworze. Włączyła czajnik i otworzyła drzwi lodówki. Gotowany łosoś, warzywa, makaron. Coraz trudniej było jej wykrzesać zainteresowanie jedzeniem.

Wyszła z kuchni i przeszła do gabinetu.

Inspektor Castell był bardzo miły. Podkreślił, że jeśli ktoś dostał się do domu, by zostawić szyszki i szkielecik, równie dobrze mógł podrzucić paragon. Właśnie miał go odesłać do analizy daktyloskopijnej i zapewniał, że nie będzie to miało żadnego wpływu na ich podejście do sprawy. Zrobił, co w jego mocy, żeby ją uspokoić.

Problem w tym, że kiedy odjechał, Evi sprawdziła swój terminarz. I tamtego dnia była na zakupach w Cambridge. Paragon był ze sklepu, który znała. Pamiętała, że kupiła dwa figurujące na nim przedmioty: kartki okolicznościowe; jedną dla znajomej, której urodziny właśnie się zbliżały, i drugą, bez okazji, z toskańskimi słonecznikami.

Na paragonie były trzy pozycje, a dwie z nich doskonale pamiętała. Czy było możliwe, że sama kupiła tę zabawkę? Kupiła, schowała do szafki na górze i zapomniała o niej? Rozpacz i depresja potrafią zabawiać się ludzkimi umysłami, doskonale o tym wiedziała. A ona od bardzo dawna miała depresję, jeszcze przed wydarzeniami zeszłego roku. Utrata Harry'ego była ostatnią kroplą.

Ale żeby zrobić coś tak kompletnie nie w swoim stylu i zapomnieć o tym? To było niemożliwe.

Prawda?

Kolacja w refektarzu kolegium, zwanym Bufetem, była o wiele łatwiejsza do przełknięcia niż ta w Jadalni, ale i tak było to nie lada doświadczenie. Zdążyłam zapomnieć, jak skrępowani potrafią być młodzi ludzie. Studenci wokół mnie w jasno oświetlonej, hałaśliwej sali byli niczym zbiorowisko długich włosów i kończyn, rzucających się w uszy akcentów i wymuszonych śmiechów. Dziewczyny bawiły się nerwowo jedzeniem na talerzach i biżuterią, chłopcy drapali się, ziewali i używali za długich słów jak na swoje możliwości.

Do tego wszyscy wokół mnie zdawali się prowadzić przynajmniej dwie rozmowy jednocześnie – pierwszą z sąsiadami przy stole, drugą z nieobecnym przyjacielem odbierającym SMS-y. Brzękliwe pikanie telefonów stanowiło niemilknące tło rozmów na żywo. Głowy bez przerwy odwracały się, by sprawdzić, kto wszedł do sali.

A to nawet nie była najbardziej oblegana pora. Długo siedziałam w pokoju, czekając, aż kolejka przed budynkiem trochę się skróci. Wykorzystałam ten czas na zapoznanie się z moim nowym komputerem. Standardowe laptopy wydawane przez Met to umieszczone w odpornej obudowie sprzęty, które mają wytrzymać spore fizyczne i intelektualne wyzwania. Są zabezpieczone tak dobrze, jak może być zabezpieczony sprzęt komputerowy. Ale takie cacko byłoby zbyt podejrzane w rękach studentki, więc zamiast tego dostałam zwykły sklepowy model z wyraźnym przykazaniem, że mam go przez cały czas trzymać przy sobie, pilnować, żeby po minucie braku aktywności upominał się o hasło i nie otwierać żadnej poczty z nieznanych źródeł.

W mojej skrzynce mailowej nie było niczego oprócz powitalnego listu ze Studenckiej Poradni Psychologicznej z kwestionariuszem pierwszoroczniaka do wypełnienia.

Zerknęłam za okno. Ciągle kolejka. Otworzyłam więc kwestionariusz. Ściśle poufny, całkowicie anonimowy, wyłącznie w interesie badania ogólnych tendencji, bla bla bla. Zerknęłam szybko na listę pytań i stwierdziłam, że to stek bzdur dla użalających się nad sobą biedactw. Akurat coś w stylu Laury Farrow.

„Czy pierwsze chwile na uniwersytecie są dla mnie przytłaczającym doświadczeniem?" No cóż, tak. „Czy czuję się niepewnie w obliczu stawianych przede mną wymagań?" Tak, tu chyba też mogłam odpowiedzieć twierdząco. „Czy czuję się wyobcowana i samotna?" Jeszcze jak.

Odfajkowywałam pytanie za pytaniem i o mało się nie roześmiałam, bo wyszłam na kompletną wariatkę. Przestałam się śmiać, kiedy dotarło do mnie, że dziewięćdziesiąt dziewięć odpowiedzi to szczera prawda. Zamknęłam plik i odesłałam go z powrotem.

Kiedy w Bufecie zrobiło się luźniej, poszłam tam wreszcie. Dzieciaki wokół mnie zapraszały się nawzajem na kawę i umawiały na później w pubach i barach. Słyszałam nawet, że ktoś mówi o bibliotece. Było prawie wpół do ósmej i chciałam już tylko wrócić do pokoju, napisać pierwszy raport dla Joesbury'ego i zwinąć się na łóżku z książką. Nie było mi dane. Miałam robotę.

Evi usiadła przy biurku i weszła w swoją bazę historii choroby pacjentów. Ta śledcza, Laura Farrow, wyłapała z sesji Bryony wzmianki o możliwych gwałtach. Był to jedyny moment w trakcie rozmowy, kiedy jej samokontrola puściła odrobinę.

Przychodnia Evi miała w zwyczaju dołączać tagi do podsumowań konsultacji z pacjentami. Gwałt z pewnością byłby takim słowem kluczem. Evi wpisała „gwałt" w wyszukiwarkę i czekała.

Wyskoczyło trzydzieści osiem przypadków. Najnowszy był przypadek Bryony Carter. Poprzednia na liście była dziewczyna, którą zgwałcił wujek, kiedy miała czternaście lat. Evi nie zagłębiała się w szczegóły. Zamknęła plik i szła dalej. W tym roku akademickim było jeszcze kilka przypadków i kilka w zeszłym roku. Żaden nie wydawał się związany ze sprawą. Evi zaczęła już tracić zapał, kiedy natknęła się na sprawę Freyi Robin, studentki botaniki. Baza danych zawierała tylko podsumowania – bardziej szczegółowe notatki z sesji zwykle nie były wklepywane do komputera – ale było tu wystarczająco dużo podobieństw do historii Bryony, by Evi przeczytała uważnie to, co było.

Trzy lata temu, w czasie Wielkiego Postu, Freya mówiła o złych snach, problemach z zaśnięciem i o nieuzasadnionych lękach, że ktoś wchodzi nocą do jej pokoju. Którejś nocy obudziła się nad ranem przekonana, że została zgwałcona. Wystraszone koleżanki, które znalazły ją rozhisteryzowaną, kazały jej iść na policję. Na jej ciele nie znaleziono żadnych fizycznych dowodów oprócz paru zadrapań i drobnych sińców, a przeprowadzony test na gwałt okazał się nierozstrzygający. Nie mając punktu zaczepienia, policja nie mogła rozpocząć śledztwa.

Sześć tygodni później Freya z rozmysłem utopiła się w uczelnianym basenie.

Evi sięgnęła przez biurko po listę samobójstw. Freya Robin była na niej.

Zaczęła porównywać dwie listy i nie potrzebowała dużo czasu, by znaleźć resztę. Donna Leather, dwudziestojednoletnia studentka medycyny, nigdy podczas sesji terapeutycznych nie użyła słowa „gwałt", ale tak jak Freya i Bryony mówiła o złych snach, często seksualnej natury, o porannym kacu i złym samopoczuciu, choć twierdziła, że nie piła, o obolałych strefach intymnych. „Napastowana" – takiego słowa używała Donna, opisując, jak czuje się czasem rano, ale brzmiało to tak, jakby to jej własny umysł był napastnikiem. Nie poszła na policję. Powiesiła się dwa miesiące po tym, jak pierwszy raz opowiedziała o swoich lękach.

Tego samego roku studentka romanistyki, Jayne Pearson, poszła na policję z podejrzeniami, że jest gwałcona. W jej krwi wykryto znaczny poziom ketaminy, choć przysięgała, że nigdy jej nie brała. Niestety nie znaleziono żadnych konkretnych dowodów gwałtu. Jayne zginęła tego samego roku od postrzału w głowę. Czwarty i ostatni przypadek znaleziony przez Evi to była Danielle Brown, studentka neurologii z Kolegium Clare. Jej opowieści brzmiały aż nazbyt znajomo. Koszmary, problemy z zaśnięciem i niewyraźne wspomnienia seksualnego napastowania we śnie. Danielle powiesiła się trzy dni przed świątecznymi feriami, ale znaleziono ją, zanim się udusiła.

Ekran komputera zgasł, ale Evi tego nie zauważyła.

Razem z Bryony miała pięć przypadków możliwego gwałtu w ciągu pięciu lat. Statystycznie patrząc, nie było w tym nic godnego uwagi. Ale jeśli wziąć pod uwagę, że wszystkie te kobiety niedługo po serii sennych koszmarów targnęły się na własne życie, przestawało to wyglądać na zbieg okoliczności.

„Od: Post. Lacey Flint
Temat: Raport operacyjny nr 1
Data: Wtorek, 15 stycznia, 22.22
Do: Insp. Mark Joesbury, Scotland Yard

Jest wpół do dziesiątej wieczorem, sir. Wypiłam tyle kawy, że chodzę po ścianach, i tyle mineralnej, że całą noc nie wyjdę z toalety. Podrywały mnie dziewiętnastoletnie kujony metr pięćdziesiąt w kapeluszu i pijane osiłki, które uważają zapach męskiego potu za potężny afrodyzjak. I lesbijka z tlenionymi włosami, która była chyba najlepsza z tej bandy. Jeszcze parę takich wieczorów i zacznę myśleć o zmianie orientacji".

Przestałam pisać. Biadoliłam już pierwszego wieczoru od rozpoczęcia zadania, ale – Bóg mi świadkiem – niecałą godzinę po wyjściu z pokoju miałam dziką ochotę obwiązać szyję Joesbury'ego nylonową liną i mocno zacisnąć. Na myśl, że to ma potrwać jeszcze trzy miesiące, sama zaczynałam mieć myśli samobójcze. Snułam się od biblioteki do sali telewizyjnej, od kawiarni do pubu. Odwiedziłam wszystkie znane miejsca, w których spędzali czas studenci. Przez cały wieczór gadałam z ludźmi i nie dowiedziałam się niczego.

Odchyliłam się na krześle, przeciągnęłam, wykręciłam głowę najpierw w jedną, potem w drugą stronę. Błyszczący, niebieski żakiet rozciągnięty na drugim biurku i słaby kwiatowy zapach przypomniały mi o istnieniu mojej współlokatorki. Okej...

„Evi Oliver jest bardzo inteligentna i z pewnością oddana swojej pracy, ale sprawia wrażenie nerwowej i spiętej. Moim zdaniem sama ma problemy psychologiczne i może być osobą, która przereagowuje w pewnych sytuacjach. Domyślam się, że ją sprawdziłeś. Jest szansa, że się podzielisz odkryciami?

Nie mogę jednak ignorować jej spostrzeżeń dotyczących anomalii w statystykach studenckich samobójstw. Nie tylko jest ich więcej, niż należałoby się spodziewać, ale na liście figuruje nieproporcjonalnie dużo kobiet, a wybierane przez nie metody są nietypowo krwawe".

W zasadzie nic z tego, co napisałam, nie było pisane językiem odpowiednim dla oficera starszego stopniem; powin-

nam wszystko wymazać i zacząć od nowa, udając, że piszę
do Dany Tulloch albo mojego inspektora z komisariatu Southwark. Kogoś, kto nie budził we mnie dziwnych zachcianek,
kiedy tylko pozwalałam sobie o nim myśleć.

Byłam zbyt zmęczona, żeby zaczynać od początku. Opisałam swoją wizytę u Bryony i przekazałam opinię jej lekarza domowego, że opuściła ją rodzina i przyjaciele. Była już
prawie jedenasta i nie miałam pojęcia, czy Joesbury będzie
u siebie, na piętrze tego swojego białego domu w Pimlico, czy
może gdzieś się bawi.

„Lekarz Bryony Carter jest wyjątkowo przystojny i choć
sprawia wrażenie po prostu bardzo miłego faceta, wydaje mi
się z nią związany bardziej, niż należałoby się spodziewać po
lekarzu. Myślisz, że powinnam spróbować go poznać trochę
lepiej?"

Zakończyłam list opisem swojej wizyty na miejscu zgonu
Nicole Holt.

„Moim zdaniem obecność drugiego samochodu na drodze
tej nocy wymaga dalszego zbadania. Porównałam wzór bieżnika z miejsca zdarzenia z bieżnikami kilku typów opon zwykle używanych w mini cooperach i nic nie pasowało. Nie było
nawet podobnych wzorów. Na tej drodze był jakiś inny pojazd
tuż przed lub tuż po śmierci Nicole, a mimo to nie ma o nim
wzmianki w policyjnym raporcie".

Było grubo po jedenastej, kiedy wreszcie kliknęłam „wyślij" i zahibernowałam laptop. Miałam wrażenie, że jestem
sama w bursie. Rozebrałam się, zamknęłam drzwi na klucz
i przeszłam korytarzem do wspólnej łazienki. Pod prysznicem
odkręciłam kurki na maksa.

Evi odkręciła kurki nad wanną i rozpoczęła powolną i skomplikowaną procedurę rozbierania, kiedy zadzwonił telefon. Pierwszą myślą, jak zawsze, był Harry. Ale to nigdy nie był Harry. Harry prawdopodobnie już o niej zapomniał.

– Cześć, skarbie, to ja.

– Cześć, mamo.

Jej matka była tak dumna z mądrej, dzielnej córki, że rozmowa z nią zawsze była ogromnym wysiłkiem. W jej przypadku udawanie, że wszystko jest w porządku, było wiele ważniejsze niż w rozmowie z kimkolwiek innym.

– Jak ci minął dzień?

– Całkiem nieźle – skłamała Evi. – Mnóstwo dzisiaj zrobiłam.

Matka Evi była z nią na tym wypadzie na narty, kiedy Evi poważnie uszkodziła sobie nerw kulszowy w lewej nodze. Mama, o wiele lepsza narciarka, namówiła córkę na zjazd trudną, czarną trasą. Evi zaczepiła nartą o kamień, straciła kontrolę i spadła w szczelinę. Gdyby teraz wspomniała, że nie wszystko jest w idealnym porządku, mamę zadręczyłoby poczucie winy.

Pożegnała się, niespokojna, że woda się przeleje. Po wejściu do łazienki drugą rzeczą, jaką zauważyła, był napis na lustrze. „Widzę cię". Pierwszą była wanna pełna krwi.

29

Kiedy wróciłam z łazienki do pokoju, hałas za oknem jeszcze przybrał na sile. Wiedziałam, że nieprędko będę mogła spać. A dzielenie łazienki z sześcioma innymi kobietami nie było najmniej uciążliwym z wyzwań, jakim miałam stawiać czoło przez najbliższe trzy miesiące. Jako osiemnastolatka pewnie bym sobie poradziła – do diabła, w moim życiu bywały chwile, kiedy oddałabym wszystko za dostęp do jakiejkolwiek łazienki – ale wyglądało na to, że przez ostatnie pięć lat zupełnie bezwiednie wyrobiłam sobie pewne higieniczne standardy.

Dwie wiadomości w skrzynce. Pierwsza ze Studenckiej Poradni Psychologicznej – potwierdzenie otrzymania wypełnionego kwestionariusza. Druga od Joesbury'ego.

„Od: Insp. Mark Joesbury, Scotland Yard
Temat: Raport operacyjny nr 1
Data: Wtorek, 15 stycznia, 23.16
Do: Post. Lacey Flint

Może warto byłoby nauczyć się sztuki precyzyjnego wyrażania myśli, Flint. Jeśli będę chciał czytać powieść, skoczę do księgarni. Wypytam dyskretnie o te ślady opon, ale nie robiłbym sobie zbyt wielkiej nadziei. Deszcz przestał padać około czwartej po południu. Policja zjawiła się na miejscu koło trzeciej nad ranem. To jedenaście godzin, podczas których dowolna liczba nietrzeźwych, rozpieszczonych baranów z prywatnego uniwerku mogła przejechać się po poboczu.

Czy naprawdę muszę powtarzać, że nie prowadzisz tam śledztwa w sprawie śmierci Nicole Holt ani żadnego innego? Masz tylko robić za ładną wariatkę i obserwować. Słodkich snów".

Minęło pięć minut, a z moich ust wciąż płynął strumień słów, z których żadnego nie dałoby się powtórzyć w kościele. Właśnie miałam mu odpisać – co, biorąc pod uwagę mój nastrój, nie byłoby mądre – kiedy drzwi się otworzyły. Stała w nich dziewczyna o fioletowych włosach, z nogami tak cienkimi, że na zdrowy rozum nie powinny być w stanie jej utrzymać.

– Laura? – powiedziała, chwiejąc się na niemożliwie wysokich obcasach. – Dzięki ci, Panie, wreszcie współlokatorka w moim wieku. Boże, ależ jestem urżnięta. W tym kubku jest kawa?

Owszem, była, parujący kubek stał na moim biurku. Dziewczyna, potykając się, ruszyła w moją stronę, podniosła go i się napiła. Nawet nie zauważyła, że był w nim niemal wrzątek.

– Talaith? – spytałam. Była trochę starsza, niż się spodziewałam. Miała ze dwadzieścia dwa, trzy lata.

– Toxic – odparła. Po podbródku pociekła jej strużka gorącego płynu. Przez moment myślałam, że nazywa moją kawę toksyczną; widać jej nie posmakowała. – Czy raczej Tox. Tylko pastor nazywa mnie Talaith. – Zabrała moją kawę, zatrzasnęła drzwi wejściowe, zatoczyła się przez pokój, otworzyła drzwi do swojej sypialni, postawiła kubek na podłodze i padła twarzą naprzód na łóżko. Wymamrotała coś w poduszkę – wyraziła, zdaje się, niedowierzanie, jak rozwinął się jej wieczór.

Wstałam, sama nie wiedząc, czy jestem ubawiona, czy zirytowana, i w tej chwili usłyszałam bębny.

– To nie jest krew, Evi.

Evi siedziała przy kuchennym stole i usiłowała prowadzić grzeczną rozmowę z młodą posterunkową. Inspektor Castell stał w drzwiach.

– Więc co?

Castell wzruszył ramionami z przepraszającą miną.

– Nasz sprzęt nie jest dość dobry, by to stwierdzić – odrzekł. – Będziemy musieli to posłać do laboratorium. Może minąć parę tygodni, zanim się dowiemy. Ale z całą pewnością nie jest to krew. Obstawiałbym jakiś rodzaj barwnika.

– Jak znalazł się w mojej wannie?

– To możemy ci powiedzieć. – Wszedł głębiej do pomieszczenia. – Ktoś wlał go do twojej termy. Spuściliśmy wszystko i teraz płynie już czysta woda, ale jutro chyba powinnaś wezwać hydraulika, żeby sprawdził zbiornik. Trzeba się upewnić, czy to nie było coś powodującego korozję.

– Kazałam zmienić zamki – oświadczyła Evi. – Nikt nie powinien móc tutaj wejść.

Przez sekundę inspektor Castell tylko na nią patrzył.

– Jeśli pracowali tu dziś jacyś ludzie, być może wtedy ten ktoś się tutaj dostał – powiedział w końcu. – Wypytamy uczelnianych konserwatorów, sprawdzimy, czy był tu ktoś, kto twierdził, że musi sprawdzić termę czy cokolwiek innego.

– Dziękuję – odparła Evi.

– To zdanie napisane palcem na lustrze. „Widzę cię". Czy to cokolwiek znaczy?

Evi pokręciła głową.

– Paskudna sprawa, pisać coś takiego w łazience – stwierdziła policjantka.

– No dobra – podsumował Castell. – Sprawdziliśmy cały dom, piętro i parter. Nie znaleźliśmy nic niezwykłego, ale rano przyślemy ekipę kryminalistyczną. Na pewno nie chcesz, żebym zadzwonił do Meg? Może tu być za dziesięć minut.

Evi jeszcze raz pokręciła głową i podziękowała mu. Wstała, odszukała swoją kulę i poszła za nim i policjantką do drzwi. Castell zawahał się w progu.

– Wiesz, gdzie nas szukać, gdybyś nas potrzebowała – powiedział.

Skinęła głową. Już wcześniej dał jej wizytówkę z bezpośrednim numerem do siebie i numerem komórki. Był bardzo ciepły i profesjonalny, ale czy tylko jej się zdawało, czy naprawdę miał trudności z kontaktem wzrokowym? A jeśli myślał, że skoro sama kupiła zabawkę szkielecik, to sama też nalała barwnika do termy?

Ba ba ba bum, ba ba ba bum. Ktoś wybijał rytm na wielkim bębnie tuż pod budynkiem. Były też głosy, ledwie dosłyszalne przez to dudnienie. Męskie głosy, zagrzewające się do dzieła; dziewczęce głosy, piszczące i wrzeszczące. Nagle coś uderzyło w moje okno. Ułamek sekundy później – znowu. Talaith dźwignęła się z łóżka i przyczłapała do saloniku.

– Chyba żartują – powiedziała. – No nie, znowu to samo.

– Co się dzieje? – spytałam. Nie odpowiedziała, wymamrotała tylko, że sprawdzi, czy główne wejście jest zamknięte na klucz, i wybiegła z pokoju. Bębnienie nie cichło. Kojarzyło się z biciem serca. I to z biciem mojego serca, które, czułam to, przyspieszało z każdą sekundą. Głupia, czego się bałam? Studenci po prostu rozrabiali na dworze, jak to studenci. Niedługo znudzą się i zmarzną.

Ale w tym bębnieniu było coś, czego nie dało się zignorować. Nie tylko natężenie – ono miało jakiś cel. Człowiek instynktownie czuł się zastraszony. Zrozumiałam, że nie bez powodu armie maszerowały do bitwy przy dźwiękach bębna.

Przechyliłam się przez biurko i odrobinę uchyliłam zasłonę. Trawnik pod moim oknem był pełen ludzi. Było tam z pięćdziesięcioro studentów i przybywało ich z każdą chwilą. Wzywał ich bęben. Miałam wrażenie, że wiedzą, czego się spodziewać. We wszystkich oknach wokół trawnika paliły się światła, z okien wyglądały twarze. Co odważniejsze osoby wołały do tłumu i słyszały bluzgi w odpowiedzi.

Talaith dołączyła do mnie przy oknie w chwili, gdy tłum zaczął skandować. Dwa słowa, w kółko i w kółko.

– Co to znaczy wierzę w mięso? – spytałam Talaith.

– Świeże mięso – odparła. – Zdaje się, że mają na myśli ciebie.

Kompletne zaskoczenie i nagle ukłucie paniki w żołądku. Opuściłam zasłonę. To było dla mnie?

– O czym ty mówisz, do cholery? – zapytałam fioletowo-włosą, bladolicą dziewczynę obok mnie.

– To taka głupia tradycja dla nowych – wyjaśniła Talaith. – W zeszłym semestrze bez przerwy to robili.

– Co robili?

– Spokojnie. Zamknęłam główne wejście na klucz.

Od strony wejścia dało się słyszeć łomotanie i głośnie krzyki, domagające się wpuszczenia. Potem ciężkie kroki.

– Zdaje się, że ktoś je właśnie otworzył – powiedziałam, ciągle nie do końca wierząc, że cały ten raban ma cokolwiek wspólnego ze mną.

– Bierz klucze, szybko – zarządziła Talaith, idąc do głównych drzwi naszego pokoju. Zatrzasnęła je. – Moje są w torebce.

Zaparła się o drzwi, a ja odwróciłam się, żeby poszukać jej torebki. Nie miałam pojęcia, gdzie są moje klucze. Podniosłam mały plecaczek z czarnej skóry i w tej chwili ujrzałam, że drzwi uchylają się – waga ciała Talaith, jakieś pięćdziesiąt kilo, nie była żadną przeszkodą dla siły, która pchała je do środka. Talaith poddała się i zatoczyła, uciekając z drogi trzem wysokim postaciom wchodzącym do pokoju.

Trzej mężczyźni, wszyscy ponad metr osiemdziesiąt, wszyscy potężnie zbudowani. Wszyscy trzej byli rozebrani do pasa, modne dżinsy wisiały im nisko na biodrach. Ich torsy lśniły od oliwki i były pomalowane w dziwaczne, czerwono-złote symbole. Dwóch nażelowało włosy i uformowało z nich kolce wokół twarzy. Trzeci miał długie, ciemne loki, które spływały mu falami na ramiona. Wszyscy trzej mieli proste, materiałowe maski zakrywające oczy.

Och, jak dobrze byłoby móc się roześmiać, wyciągnąć policyjną odznakę z tylnej kieszeni i powiedzieć, żeby wypieprzali z mojego pokoju, bo każę ich zapuszkować. Ale nic z tego. Moja odznaka leżała w szafce na komisariacie Southwark. Razem z całym autorytetem władzy, który dodawał mi pewności przez ostatnie cztery lata. Tutaj nie byłam funkcjonariuszką policji, byłam tylko studentką, jak tysiące innych. I kiedy ci trzej ruszyli na mnie, poczułam coś, czego miałam nadzieję już nigdy w życiu nie doświadczyć. Coś, co graniczyło z przerażeniem.

– A wy niby za co się przebraliście? – Talaith pierwsza odzyskała mowę. – Pieprzone żółwie ninja? Wypad stąd... Nie, zostawcie ją!

Ten długowłosy schwycił mnie za ramiona; jego szorstkie dłonie poharatały mi gołą skórę na barkach. Obrócił mnie, kiedy drugi podszedł bliżej. Wzięłam głęboki oddech, zbierając się w sobie, by podciągnąć obie nogi i kopnąć tego drugiego w klatę; miałam nadzieję wierzgnąć dość mocno, by poleciał do tyłu. Potem, zanim pierwszy zorientuje się, co jest grane, wpakuję mu łokieć w splot słoneczny. Gdyby to nie wystarczyło, miałam w odwodzie kopa w jaja.

Tylko że gdybym zaczęła walczyć z tymi facetami inaczej niż babską szamotaniną i piskami, równie dobrze mogłabym od razu powiedzieć, kim jestem. Rozchwiana emocjonalnie Laura Farrow nigdy nie wdałaby się w bójkę z trzema wielkimi facetami. Cholera, wyglądało na to, że będę musiała przyjąć to, co mnie czeka; mogłam co najwyżej poszamotać się jak dama i pisnąć parę razy.

– Kurwa, tknij mnie tylko, to nie żyjesz – powiedziałam do numeru drugiego.

Okej, język też może trochę za mocny.

Ale niepotrzebnie marnowałam oddech. Numer drugi schylił się, złapał mnie za kostki i zostałam uniesiona z podłogi.

– Odbij – powiedział ten, który trzymał mnie na wysokości barków, i ruszyliśmy w stronę drzwi. Wykręciłam się, próbując się uwolnić, ale w tej chwili do akcji wkroczył trzeci i chwycił mnie w pasie.

– Wy, gnoje, na dworze jest lodowato.

Protesty Talaith cichły w oddali. W tym momencie obie ręce miałam już przygwożdżone do boków, a twarz wciśniętą w gościa, który mnie podniósł. Włosy na jego klacie drapały mnie w policzek, czułam zapach żelu do kąpieli i potu. Numer trzy obejmował rękami moje biodra, a numer dwa ściskał mi stopy razem, żebym nie wierzgała.

– Zwrot – powiedział długowłosy. Skręciliśmy na szczycie schodów i zaczęliśmy schodzić. Musiałam przygryźć wargi, by nie zacząć wrzeszczeć.

Nocne powietrze walnęło mnie jak wielka dłoń. Rozległ się kolejny chóralny wiwat, skandowanie stało się głośniejsze. „Świeże mięso, świeże mięso". Nieśli mnie przez tłum. Twarze, pomarańczowe jak dynie w świetle latarń, wgapione we mnie błyszczące oczy, podskakujące głowy.

Nie, nie mogłam wrzeszczeć. To były tylko wygłupy dzieciaków; nie było się czego bać.

Dotarliśmy do miejsca na środku trawnika, gdzie oszroniona trawa była już brązowa od błota. Wokół centralnego drzewa leżał gruby łańcuch. Poza falą tłumu zobaczyłam, że chłopcy uformowali szereg i podawali sobie wiadra z najbliższego budynku. Woda. Będą mnie oblewać wodą. Nic więcej. To będzie nieprzyjemne i upokarzające, ale nie miałam się czego bać. Stałam na własnych nogach, wciąż mocno trzymana z tyłu, kiedy jeden z porywaczy schylił się i chwycił mnie za kostkę. Poczułam coś ciężkiego i zimnego. Przypięli mnie za nogę łańcuchem z kłódką.

Pierwsze wiadro kompletnie mnie zaskoczyło. Lodowata woda chlusnęła mi prosto w twarz, wlała się do ust i nosa. Przez sekundę nie mogłam oddychać i ogarnęła mnie ślepa panika. W następnej chwili wypluwałam już płuca od kaszlu.

– Panie i panowie, witamy na konkursie miss mokrego podkoszulka Świętego Jana – krzyknął męski głos, kiedy poleciało drugie wiadro. Rozległ się kolejny wiwat, a ja, patrząc w dół, stwierdziłam, że bawełniany sportowy podkoszulek, który niemal zawsze służy mi za piżamę, jest przemoczony na wylot. I że siedemdziesiąt parę osób, stojących kręgiem wokół mnie, wie już, jak wyglądają moje piersi. Jeden z tych zamaskowanych palantów miał nawet kamerę i przez sekundę wściekłość we mnie była silniejsza od strachu. To była napaść seksualna, tak po prostu. Do diabła, gdzie była uczelniana ochrona? Dlaczego nikt nie dzwonił na policję?

Facet z kamerą był bliżej niż reszta i w tej chwili naprawdę nie obchodziło mnie, czy się zdemaskuję; musiałam mu przywalić. Popędziłam w jego stronę, zapominając o łańcuchu. Przebiegłam trzy kroki i zobaczyłam panikę w niebieskich oczach; nagle poczułam przeszywający ból w kostce. Ułamek sekundy później leżałam już jak długa w błocie. Kolejne wiwaty. I głos z tłumu:

– Może już dość, chłopaki. No, puśćcie ją.

Kimkolwiek był ten człowiek, nie zwrócili na niego uwagi. Chlusnęło na mnie sześć kolejnych wiader lodowatej wody, a ja leżałam bezradnie na ziemi. Chciałabym myśleć, że to konieczność udawania Laury Farrow kazała mi leżeć nieruchomo, zwiniętej w kłębek, z głową osłoniętą rękami, ale wcale nie jestem tego pewna. Chciałam po prostu, żeby to się już skończyło. Żeby się skończyło, zanim zacznę wyć. Kiedy już nie byłam w stanie powstrzymać dreszczy, usłyszałam więcej głosów wołających, że już wystarczy. Nagle poczułam na kostce ciepłą dłoń i łańcuch zniknął. Ktoś wziął mnie pod pachy i stanęłam na własnych nogach.

– W porządku, skarbie? – spytał ktoś z północnym akcentem. Nie był to żaden z zamaskowanych chłopaków. Oni zniknęli w ciemnościach.

– Do cholery, a wygląda, że jest w porządku? Jezu, co za durne pytanie. – Moje barki okrył jaskrawożółty płaszcz i moja drobna współlokatorka pokierowała mnie do bursy. Uniosłam głowę i odgarnęłam włosy z oczu.

– Chryste, naniesiemy tonę błota. I myślałby kto, że ta banda posprząta. Chodź, skarbie, wejdźmy do bursy. – Pozwoliłam Talaith wprowadzić się do środka. Szłam po linoleum, z każdym krokiem wyciskając błoto z butów. Talaith prowadziła mnie w kierunku łazienek na końcu korytarza. Otwierały się drzwi, dziewczyny, które wcześniej nie śmiały wyściubić nosów z pokoi, teraz pojawiały się na korytarzu.

– Wszystko z nią okej, Tox?

– Nie wygląda najlepiej.

– Nic jej nie będzie. Musi się tylko rozgrzać. Czy ktoś mógłby zrobić herbaty? – Dotarłyśmy do drzwi łazienki i Talaith wprowadziła mnie do środka. Sięgnęła za mnie i odkręciła prysznic. Zaczęła się unosić para. – No już, mała – powiedziała. – Jesteś brudna jak nieboskie stworzenie. Rozgrzej się. Przyniosę ci jakieś ręczniki. Poradzisz sobie? Główne wejście jest zamknięte na klucz. Oni nie mogą tu wejść.

Wciąż jeszcze mówiła, kiedy drzwi zamknęły się i zostałam sama. Nawet nie zdejmując ciuchów, weszłam pod strumień gorącej wody. Powtarzałam sobie, że wszystko jest w porządku, drzwi są zamknięte, oni nie mogą wejść. Że jestem bezpieczna.

Błoto wirowało w brodziku wokół moich stóp. Trawa i kamyki zaczęły już zatykać odpływ. Wciąż się trzęsłam. Talaith była w błędzie. Drzwi naszej bursy przez cały czas były otwarte. Mieszkające tutaj dziewczyny, ich goście, sprzątaczki – wszyscy wchodzili i wychodzili bez przerwy. Wszyscy mogli wchodzić, kiedy chcieli, i absolutnie nie byłam tu bezpieczna.

30

Berkshire, dziewiętnaście lat wcześniej

Matka zaczęła wyć, kiedy trumna zjechała pod ziemię. Ojciec, niemal równie zielony jak liście wieńców na wieku trumny, objął ją mocniej, a żałobników przeszył zbiorowy dreszcz. To zawsze był moment, kiedy do wszystkich docierała rzeczywistość. Złożyć w ziemi kogoś, kogo kocha się tak bardzo. Stracić jedyne dziecko. W wieku trzynastu lat. Jak można sobie z tym poradzić?

– Dni człowieka są jak trawa, kwitnie jak kwiat na polu – powiedział pastor. – Wystarczy, że wiatr go muśnie, już znika i wszelki ślad po nim ginie.

Siedemnastoletni chłopak w eleganckim mundurku dobrej prywatnej szkoły spojrzał na idealny prostokąt grobu i wyobraził sobie nieruchomą, zimną twarz chłopca w trumnie. Ja to zrobiłem, powiedział sobie w duchu. Na niebie wisiały burzowe chmury; zastanawiał się, czy poczucie winy spadnie na niego, twarde i rozpalone jak uderzenie pioruna.

Czekał na to poczucie winy od chwili, gdy usłyszał wiadomość, że młody Foster powiesił się w internacie w niedzielny ranek, kiedy reszta szkoły oglądała międzyklasowy mecz krykieta. Widział zdjęte zgrozą twarze swoich współspiskowców, tych, którzy przez ostatnie dwanaście miesięcy pomagali mu zamienić życie Nathana Fostera w piekło, choć w odróżnieniu od niego tak naprawdę nie spodziewali się, że do tego dojdzie. Oni już to czuli, mieli to wypisane na twarzach. Wstyd i wyrzuty sumienia, które będą zżerać ich jak pasożyt we wnętrznościach aż do końca życia.

Lada chwila to przyjdzie i do niego i będzie bolało. Wyobrażał to sobie jak fizyczny ból – okrutny skurcz ściskający mu serce albo może jak czerwie podgryzające mózg. Wiedział, patrząc na twarze tych, którzy byli niemal tak winni jak on, że poczucie winy będzie straszne.

– Jako że spodobało się Bogu wszechmogącemu w jego niezmierzonej łasce powołać do siebie duszę naszego drogiego, zmarłego brata, powierzamy jego ciało ziemi.

Boże święty, nauczyciel angielskiego pochlipywał. Kto by pomyślał, że stary Cartwright ma w sobie źdźbło współczucia? Żałobnicy stojący wokół grobu rzucali na trumnę garście ziemi, jakby sto metrów dalej nie czekali dwaj krzepcy grabarze z wielkimi łopatami. Pracownik zakładu pogrzebowego stanął właśnie wprost przed nim, podsuwając mu skrzynkę z ziemią. Nie było wyboru – trzeba było zanurzyć dłoń, chwycić garść zimnych, lepkich grudek i dać krok naprzód, żeby spojrzeć jeszcze raz. To moje dzieło, powiedział do siebie, otwierając dłoń. Ziemia posypała się wprost na jedną z idealnych, białych róż.

Cienie szybko rozrastały się wokół kolumbarium. Robiło się coraz chłodniej i ci, którzy zabrali parasole, zerkali na nie, jakby sprawdzając, czy wciąż mają je przy sobie. Może poczucie winy spadnie jak ulewa z nieba, pierwsze krople będą ledwie zauważalne, ale wyrzuty będą wsączać się w niego stopniowo, aż nasiąknie nimi całe jego jestestwo. Może poczucie winy zaczyna się powoli, ale narasta nieubłaganie, nabiera rozpędu, kiedy już się zaczęło. Chłopiec wziął głęboki oddech i czekał.

– W nadziei na zmartwychwstanie do życia wiecznego, przez Chrystusa Pana naszego. Amen.

Ceremonia dobiegła końca i ludzie odprowadzali zawodzącą matkę. Teraz, po pogrzebie, trzeba będzie odpowiadać na pytania, ale wszystko było dopracowane. Mieli czas, żeby ustalić wspólną wersję, a on od początku bardzo uważał, żeby chronić własny tyłek. Nie będzie żadnych konsekwencji, zadbał o to. Trzeba będzie poradzić sobie tylko z poczuciem winy.

– Chodź, Iestyn. – Poczuł na ramieniu ciepłą dłoń. Cartwright znów go dotykał, tą samą dłonią, którą przed chwilą otarł smark z cieknącego nosa. – Straszna historia, chłopcze. Wszyscy to odczuwamy.

– Dziękuję, panie profesorze. – Chłopiec odwrócił się i zrobił niewielki krok w bok; dłoń nauczyciela spadła z jego barku.

– Zdaje się, że jednak nam się poszczęści z pogodą – powiedział Cartwright, kiedy ruszyli przez trawnik, podążając za innymi żałobnikami na parking.

Chmury na niebie rozeszły się nagle i letni dzień znów zrobił się ciepły. Przed Iestynem i jego nauczycielem słońce lało się na niewielką procesję czarno odzianych postaci, wspinającą się na wzgórze. Iestyn widział, jak smutek i dezorientacja snują się za nimi niczym dym z kotła ze smołą.

To moje dzieło, powtórzył sobie w duchu, a ciepło słońca przenikało go, sprawiając, że czuł się żywy, szczęśliwy, nawet błogosławiony. I uśmiechnął się.

31

Środa, 16 stycznia (sześć dni wcześniej)

Kiedy Joesbury dotarł do gmachu Crippsa, grupka młodych kobiet odprowadzała już Lacey do bursy. Mokre ubranie kleiło jej się do ciała, woda z włosów ciekła po plecach. Zagryzała zęby – poznał to po tym, jak wysunęła żuchwę – i bardzo się starała nie nawiązywać z nikim kontaktu wzrokowego; patrzyła w górę i przed siebie.

Joesbury stał na skraju tłumu, ubrany w ciemne, nijakie ciuchy. Kołnierz kurtki miał postawiony, wełniana czapka przykrywała głowę. Stał w cieniu i sam był niewiele więcej niż cieniem. Ale co z tego. I tak by go poznała. Stał nieruchomy jak głaz, wiedząc, że gdyby teraz spojrzała w jego stronę, ruch mógł go zdradzić.

Kilka minut temu widział, jak trzy zamaskowane postacie wymykają się w noc i ruszył w pogoń. Widział samochód, którym przyjechali, zapamiętał markę i rejestrację i zdążył to już zgłosić. Nie miał wielkiej nadziei. Niemal na pewno było to kradzione auto, które porzucą dzisiejszej nocy. W zwykłych. okolicznościach być może pobiegłby do własnego samochodu, na czuja wybrał kierunek, w którym pojechali, i spróbował ich znaleźć. W zwykłych okolicznościach, czyli gdyby miał zdrowe płuco i gdyby Lacey nie była w rękach bandy nieodpowiedzialnych idiotów. W tych okolicznościach potruchtał z powrotem na trawnik.

Już niemal przy drzwiach bursy zachwiała się i Joesbury odruchowo zrobił krok w jej stronę.

Największy błąd w jego całej pieprzonej karierze, że dał się na to namówić i ściągnął ją tutaj. Po prostu nie był w stanie funkcjonować jak należy tam, gdzie ona wchodziła w grę.

Teraz, kiedy zabawa się skończyła, studenci na skwerze zaczynali go zauważać. Kilka długich kroków i już go nie było.

– Halo?

Żadnych odgłosów w tle. Pewnie była w tym maleńkim pokoju z niemożliwe wąskim łóżkiem pod ścianą z oknem.

– Obudziłem cię? – Wiedział, że nie. Nie miała dość czasu, żeby wziąć prysznic, wypić herbatę, ustalić z resztą dziewczyn na korytarzu, że faceci to jełopy, powiedzieć dobranoc i zasnąć.

– Nie.

Cisza. Nie mógł jej spytać, jak się czuje. Nie mógł jej powiedzieć, ile kosztowało go patrzenie, jak ona przez to przechodzi i nieposłanie nikogo do szpitala. Blizna znów go bolała. Uniósł rękę, przycisnął palce do skóry tuż poniżej prawej skroni.

– Dzięki za raport – powiedział. – Bardzo rzetelny.

Minęła chwila, podczas której pewnie wymyślała jakąś zjadliwą odpowiedź.

– Cała przyjemność po mojej stronie – rzuciła. – Gdzie jesteś?

Joesbury zrobił krok w stronę okna. Z trzeciego piętra hotelu widział wieżę i niektóre wyższe budynki Świętego Jana. Patrzył dokładnie w stronę jej pokoju.

– Na nabrzeżu Tamizy – odpowiedział. – Jadę do domu. Ciężki dzień.

Cichutkie westchnienie, które mogło być w zasadzie zakłóceniem na linii. Albo, gdyby nie znał jej lepiej, wstępem do szlochu.

– Szkoda – powiedziała.

– Dlaczego? – spytał, zanim zdążył się powstrzymać.

Głęboki wdech. Przełknięcie śliny.

– A tam, nieważne. Po prostu wypiłabym drinka i pogadała dla odmiany z kimś dorosłym.

Joesbury odwrócił się przodem do pokoju, do schludnie zaścielonego podwójnego łóżka z ciemnoczerwoną narzutą i ujrzał Lacey z głową na karmazynowym jedwabiu, z wyciągniętymi rękami, z włosami spływającymi na dywan.

– Wszystko dobrze u ciebie? – spytał.

– Tak, jestem tylko padnięta. Tobie też powinnam już dać spokój. Dzięki, że zadzwoniłeś. Dobranoc, sir.

– Lacey, uważaj na siebie. – Idiota. Nie powinien był tego mówić.

– Dlaczego? Co się dzieje? – Znów czujna.

– Po prostu choć raz zrób to, co ci mówię – poprosił. – Miej oczy dookoła głowy. Do zobaczenia niedługo.

32

To zaskakujące, jak taki upokarzający epizod w średniowiecznym stylu potrafi człowiekowi zaostrzyć apetyt. Obudziłam się wcześnie i poszłam prosto do Bufetu, gdzie nałożyłam sobie zaskakująco smacznej jajecznicy z bekonem. W miarę jak sala się wypełniała, czułam na sobie coraz więcej ukradkowych spojrzeń, słyszałam coraz więcej przyciszonych rozmów tuż poza zasięgiem słuchu. Instynkt nakazywał mi trzymać głowę wysoko i dać w nos każdemu, kto przekroczy granicę. Rozsądek kazał garbić się potulnie, unikać kontaktu wzrokowego. Byłam Laurą, nerwową i niepewną. Laura by nie walczyła.

Kiedy wyszłam, Bufet był już prawie pełen, a na korytarzu utworzyła się krótka kolejka. Właśnie miałam wyjść z budynku, kiedy coś kazało mi się zatrzymać. Tłumek przed drzwiami nie stał w kolejce; ci ludzie patrzyli na coś na tablicy ogłoszeniowej. Coś, co raczej na pewno nie wisiało na niej, kiedy tu przyszłam. Podeszłam bliżej.

Większą część tablicy zasłaniała duża biała plansza. Wypełniona zdjęciami. Przedstawiającymi mnie.

Zdjęcia opowiadały całą historyjkę. Zaczynały się od przybycia trzech chłopaków pod drzwi mojej bursy, potem ukazywały mnie, niesioną przez trawnik. W miarę jak byłam coraz bardziej przemoczona, fotograf był coraz bliżej. Jedna z fotek pokazywała w zasadzie wyłącznie moje piersi, aż nazbyt dobrze widoczne pod przemoczonym podkoszulkiem. Potem dwa zdjęcia, jak znikam z widoku prowadzona przez Talaith i dziewczyny z powrotem do bursy. Ostatnie dwa ukazywały trzech chłopaków, pozujących przed aparatem w triumfalnych pozach. Na jednej było całkiem niezłe zbliżenie zamaskowanych twarzy.

– Chyba moglibyśmy się obejść bez tych bzdur – mruknął jakiś głos za mną.

Odwróciłam się. Chłopak nie był wiele wyższy ode mnie, blady i anemiczny, jakby zbyt rzadko wychodził na dwór. Sięgnął w górę, wsunął paznokcie pod pinezki i zaczął je wyciągać. W parę sekund plansza ze zdjęciami sfrunęła na podłogę.

– Chcesz, żebym się ich pozbył? – zaproponował.

– Dzięki – odparłam.

Wychodził już z budynku, kiedy zawołałam za nim. Odszukałam zdjęcie trzech zamaskowanych mężczyzn i wydarłam je z planszy. Podziękowałam mu jeszcze raz, schowałam zdjęcie do kieszeni i wróciłam do bursy.

– Dzięki, że przyjęłaś mnie tak wcześnie.

Dwie kobiety szły ścieżką holowniczą. Większość barek mieszkalnych zacumowanych na tym odcinku nabrzeża była już zamknięta na zimę. Tylko po nielicznych widać było, że wciąż są zamieszkane. Wyższa, chudsza kobieta pchająca wózek spojrzała na drugą, ciemnowłosą, która w nim siedziała.

– Nigdy wcześniej nie pozwalałaś się wozić – powiedziała.

– Nie wiem, czy mam siłę – odparła Evi głuchym głosem.

– Tak mi się zdawało, że wyglądasz na zmęczoną – przyznała Megan. – Nie spałaś? Kiedy już sobie poszli?

– A ty byś spała? – spytała Evi, nie odwracając głowy.

Zwolniły, zbliżając się do śluzy, by przepuścić bokiem trzy studentki biegnące ścieżką. Kiedy dziewczyny były już poza zasięgiem słuchu, Megan powiedziała:

– „Widzę cię?" Owszem, to upiorne, ale czy ma jakieś szczególne znaczenie?

Evi skinęła głową.

– Tak mi się zdaje. Kiedy pracowałam w zeszłym roku z tym chłopcem, najbardziej uderzyło mnie jego przekonanie, że rodzina jest przez cały czas obserwowana. Jeszcze zanim dowiedziałam się, że mówił prawdę, przerażało mnie to. Sama myśl, że ktoś może cię bez przerwy obserwować.

– To nie jest przyjemne – zgodziła się Megan. – A ta krew w wannie?

Evi znów kiwnęła głową.

– Kobieta, którą leczyłam, pamiętasz, mówiłam ci o tym przypadku, który tak spieprzyłam? Znaleziono ją w wannie pełnej krwi.

Ruszyły dalej, zrównując się z granatową barką z rządkiem roślin w doniczkach na płaskim dachu. Starszy mężczyzna, opatulony w sztormiak, wyrywał chwasty z donicy nad główną kajutą. Kiedy Evi patrzyła na niego, na dachu łodzi wylądowała kaczka.

– Czy John ci powiedział, kto, ich zdaniem, to robi? – spytała Megan po chwili.

Ja, pomyślała Evi. Oni sądzą, że ja to robię. Ale na głos powiedziała:

– Nie mają pojęcia. Nie ma żadnych śladów włamania. Zamki dopiero co zostały zmienione. Nie znaleźli żadnych odcisków palców. Nic.

Koła wózka chrzęściły na nierównej ścieżce; z rzeki dobiegały odgłosy wodnego ptactwa walczącego o resztki i ciche plusk, plusk przepływającej wiosłowej łódki.

– Evi – zaczęła Megan – rozmawiałaś z Nickiem o zwiększeniu dawki leków?

Evi skinęła głową.

– Dwa tygodnie temu – przyznała. – Zapisał mi gabapentin i oxycontin. Amitryptylinę, żebym lepiej spała. Pomagało przez parę dni, ale od tamtej pory robi się coraz gorzej.

– I co on na to?

Garść brązowych liści przefrunęła przez ścieżkę. Niektóre zaczepiły się o koła wózka, zmieniając wydawany przez nie dźwięk.

– Współczuje mi – powiedziała Evi – ale oboje wiemy, że opanowanie bólu to jedyne, co może dla mnie zrobić.

– A ból jest silny?

Evi wzięła głęboki wdech; od dziecka był to jej specjalny sposób powstrzymania łez.

– Nigdy nie znika – stwierdziła. – Boli przez cały dzień. Kiedy budzę się w nocy, ból jest pierwszą rzeczą, o której myślę. Ale jeśli zacznę brać coś mocniejszego, będę jak zombi. Mam dopiero trzydzieści cztery lata, Meg. Jak mam przeżyć następne czterdzieści?

Megan przestała popychać wózek, obeszła go i kucnęła przed Evi. Chwyciła jej dłonie, zmuszając ją do spojrzenia sobie w oczy. Jakaś zbliżająca się parka nawet nie próbowała udawać, że się nie gapi.

– Evi, musisz wziąć wolne – powiedziała Megan. – Nie możesz pracować w takim stanie.

Twarz Megan zamazała się.

– W tej chwili w zasadzie nikogo nie prowadzę – powiedziała Evi. – Nie musisz się martwić o moich pacjentów.

Poczuła, że Megan ściska jej dłonie.

– Ja się martwię o ciebie.

– Wiem. Ale jeśli teraz przestanę pracować, mogę już nigdy nie zacząć na nowo.

Megan wstała i przeszła na tył wózka.

– Słyszę też głosy, wspominałam ci o tym? – ciągnęła Evi, kiedy Megan zawróciła wózek i ruszyła z powrotem w stronę Kolegium Świętego Jana. – Głosy w nocy, kiedy tkwię między jawą a snem.

– I co mówią?

– Mówią: „Evi spada".

Wózek zwolnił na sekundę i znów ruszył.

– Evi spada? – powtórzyła Megan.

– To jest coś, co mnie przeraża najbardziej. Spadanie. Upadek zrobił ze mnie to, czym jestem. A w zeszłym roku znowu spadłam i o mało nie zginęłam. Tak wyobrażam sobie swoją śmierć. Że spadam z wielkiej wysokości. Meg, co się ze mną dzieje?

Wózek znów się zatrzymał, zza pleców Evi dobiegło westchnienie.

– Evi, potrzebuję twojej zgody, żeby porozmawiać o tobie z Nickiem. Nie mogę...

– Wiesz, jakie to uczucie? – przerwała jej Evi, obracając się na siedzeniu, by spojrzeć na Megan. – To jest tak, jakby ktoś był w mojej głowie, grzebał tam, znajdował wszystko, czego się najbardziej boję, i wykorzystywał tę wiedzę, żeby doprowadzić mnie do obłędu.

Żadnej odpowiedzi. Tylko smutne, zatroskane spojrzenie lekarki.

– Tyle tylko – powiedziała Evi – że jedyną osobą w mojej głowie jestem ja.

33

Tego dnia stałam się pełnoprawną studentką psychologii. Poszłam na wykład. Siedziałam na samym końcu dużej auli, słuchałam, jak facet w czerwonych sztruksach mówi o czymś, co się nazywa efekt Hawthorne'a, i udawałam, że robię notatki na laptopie. Tak naprawdę surfowałam po necie. Doktor Oliver mówiła coś o destrukcyjnej subkulturze, działającej głównie przez internet; o wirtualnym świecie, który legitymizował, a nawet uwznioślał akt samobójstwa. Właśnie czegoś takiego szukałam.

Nie zajęło mi to wiele czasu. Wpisz frazy w rodzaju „portale dla samobójców", „samobójstwo online" czy „samobójcze pakty" w dowolną wyszukiwarkę, a zaleją cię wyniki. Zaczęłam czytać artykuły prasowe. Chciałam dowiedzieć się trochę więcej o samobójstwach ludzi dopiero co rzuconych w środowisko akademickie, szczególnie na uczelniach uważanych za światową czołówkę. Większość internetowych wydań ogólnokrajowych czasopism miała coś do powiedzenia na ten temat; czytałam opowieści o studentach, których lata planowania, wysiłków i osiągnięć doprowadziły do miejsca, gdzie przyszłość ich przerosła. Ci błyskotliwi młodzi ludzie mówili o nieustannym wyścigu z samym sobą, o bezlitosnym narastaniu wewnętrznej presji. Mówili o ślepej panice, która przygniatała ich, kiedy gotowi byli wstąpić w mury Oksfordu czy Cambridge. Pomyślałam, że sama doświadczyłam czegoś podobnego, choć moja obecność tutaj była oszustwem. Sama czułam stres, jaki rodziła konieczność odnalezienia się wśród elity.

Ale kiedy przeszłam do cybersamobójstw, sieć rozpostarła się daleko poza środowiska akademickie. Wyglądało na to, że każdy człowiek używający komputera mógł dać się w nią złapać.

Szczególnie niepokojący był przypadek pewnego czterdziestodwulatka ze Shropshire, który powiesił się przed kamerką internetową, na oczach dziesiątek cyberkumpli, podjudzony na tak zwanym bluzgającym czacie.

– No zrób to, kurwa. Rusz się wreszcie – krzyczał podobno jeden z widzów do mikrofonu, kiedy ojciec dwójki dzieci założył pętlę na szyję i powoli się udusił.

Rodziny zmarłych nie zostawiały na tych portalach suchej nitki.

– Oni im mówią, jak to zrobić – żaliła się jedna ze zrozpaczonych matek. – Podpowiadają, ile wziąć pigułek i że założenie plastikowego worka na głowę sprawi, że pigułki zadziałają szybciej. I dają im rady, jak ukryć wszystko przed rodzinami. Mówią, że trzeba utrzymywać porządek w pokoju, myć włosy, żeby zachować pozory. Pomagają udawać, że wszystko jest w porządku.

Kiedy przejrzałam już doniesienia prasowe, zabrałam się do portali, przechodząc od jednego do drugiego. Znalazłam tego ranka tyle bólu, tyle nieustępliwej rozpaczy. „Czuję się taka samotna. Czy nikogo tam nie ma?", pisała kobieta na jednym z czatów. „Chyba długo już nie wytrzymam", pisała inna. „Bez przerwy śnią mi się porażki mojego życia, budzę się mokra i cuchnąca potem. Czy nigdzie nie znajdę spokoju?"

Dowiedziałam się o istnieniu sekt, które wierzą, że świat jest przeludniony, że samobójstwo to odpowiedzialny i altruistyczny czyn, i udzielają porad, jak skutecznie odebrać sobie życie. Usprawiedliwiają się tym, że partackie metody to niepotrzebne okrucieństwo i stres.

Kiedy myślałam, że nie może już być gorzej, odkryłam trolli.

Gdziekolwiek istnieje ludzkie nieszczęście, są też ci, którzy na nim żerują. Ci tak zwani trolle to nieproszeni goście, którzy dołączają do samobójczych portali i manipulują dyskusjami online dla własnej uciechy. Mówiąc wprost, onanizują się cudzą rozpaczą. Było więcej przypadków, niż chciałabym wiedzieć, kiedy trolle popchnęli ludzi do aktów samozniszczenia, przez cały czas udając troskę i chęć niesienia pomocy.

Zbyt gwałtownie wyprostowałam się na siedzeniu i ściągnęłam na siebie uwagę wykładowcy. Niedobrze. Szybko spuściłam wzrok. Chłopak siedzący w tym samym rzędzie co ja spojrzał w moją stronę z cieniem drwiącego uśmieszku. Pewnie był wczoraj w tłumie podczas mojej inicjacji. Przypomniałam sobie zdjęcie trzech chłopaków, które miałam w kieszeni. Chciałam wiedzieć, kim są te palanty. Studencki psikus studenckim psikusem, ale w Lacey policjantce wszystko buntowało się na myśl, że ktoś zrobił jej coś takiego i ujdzie mu to na sucho. Nie sądziłam, by Joesbury pomógł mi w tej osobistej wendecie. Tym razem byłam sama.

Poza tym nie był to mój priorytet. Moim priorytetem było dwadzieścioro nieżyjących dzieciaków. Czy może dziewiętnaścioro? Bryony nie była martwa. Tak czy inaczej, nie czułam się komfortowo z myślą, że są dla mnie tylko cyframi. Jak mogłam prowadzić śledztwo, jeśli nawet nie wiedziałam, kim były ofiary? I wiedziałam, jak brzmiałaby odpowiedź Joesbury'ego. Ty nie prowadzisz żadnego śledztwa, Flint. Jesteś parą oczu i parą uszu. Nie mózgiem.

No cóż, w takim razie powinni byli tu przysłać kogoś innego. Dwadzieścioro czy też dziewiętnaścioro zmarłych młodych ludzi to było dla mnie za wiele. O, to jest ciekawa myśl. Czy moja wirtualna lista jest kompletna? A jeśli gdzieś były inne Bryony? Inne studentki, które próbowały się zabić, ale im się nie udało? One też powinny się znaleźć na tej liście. Napisałam krótki mail do Evi, prosząc ją o dane na temat nieskutecznych prób samobójczych na przestrzeni ostatnich lat. Nie miałam dobrego przeczucia. Jeśli dodam nieudane próby samobójcze, moja lista może się znacznie rozrosnąć.

34

Nick, tu Evi.

Nick Bell przycisnął telefon do ucha, przytrzymał go barkiem i otworzył pilotem samochód.

– Cześć, Evi – powiedział. – Wszystko okej?

– Tak, dzięki. Nie przeszkadzam?

– Właśnie wsiadam do samochodu – odparł Nick, robiąc to. Jeden z psów na tylnym siedzeniu uniósł głowę i pokiwał ogonem na powitanie. Drugi nawet nie otworzył oczu. – Muszę wyjechać za pięć minut, więc jeśli nie chcesz być odpowiedzialna za moje wykroczenia, masz dokładnie tyle.

– Wiesz, że można sobie kupić zestaw głośnomówiący – powiedziała Evi.

– Miałem. Pies mi zeżarł. Co mogę dla ciebie zrobić?

– Co byś powiedział na ujawnienie informacji o próbach samobójczych z ostatnich pięciu lat?

Nick wsunął kluczyk w stacyjkę.

– Masz na myśli pacjentów przychodni? – zapytał.

– Wiem, że nie możesz mi podać nazwisk, ale liczba przypadków i przybliżone daty już by mi bardzo pomogły.

– Więc to ci ciągle zaprząta głowę?

– Tak, nie ukrywam.

– Pozwól, że omówię to ze wspólnikami. Oddzwonię do ciebie. A teraz mów, naprawdę wszystko w porządku? Mam wrażenie, że...

– Wszystko dobrze, dzięki, Nick. Pogadamy później.

35

Środowe popołudnie na większości brytyjskich uniwersytetów jest zarezerwowane na sport i Cambridge nie było wyjątkiem. Po lunchu studenci wylegli z burs i dziedzińców poubierani w najróżniejsze sportowe ciuchy i zabrali się do szlifowania kondycji fizycznej. Pierwsze dwie godziny popołudnia spędziłam w cichym kącie biblioteki Świętego Jana. Wirtualna lista dwadzieściorga studentów zaczęła powoli nabierać kształtu.

Wygooglowałam studenckie samobójstwa w Cambridge i znalazłam artykuły prasowe na temat kilku z nich. Dowiedziałam się o studentce prawa, Kate George, która wrzuciła sobie do wanny suszarkę włączoną do kontaktu, i o Ninie Hatton, która studiowała zoologię, dopóki nie przecięła sobie tętnicy udowej. Zdjęcia towarzyszące artykułom ukazywały atrakcyjne, szczęśliwe dziewczyny.

Petera Robertsa przerosły wymagania wydziału matematyki i powiesił się w 2005. W tym samym roku zrozpaczona matka kolejnej samobójczyni, Helen Stott, powiedziała dziennikarzom, że nic nie wskazywało na desperację jej córki. Więc razem z Nicole, Bryony, Jackie i Jackiem miałam już osiem nazwisk. Zostało dwanaście pustych miejsc.

O trzeciej miałam dość. Do tej pory pracowałam wyłącznie nad sprawą; teraz zamierzałam znaleźć czas na małą osobistą zemstę. Ubrałam się w kurtkę, czapkę, szalik i rękawiczki i poszłam szukać żółwi ninja.

O, wiedziałam, że to nieprofesjonalne, że pozwalam, by ta sprawa oderwała moją uwagę od zleconego zadania, ale to, co spotkało mnie zeszłego wieczoru, potężnie mną wstrząsnęło. Większość ludzi uznałaby to za nieprzyjemny, ale nieszkodliwy psikus. Dla mnie była to jedna z najgorszych wyobrażalnych rzeczy.

Kiedy byłam młodsza, miał miejsce pewien incydent, o którym nawet teraz nie jestem w stanie spokojnie myśleć, a który w zasadzie ukształtował mnie jako człowieka. Kiedy teraz stałam się ofiarą, bezradną w rękach napompowanej adrenaliną bandy, wszystko wróciło. Jeśli miałam tutaj funkcjonować, musiałam wywalczyć sobie choć częściowe poczucie kontroli nad sytuacją, a to oznaczało, że musiałam wiedzieć, kim są ci chłopcy.

Wszyscy trzej byli potężnymi facetami. Ponieważ byli półnadzy, dobrze się przyjrzałam ich ciałom. Żaden nie miał szerokich barów i wąskich bioder pływaka ani smukłej, muskularnej budowy piłkarza. Z całą pewnością nie byli biegaczami ani lekkoatletami. Gdybym miała obstawiać, obstawiałabym rugby. Jeden z nich miał szopę kręconych włosów. Ten będzie najłatwiejszy do wyłowienia.

Spytałam pedela George'a, gdzie odbywają się mecze rugby; pokierował mnie na trzy różne boiska. Wsiadłam na rower i na pierwszym z nich byłam w pięć minut. Skupiłam się na drużynie Cambridge i wyłapałam dwóch potencjalnych kandydatów. Zrobiłam im obu zdjęcia i pojechałam na kolejne boisko. Ten mecz zajął mi więcej czasu, bo były to rozgrywki między kolegiami: Magdaleny kontra Królewskie. Kiedy skończyłam, miałam trzech kandydatów. Pstryknęłam zdjęcia i pojechałam dalej.

Kiedy przyjechałam na trzecie boisko, mecz właśnie się kończył i trudno mi było porządnie przyjrzeć się zawodnikom. Zanim ruszyli do szatni, wypatrzyłam cztery ewentualne możliwości, ale gdybym zaczęła teraz robić im zdjęcia, rzucałabym się w oczy.

Wiedziałam, że kolejne mecze będę mogła obskoczyć dopiero w sobotę, a jeśli temperatura dalej będzie spadać, to boiska pewnie będą zbyt zmrożone, by na nich grać. No cóż, jak to mówią, zemsta najlepiej smakuje na zimno.

Pojechałam do domu dłuższą drogą – jedną z bardziej popularnych tras spacerowych w Cambridge. Kiedy znalazłam się nad Cam, skręciłam na południe, żeby objechać Backs. Słońce zniżało się na niebie i co wyższe ze starych budowli po mojej lewej zaczęły płonąć, jakby podświetlone wewnętrznym blaskiem.

Backs – czyli po prostu Tyły – to teren między Queens Road i kolegiami leżącymi nad rzeką: Świętego Jana, Świętej Trójcy, Clare, Sali Świętej Trójcy, Królewskiego i Królowej. Część to eleganckie trawniki i formalne parki, część to pastwiska dla bydła, ale są też dzikie łąki.

Zsiadłam z roweru i szłam pieszo, rozkoszując się spokojem, ale z każdą sekundą czułam się bardziej samotna. Trzy dni w Cambridge i moje zadowolenie z życia, nawet w najlepszych chwilach dość mizerne, skurczyło się niemal do zera. Sprawa, nad którą ja i Joesbury pracowaliśmy ledwie parę miesięcy temu, chyba nie mogła już być gorsza. Seryjny morderca spadł na Londyn niczym drapieżnik, ledwie dając nam czas, by złapać oddech przed znalezieniem kolejnej ofiary. Już samo to było wystarczająco fatalne, ale w miarę jak ofiar przybywało, ich krąg zacieśniał się coraz bardziej, aż sama zaczęłam wyglądać jak wielka, tłusta, soczysta mucha, wokół której rozsnuwa się misterna, krwawa sieć.

Było już po wszystkim, morderca został złapany i zamknięty, ale jak powie wam każdy policjant mający do czynienia z krwawą zbrodnią, emocjonalne zamknięcie nie przychodzi z dnia na dzień.

Myślałam, że sobie radzę. Prawda była taka, że brałam na siebie tyle roboty, żeby nie mieć czasu o tym myśleć. Siedziałam do późna, ryzykując zaśnięcie, dopiero kiedy byłam kompletnie wykończona; ostro ćwiczyłam, bo poczucie kontroli nad ciałem dawało mi iluzję kontroli nad życiem. Teraz, kiedy utrzymująca mnie na powierzchni tratwa rutyny i znajomego otoczenia została zabrana, zaczęłam unosić się w morzu niewyraźnych lęków i na wpół określonych problemów. Spędzałam za dużo czasu wyłącznie w towarzystwie zawartości mojej głowy.

Zaczynałam już porządnie marznąć i postanowiłam wracać. Odwróciłam się i zagapiłam z niemal nabożnym zachwytem.

Dzień był zimny, niebo czyste i zachód słońca miał barwę dojrzałej pomarańczy – nieprzerwane morze koloru ciągnące się tak daleko, jak sięgał mój wzrok. Rzeka przede mną lśniła jak wypolerowany stary suweren. Te dwie złote tonie rozdzielały sylwetki drzew na dalszym brzegu – warstwy brązu, lśniącej czerni i miękkiego grafitu. Za drzewami, dokładnie przede mną, niczym zamek z bajki, wznosiły się cztery iglice kaplicy Kolegium Królewskiego.

Kiedy tak patrzyłam, zrównała się ze mną łódź: długie, wąskie ostrze z włókna szklanego, które w żaden sposób nie mogło być dość mocne, by unieść dwóch siedzących na nim mężczyzn, ale jakimś cudem ta konstrukcja utrzymywała się na wodzie. Wioślarze – każdy z nich miał po dwa wiosła, więc zapewne, fachowo mówiąc, była to dwójka podwójna – przyhamowali łódkę, po czym z gracją i precyzją baleriny skręcili w miejscu. Ledwie poruszyli wodę.

I nagle sobie przypomniałam. Szorstkie, pokryte odciskami dłonie na moich nagich ramionach. „Odbij", powiedział ten facet, co miało być równoznaczne z „ruszamy", a potem „zwrot", kiedy doszliśmy do zakrętu i musieliśmy go pokonać. To były terminy wioślarskie. Długowłosy facet z zeszłego wieczoru był wioślarzem.

Musiałam się pospieszyć. Pojechałam z powrotem w stronę kolegium do swojego samochodu. Dziesięć minut później szłam już pieszo do hangaru na łodzie. Wróciła dopiero jedna załoga, żeńska czwórka ze sternikiem.

Potem zjawiła się męska czwórka ze sternikiem; wioślarze byli różowi na twarzach z zimna i wysiłku. Rozpędem podpłynęli do brzegu, wysiedli i podnieśli łódkę z rzeki. Nie było wśród nich mężczyzny, którego szukałam.

Wróciła żeńska ósemka, potem męska ukazała się zza zakrętu rzeki. Płynęli szybko, odpuszczając dopiero w ostatniej chwili, i łódź mocno uderzyła o nabrzeże. Jeden po drugim wysiedli, wyraźnie zmęczeni, z włosami wilgotnymi od potu. Wstałam i przemknęłam się pod frontowe wejście hangaru, gdzie, jak wiedziałam, pojawią się wcześniej czy później, kiedy już wezmą prysznic i się przebiorą.

Znalazłam go. Włosy, nawet mokre od potu i rzecznej wody, były nie do przeoczenia. Wiosłował z przodu łodzi, na pozycji zajmowanej tradycyjnie przez najsilniejszego członka załogi, nadającego tempo.

Dwadzieścia minut później, kiedy wszystko mnie już bolało od dygotania i kulenia się na zimnie, wyszedł wreszcie. Był w dżinsach, zamszowych butach i grubym swetrze z kapturem. Włosy miał już suche i wyglądał dokładnie tak, jak go zapamiętałam. Ale zeszłej nocy nie zorientowałam się, że niemal z całą pewnością nie był studentem. Ten facet był po trzydziestce, może nawet bliżej czterdziestki; być może doktorant, być może asystent albo wykładowca. Patrzyłam za nim, kiedy przeszedł kawałek drogą, wsiadł do czerwonego saaba cabrio i odjechał.

Pojechałam za nim, trzymając się przynajmniej dwa samochody z tyłu. W mieście musiałam mocno się gimnastykować, żeby go nie zgubić, ale kiedy wyjechaliśmy z centrum, było już łatwiej.

Czy wykładowca naprawdę przebierałby się za Zorro, włamywał do żeńskiej bursy i napadał młodą studentkę tak po prostu, dla zabawy? Jakoś nie wydawało mi się to zbyt prawdopodobne.

Jechaliśmy na wschód od Cambridge, drogą A, i zaczynałam się już zastanawiać, jak długo jeszcze śledzenie go będzie miało sens, kiedy wrzucił lewy kierunkowskaz i skręcił z głównej drogi. Pojechałam za nim i parę minut później zobaczyłam, że czerwony saab skręca w główną uliczkę kompleksu przemysłowego.

Był już wczesny wieczór. Zatrzymałam się przy dużej tablicy z listą obiektów mieszczących się w kompleksie. Przeliczyłam szybko – było ich około pięćdziesięciu. Saab skręcił w mniejszą, boczną uliczkę jakieś dwieście metrów przede mną.

Większość budynków, które tutaj widziałam, powstała na przestrzeni ostatnich dziesięciu lat. Były to głównie magazyny z zardzewiałymi, blaszanymi ścianami i łagodnie nachylonymi dwuspadowymi dachami. Większość była wyposażona w wielkie dostawcze wrota. Kilka miało okna na poziomie piętra – zapewne mieściły się tam biura bądź sale wystawowe. Niektóre budynki były z cegły, byle jakie i ewidentnie o wiele starsze. Obłażąca farba i wyblakłe szyldy wskazywały, że część z nich stała opustoszała.

Znów ruszyłam przed siebie, skręciłam w boczną uliczkę i zwolniłam niemal do zera. Saab stał zaparkowany na drugim końcu. Długowłosy wioślarz przeszedł kilka kroków do frontowych drzwi jednego z budynków i otworzył je kluczem. Zawróciłam i pojechałam z powrotem do tablicy przy wjeździe. Moja zwierzyna weszła do budynku 33, przedsiębiorstwa o nazwie JST Vision.

Kilka metrów dalej znajdował się niewielki, zamknięty placyk, zapewne służący do zawracania ciężarówkami. Wycofałam tam samochód, niemal całkowicie chowając się przed przejeżdżającymi główną drogą za zwisającymi gałęziami drzew. Za plecami miałam drogowskaz kierujący pieszych na nadrzeczną ścieżkę. Odczekałam trzydzieści minut, ale w końcu uznałam, że zemsta zemstą, ale nie mogłam niczym usprawiedliwić całego wieczoru spędzonego w samochodzie. Wyjęłam więc komórkę.

– Posterunkowy Stenning – odezwał się głos, który zawsze potrafił wywołać uśmiech na mojej twarzy.

– Pete, tu Lacey.

– Wielki Boże, Flint, co ty wyprawiasz? Powiedzieli nam, że zeszłaś głęboko, głęboko pod ziemię.

– Bo zeszłam – odparłam. – Chcę cię prosić o przysługę. Bez żadnych pytań. Możesz pomóc?

– No, mów – poprosił z lekkim ociąganiem i wiedziałam, że nie jest pewien. Przez sprawę, nad którą pracowaliśmy zeszłej jesieni, miałam reputację trochę nieobliczalnej. Z kolei Pete Stenning był przepisowy do bólu. Niemal słyszałam, jak się zastanawia, w co go znowu wciągam.

– Romeo echo pięć dziewięć – rzuciłam. – Golf tango lima. Czerwony saab cabrio. Muszę się dowiedzieć, na kogo jest zarejestrowany i gdzie ten ktoś mieszka.

Cisza przez sekundę, tak jak się spodziewałam. Wszelkie pytania tego typu są odnotowywane przez system. Jeśli Stenning będzie chciał namierzyć samochód bez słusznego powodu, może mieć kłopoty.

– Zrób to z mojego konta – dodałam i podałam mu login i hasło.

– To cię będzie kosztować.

– Mówimy o piwie czy usługach seksualnych?

– Ta, jakbym chciał zadzierać z Joesburym – odgryzł się Stenning. – A tak przy okazji, co u niego?

– Na zwolnieniu, o ile wiem – odpowiedziałam. – Zrobisz to?

– Czekaj, system się dziś trochę muli. Okej, mam. A tak w ogóle to ładne autko. Zarejestrowane na niejakiego Scotta Thorntona. Clement's Road 108, Cambridge. Jesteś w Cambridge?

– Jeśli powiesz komukolwiek o tej rozmowie, to będę po uszy w szambie, Pete.

– Nie powiem. I cokolwiek kombinujesz, uważaj na siebie.

36

Dwadzieścia dwie minuty po przyjeździe z pracy Evi nie była już w stanie oprzeć się pokusie, która dręczyła ją od wielu dni. Otworzyła Facebooka, wpisała w wyszukiwarkę Harry'ego Laycocka i czekała. System namyślał się chwilę i... oczywiście że był na Facebooku; ktoś tak nowoczesny jak Harry musiał mieć konto.

Harry Laycock, duchowny anglikański, 207 znajomych. Urodziny miał siódmego kwietnia. Nie wiedziała tego. I tego zdjęcia też nigdy nie widziała: turystyczne ubranie, góry w tle. Portal zapraszał ją do wysłania wiadomości. Evi zamknęła stronę.

Otworzyła swoje konto i mail, którego dostała wcześniej od tej policjantki. Laura prosiła o informacje o studentach, którzy usiłowali się zabić w ciągu ostatnich pięciu lat. Łatwo się mówi. Kiedy po południu rozmawiała z Nickiem, nie był szczególnie zachwycony. A przecież on pracował tylko w jednej z dwudziestu przychodni lekarskich w Cambridge i każda z nich miała zapewne w bazie danych część dwudziestodwu-tysięcznej populacji studentów. Wszystkie przychodnie działały niezależnie. Rzadko wymieniały się danymi, a tajemnica lekarska była rzeczą świętą. Nawet jeśli czegokolwiek się dowie, to przekazanie tego policjantce będzie się wiązało z narażeniem całej kariery.

Telefon na jej biurku dzwonił od dłuższej chwili. Evi podniosła słuchawkę i przyłożyła ją do ucha.

– Evi Oliver – przedstawiła się. Cisza. – Halo – spróbowała. Żadnej odpowiedzi. Rozłączyła się.

Ta dziewczyna z fałszywym nazwiskiem, Laura Farrow, mówiła jak twardzielka, ale wyglądała dość krucho. Wyraz jej twarzy w chwilach, kiedy nie mówiła, kojarzył się Evi ze szkłem rozdmuchanym niemal do granicy pęknięcia. Z tym, jak wisi na rurce, delikatne i piękne, ułamek sekundy zanim się rozpryśnie. Telefon znów dzwonił.

– Evi Oliver.

Żadnej odpowiedzi.

– Halo. – Tym razem nawet nie próbowała udawać cierpliwości.

Evi odłożyła słuchawkę, nakazując sobie spokój. To mógł być prawdziwy rozmówca, który miał problemy z połączeniem. Aparat znów dzwonił. Evi odebrała i bez słowa przyłożyła słuchawkę do ucha. Na linii panowała cisza. Nie było słychać nawet oddechu. Pokusa, żeby coś powiedzieć, była bardzo silna. Evi oparła się jej i delikatnie odłożyła słuchawkę.

Telefon natychmiast zadzwonił znowu.

Okej, postanowiła, że to jej nie wystraszy. To ją tylko wkurzy. Podniosła słuchawkę i po cichu odłożyła na biurko. Kilka sekund później zaczęła dzwonić komórka. Evi sięgnęła do torebki i wyjęła telefon. Numer zastrzeżony. Evi odebrała.

– Halo.

Cisza i pustka. Pięć sekund później komórka znów dzwoniła. Evi wyłączyła ją, odłożyła słuchawkę stacjonarnego telefonu na widełki i wyjęła kabel z gniazdka. Potem wstała i obeszła cały parter. Były jeszcze trzy aparaty do wyłączenia.

Nie zamierzała przereagowywać. Może ktoś się po prostu wygłupiał. W końcu się znudzi i zacznie dzwonić do kogoś innego. Kiedy wróciła do biurka, miała w skrzynce nowy mail. Otworzyła go.

„Widzę cię", napisał ktoś.

Stałam tuż za progiem mojej bursy i z niedowierzaniem patrzyłam na chaos.

– Ci z wiadrami wrócili? – spytałam szczupłą dziewczynę z ciemnymi, kręconymi włosami, która zeszłego wieczoru zrobiła mi herbatę.

Dziewczyna z mopem posłała mi uśmiech.

– Problemy z hydrauliką – wyjaśniła. – Brzmi trochę ginekologicznie, co? To już drugi raz w tym roku. Obawiam się, że w twoim pokoju jest niezły bałagan. To chyba u ciebie pękła rura. Konserwator jeszcze tam siedzi.

Ten dzień robił się coraz lepszy. Kiedy otworzyłam drzwi, nie zobaczyłam ani śladu Talaith, za to podłogę pełną wody i mężczyznę w mojej sypialni. Wysokiego mężczyznę, z ciemnymi włosami i łagodnymi oczami.

– Cześć, Tom – zawołałam do niego, po czym odwróciłam się z powrotem do korytarza. – Krzyknij, jak skończysz z tym mopem – powiedziałam czarnowłosej dziewczynie.

Ciapiąc w wodzie, przeszłam do swojego pokoiku.

– Co się stało? – zapytałam, zatrzymując się w progu. W tych maleńkich przestrzeniach nie było miejsca na dwoje, chyba że chciało się bardzo intymnej sytuacji.

Tom wyjrzał spod umywalki, pod którą coś dłubał.

– Uszkodzenie od mrozu – wyjaśnił. – To już czwarte, jakie mamy w tym roku. Powiem ci, że w starych budynkach nie mamy właściwie żadnych problemów. Tamte rury mają setki lat i w ogóle się nie psują. To badziewie w nowych budynkach nie wytrzymuje nawet pięciu minut.

– Cóż, teraz już nie robią trujących ołowianych rur, jak kiedyś – powiedziałam, rozglądając się. Właściwie nie było żadnych szkód prócz mokrej i zabłoconej podłogi i małych kupek pyłu pod miejscami, gdzie Tom wiercił dziury. Szafka pod umywalką przeżyła bliskie spotkanie z hydraulikiem, podobnie jak rury biegnące wokół lustra. Dość skomplikowana hydrauliczna plątanina wyglądała na nową.

– Przykro mi, wyszczerbiłem ci lustro – powiedział Tom, wskazując ruchem głowy miejsce, gdzie brakowało malutkiego kawałeczka szkła. – Zgłoszę to, wymiana nie powinna sprawiać problemów.

Podziękowałam mu i poszłam szukać schowka z akcesoriami do sprzątania.

Evi trzęsły się ręce, ale w sumie czuła się chyba lepiej. Przecież nie dzwoniła sama do siebie przez ostatnie pół godziny i nie wysłała sobie maila, co było niemal niezbitym dowodem, że to nie ona nalała czerwonego barwnika do termy i zapewnie nie kupiła też kościotrupka zabawki. Nie zaczynała świrować – po prostu była prześladowana przez kogoś, kto miał dostęp do domu. Chwała Bogu, że kazała zmienić zamki.

A maile można namierzyć. Nawet jeśli zostały wysłane z jakiegoś anonimowego miejsca jak kafejka internetowa czy publiczna biblioteka, w jej komputerze znajdzie się ślad. Oparła się pokusie odpisania na liścik i wróciła do pracy.

W skrzynce pojawił się kolejny mail. Świetnie, więcej dowodów. Evi otworzyła go.

„W fiolecie wyglądasz blado. Spróbuj innego koloru".

Evi wstała i tak szybko, jak mogła, podeszła do okna. Zasłony były zaciągnięte, nie było żadnych szpar, przez które ktoś mógłby zajrzeć, ale i tak zaciągnęła je szczelniej. Nie musiała spojrzeć na siebie, by wiedzieć, w co jest ubrana. Ten kaszmirowy sweter koloru lawendowych pączków należał do jej babci. Kaszmir jest niezniszczalny, jeśli ochronić go przed molami, powiedziała jej babcia. Nie do końca była to prawda. Miejscami zaczynał się przecierać i mechacić i nosiła go tylko po domu. Przebrała się po wyjściu policji. Nikt nie mógł wiedzieć, że w tej chwili miała na sobie fioletowy sweter.

Pęknięcia w wielodzielnych oknach mogły być dziełem zbłąkanych strzał sprzed stuleci, a kamienna klatka schodowa wyglądała na tak starą, że bluszcz mógłby rosnąć w środku. W miarę jak się wspinałam, zostawiałam za sobą zapach drzewnego dymu i gotowanego jedzenia i zanurzałam się w aromat świeżego prania, używanych ręczników, kosmetyków i wilgotnego sprzętu sportowego. Był to zapach młodości z kobiecymi akcentami.

Po rozmowie ze Stenningiem weszłam na uniwersytecką stronę internetową i wpisałam w wyszukiwarkę Scotta Thorntona; kiedy to robiłam, uderzyło mnie, że to nazwisko wydaje mi się znajome. Dowiedziałam się, że jest wykładowcą na medycynie i członkiem Kolegium Świętego Jana. Był też absolwentem Cambridge, studiował tu medycynę jakieś piętnaście lat temu. W tej chwili nie potrzebowałam więcej informacji. Wciąż nie mogłam sobie przypomnieć, gdzie słyszałam już jego nazwisko, ale wiedziałam, że jeśli to będzie ważne, to sobie przypomnę. Teraz ważniejsze było dowiedzenie się czegoś więcej o ostatnich dniach Nicole Holt. Ten drugi ślad opon, który znalazłam w pobliżu miejsca jej śmierci, nie dawał mi spokoju.

Spis lokatorek u stóp klatki schodowej powiedział mi, że Nicole mieszka w pokoju 27. Pojedynczy kwiatek, różowy, podobny do stokrotki, przypięty obok jej nazwiska sugerował, że jednak nie jest to już prawda.

Jej pokój rzucił mi się w oczy, kiedy tylko pchnęłam drzwi do korytarza. Pod przeciwległą ścianą stały oparte bukiety kwiatów zawinięte w celofan. Do drzwi poprzypinane były kartki adresowane do Nicole, czasem Nicky. W ciągu następnych paru dni pewnie pozdejmują je rodzice, może nawet przeczytają, jeśli będą w stanie.

Na drugim końcu korytarza słyszałam żeńskie głosy. We wspólnej kuchni cztery dziewczyny, które przyłapałam na parzeniu kawy, podawały sobie właśnie butelkę z mlekiem. Stanęłam w drzwiach, czekając, aż mnie zauważą.

– Cześć – powiedziałam po sekundzie. – Wybaczcie, że przeszkadzam.

– Spoko – odparła jedna z nich. – Zgubiłaś się?

– Nie. Właściwie to przyszłam w sprawie Nicole. – To był najtrudniejszy moment. Musiałam udawać uczucia do zmarłej dziewczyny, której nigdy nie znałam, przed bystrymi młodymi kobietami, które być może naprawdę były jej przyjaciółkami. Spuściłam wzrok, uniosłam dłoń do czoła, jakbym chciała ukryć łzy. Łzy, których nie było. Ale najwyraźniej coraz lepiej szły mi te teatrzyki, bo dwie dziewczyny podeszły do mnie. Jedna położyła mi dłoń na ramieniu, druga pokierowała mnie do krzesła. Pociągnęłam nosem i okazało się, że łzy jednak są. Oczy łzawiły mi z zimna przez całą drogę tutaj i teraz wręcz z nich ciekło.

– Nie przejmuj się – uspokajała mnie trzecia dziewczyna, która sama miała mokre oczy. – Wszystkie jesteśmy wstrząśnięte. Jesteś z wydziału historii?

Pokręciłam głową.

– Znałam ją z Blue – powiedziałam. – Wiecie, z tego pubu, w którym pracowała.

Kiwały głowami. Przez dwa wieczory i jeden lunch w tygodniu Nicole pracowała w Cambridge Blue, pubie na Gwydir Street. Na jej facebookowym profilu były zdjęcia i liczne wzmianki na ten temat.

– Przyszłam tylko spytać, czy będzie może jakieś nabożeństwo w jej intencji – powiedziałam. – Wiem, że od czasu do czasu chodziła do kościoła. – Kolejny fakt, który odkryłam na Facebooku.

Dziewczyny patrzyły po sobie ze zdezorientowanymi minami, wzruszając ramionami. Było o wiele za wcześnie na takie uroczystości.

– A poza tym prosiła mnie o coś – ciągnęłam, podnosząc torbę z podłogi. – Mam kontakty w branży winiarskiej i mogę kupować wino całkiem tanio. Mówiła, że jakaś Flick ma niedługo urodziny, i chciała jej zrobić niespodziankę.

Zdążyłam się już zorientować, że jedna z dziewczyn to właśnie Flick, przepiękna amazonka, prawie metr osiemdziesiąt wzrostu, o sportowej budowie i długich, nordyckich, jasnych włosach. Wyglądała jak Eowyn z *Władcy Pierścieni*. Teraz uniosła dłoń do ust.

– To nic szczególnego – powiedziałam, wykorzystując zdobyte punkty. O Flick, jej niedalekich dwudziestych urodzinach i zamiłowaniu do wszelkich gazowanych napojów wyskokowych też dowiedziałam się dzięki profilowi Nicole na fejsie. – To tylko prosecco, ale całkiem niezłe.

Wyjęłam z torby trzy butelki włoskiego gazowanego wina. Kupiłam je po drodze w supermarkecie, postarałam się tylko, żeby wziąć schłodzone.

– Gdybyście mogły przekazać je Flick, byłoby świetnie – dodałam, idąc za ciosem. – Dam wam już spokój. Przepraszam, że jestem taka żałosna. Chyba ciągle jestem w szoku.

– Napijesz się kawy? – spytała jedna z dziewczyn. Udałam zaskoczenie i otworzyłam usta, żeby się zgodzić.

– Mam lepszy pomysł – powiedziała Flick. – Kto ma jakieś kieliszki?

Evi odłożyła słuchawkę, na wpół spodziewając się, że telefon znów zacznie dzwonić. Sierżant, z którym rozmawiała, był uprzejmy, ale chłodny. Kazał jej notować liczbę i godziny telefonów i odesłać maile do siebie. Nawet nie zasugerował, że kogoś przyśle.

Wstała i przeszła do kuchni. Jeśli ktoś obserwował ją z zewnątrz, to zapewne był w ogrodzie od tyłu. Podeszła do drzwi, by jeszcze raz sprawdzić, czy są zamknięte na klucz. Naprawdę przydałoby się założyć rolety na te okna.

– Sam nieraz widziałem panią ubraną w fiolet, doktor Oliver – powiedział jej sierżant. – To chyba pani ulubiony kolor, prawda? Ten ktoś mógł po prostu strzelić na oślep. Proszę mi przesłać maile, to na nie spojrzymy. Ale proszę nie robić sobie wielkiej nadziei. Jeśli zostały wysłane z publicznej placówki i anonimowego konta Gmail, to niewiele będziemy mogli zrobić.

Evi usiadła na krzesełku windy i wcisnęła guzik. Policja się do niej nie wybierała, a ktoś musiał sprawdzić piętro. Inaczej nigdy nie zaśnie.

Dziesięć minut później telefon znów dzwonił. Niewiele brakowało, a nie odebrałaby.

– Evi, tu John Castell – odezwał się niski głos z lekkim akcentem z Norfolk. – Dyżurny sierżant właśnie zadzwonił do mnie do domu i powiadomił o twoich mailach. Wyślesz je nam dzisiaj?

– Wysłałam piętnaście minut temu – powiedziała Evi.

– Naprawdę? Sprawdzałem ze dwie minuty temu. Czekaj, sprawdzę jeszcze raz. W słuchawce przez chwilę będzie cisza.

Krótka pauza, podczas której Evi podeszła do swojego biurka.

– Nie, nic – zapewnił Castell. – Możesz spróbować przesłać je bezpośrednio do mnie?

– Zaraz. – Evi otworzyła skrzynkę odbiorczą i przeciągnęła kursor na górę listy. Maili tam nie było. Zajrzała w Wiadomości

Śmieci, Wiadomości Osobiste i Kosz, sprawdzając, czy nie usunęła ich albo nie przeniosła niechcący. Nic. Wreszcie kliknęła Wiadomości Wysłane. Ani śladu.

Obydwa maile zniknęły z jej komputera.

Dwie butelki prosecco później przeszłyśmy z kuchni do pokoju Flick. Była to jakby mała kawalerka z dużym biurkiem i wąskim łóżkiem. Karmazynowy bluszcz właził przez otwarte okno. Flick posadziła mnie na jedynym krześle; dwa kolejne zostały przyniesione z sąsiednich pokoi. Flick i dziewczyna o imieniu Sarah położyły się na łóżku.

– Wiem, że to normalne żałować, że nie zrobiło się więcej – mówiłam do współczujących twarzy wokół mnie. – Kiedy ostatni raz widziałam Nicole, czułam, że coś jest nie tak, ale mi się spieszyło. Pomyślałam, że pogadamy porządnie następnym razem.

– Zawsze myślimy, że mamy więcej czasu – stwierdziła Flick.

– Ale ja po prostu wiedziałam – ciągnęłam. – Wiedziałam, że coś jest nie w porządku. Mówiła cokolwiek którejś z was?

– W jakim sensie nie w porządku? – spytała Sarah.

– Nie dałam jej szansy – wyznałam – ale parę razy wspomniała mi, że myśli, że ktoś wchodzi nocą do jej pokoju, nawet kiedy drzwi są zamknięte na klucz.

Kolejną sprawą, która nie dawała mi spokoju oprócz drugiego śladu opon na drodze B, było przekonanie Bryony, że jest napastowana przez tajemniczych nocnych intruzów. Byłam trochę mniej skłonna niż wszyscy inni przypisywać to urojeniom.

Cztery dziewczyny w pokoju zrobiły zainteresowane, ale zdziwione miny.

– Że ktoś wchodzi do jej pokoju? – spytała ciemnoskóra Jasmine.

Skinęłam głową.

– Szczerze mówiąc, nie wiedziałam, co o tym myśleć – powiedziałam. – Ale ona wydawała się tym dość przejęta. Wciąż zdziwienie na twarzach. Wzruszenia ramion. Rzucanie włosami.

– Owszem, miała dość hałaśliwe koszmary, ale nigdy o nich nie wspominała – powiedziała Flick.

– Że ktoś wchodzi i co robi? – spytała chuda, blada dziewczyna o imieniu Lynsey.

Powierciłam się trochę na krześle, jakbym czuła się nieswojo przez to, co miałam powiedzieć.

– No, że ją dotyka. Przez sen. Prawdę mówiąc, brzmiało to dość upiornie.

Trzy dziewczyny wyglądały na żywo zainteresowane. Parę butelek wina i niesamowite opowiastki. Całkiem niezły sposób na spędzenie wieczoru. Ale czwarta dziewczyna, Lynsey, wyglądała na zatroskaną.

– Nigdy mi nic nie mówiła – przyznała. – Ale to prawda, że pod koniec zrobiła się dziwna. – Spojrzała na pozostałe. – Pamiętacie?

Dwie głowy zaczęły kiwać.

– To się zaczęło w październiku, nie? – powiedziała Flick. – Kiedy zniknęła.

Ktoś łomotał w jej drzwi. Evi nie przywykła jeszcze do tego, jak głośna jest okrągła mosiężna kołatka. Niepełnosprawny profesor fizyki był też pewnie przygłuchy.

– Cześć – powiedział wysoki mężczyzna stojący w progu. Ostatnia osoba, której się spodziewała.

– Nick?

Nick Bell uśmiechnął się przepraszająco.

– Przepraszam za to najście, Evi. Mogę wpaść kiedy indziej.

– Nie, w porządku – odparła Evi, robiąc krok w tył, by odpiąć łańcuch i otworzyć drzwi. Nick wszedł do środka, wnosząc ze sobą zapach zimnego, styczniowego powietrza. Był w swoich nieśmiertelnych dżinsach i niebieskim swetrze z wodoodpornej wełny – jedynych ciuchach, jakie na nim widywała, kiedy nie był w pracy. Była niemal pewna, że pamiętała ten sweter z czasów studenckich. Mężczyźni tak przystojni jak Nick nie musieli się wysilać, i tak też było z nim, odkąd pamiętała.

– Nie zajmę ci dużo czasu – powiedział. – Ale nie chciałem o tym rozmawiać przez telefon.

– Teraz mnie zaintrygowałeś – odparła Evi. – Kawy? Kieliszek wina?

– Dziękuję.

Evi przeszła do kuchni. Słyszała za sobą kroki Nicka. Kiedy wziął od niej kieliszek czerwonego wina, oparła się o blat, ciekawa, czy zbeszta ją za picie alkoholu. Przy takiej kombinacji leków przeciwbólowych to naprawdę nie był dobry pomysł.

– Omówiłem twoją prośbę ze wspólnikami – powiedział Nick. – Megan nie miała nic przeciwko, ale obawiam się, że pozostali nie podeszli do tego zbyt pozytywnie.

Evi wzruszyła ramionami.

– Nie przejmuj się – odparła. – Właściwie nie miałam wielkiej nadziei.

– Chcą, żebyś przynajmniej złożyła tę prośbę na piśmie – ciągnął Nick. – Chcą też wiedzieć, czy masz aprobatę Rady Etyki. Miną miesiące, zanim cokolwiek od nas wyciągniesz oficjalną drogą, jeśli w ogóle.

Evi kiwnęła głową. Właśnie czegoś takiego się spodziewała.

– Dzięki, że spróbowałeś – stwierdziła.

Czekała na ciąg dalszy. Nick nie tknął jeszcze wina. Odnosiła wrażenie, że ma jej coś więcej do powiedzenia.

– Chodź, usiądźmy – rzuciła w końcu.

– Piękny dom – zauważył Nick, idąc za nią do pokoju. – Miałaś szczęście, że go dostałaś.

– Nigdy nie myślałam o tym w ten sposób – odparła, przechodząc do krzesła przy swoim biurku. – Zakładałam, że mi go przydzielili przez moją niepełnosprawność.

Nick zatrzymał się w pół kroku.

– Ja i mój takt – powiedział, kręcąc głową. – Żałuj, że nie widziałaś mnie z pacjentami.

Evi nie zdołała powstrzymać bladego uśmiechu. Nick dostrzegł go w tej samej sekundzie, kiedy zdał sobie sprawę, co powiedział.

– Ale widzisz, zwyczajnie nie mogę się powstrzymać – ciągnął. – Powinienem był zająć się pracą naukową, a nie leczeniem ludzi.

Evi wskazała mu fotel. Usiadł i otulił kieliszek z winem obiema dłońmi.

– O wspólnikach mogłeś mi powiedzieć przez telefon – zaczęła.

Nick uniósł kieliszek do ust, po czym delikatnie odstawił go na stolik.

– To prawda – przyznał. – Ale na tyle mnie zaciekawiłaś, że sam zajrzałem w te dane. I coś mi przyszło do głowy.

Evi zacisnęła usta i uniosła brwi.

– Każdy nasz pacjent, który sam zrobił sobie krzywdę, dostaje skierowanie na terapię – zaczął Nick. – Nie wszyscy korzystają z tej możliwości, oczywiście, i sporo z nich odpada po drodze, ale rzadko się zdarza, żeby odmawiali przyjęcia skierowania.

– To logiczne – powiedziała Evi. – Samookaleczenie często jest krzykiem o uwagę. Terapia tę uwagę zapewnia.

Nick skinął głową.

– Jeśli student, nasz pacjent, wykazuje zachowania autodestrukcyjne, zawsze kierujemy go do ciebie i twojego zespołu – przypomniał. – Obdzwoniłem paru innych lekarzy domowych w okolicy, by sprawdzić, jaką oni mają politykę. Dokładnie taką samą. Więc chyba można założyć, że każdy student w tym mieście, który próbował popełnić samobójstwo, trafia do was.

– I mamy ich w bazie danych – dokończyła Evi. – Sami mamy informacje, których szukałam. Dlaczego na to nie wpadłam?

– Jeśli wasza baza pozwala wyszukać przypadki według przyczyn skierowania, pewnie wyłapiesz ich dość szybko.

Miał rację. Pomyślała, że kiedy znajdzie na to chwilę, będzie na siebie cholernie wkurzona, że od razu na to nie wpadła.

– Daj mi sekundę – poprosiła, odwracając się twarzą do ekranu. Wpisała login i hasło, dające jej dostęp do bazy danych Studenckiej Poradni Psychologicznej. Po kilku sekundach wpisała w okienko wyszukiwarki „próba samobójcza". – No i są – powiedziała, przeglądając wpisy. – Dziewięć w ciągu ostatnich pięciu lat. W tym siedem kobiet.

37

„Od: Post. Lacey Flint
Temat: Raport operacyjny nr 2
Data: Wtorek, 16 stycznia, 21.17
Do: Insp. Mark Joesbury, Scotland Yard

Pozdrowienia ze Starbucksa, inspektorze Clouseau. (Ups, przepraszam, sir, przez ostatnią godzinę wdychałam bąbelki z prosecco i nieźle mi uderzyły do głowy.)

No dobra, oto moja wielka nowina. Nicole Holt zniknęła pod koniec października na cztery dni. Z tego, co mówią dziewczyny z jej korytarza, poszła w piątek na wykłady i nie było jej przez cały weekend. Są pewne, że to było wtedy, bo pamiętają, że ominęła ją impreza na Halloween. Koleżanki z początku nie zmartwiły się za bardzo, zakładały, że została na noc u swojego chłopaka w innym kolegium, ale kiedy przyszedł w niedzielę wieczorem, okazało się, że też nie widział jej przez cały weekend.

Zapytasz, czy to zgłosiły, prawda? No więc nie. Głupie dziunie! Podobno nie było to takie proste. Nie chciały robić zamieszania i narobić jej wstydu, jeśli tylko z kimś wyjechała. Obdzwoniły paru jej znajomych, ale nikt nic nie słyszał. Aż tu nagle o drugiej nad ranem, kiedy już zaczynały myśleć, że być może powinny pójść na policję – jak sądzicie, laski, już pora zadzwonić po tych przystojnych chłopaków w mundurach? – dwie dziewczyny z parteru znalazły ją na klatce schodowej.

– Na klatce schodowej? – mówię ja, zdumiona.

– Tak, w rzeczy samej, na klatce schodowej – one na to. – Oczywiście nie mogła tam siedzieć przez cały wieczór, bo ktoś by ją zauważył. Była strasznie senna. Mocno przymulona. (Nie ona jedna, jak sądzę!)

A więc, moje nowe najlepsze kumpele, Mrugajka, Kiwajka i Podśmiechujka, znalazły naćpaną, półprzytomną dziewczynę na schodach, nie mogły się z nią sensownie dogadać i już miały dzwonić po karetkę, kiedy nagle oprzytomniała. Ciągle była trochę zamroczona, ale wyglądało na to, że zasadniczo nic jej nie jest.

Zapytasz pewnie, gdzie była nasza przyjaciółka Nicole. Też zapytałam. O dziwo, one też ją o to pytały. Kłopot w tym, że Nicole nie miała pojęcia. Nie wiedziała nawet, jaki jest dzień tygodnia. Nie potrafiła powiedzieć, gdzie była, co robiła i z kim. I była wykończona. Chciała tylko iść spać. Następnego dnia koleżanki próbowały ją namówić, żeby poszła na policję, ale odmówiła. Wszystkie założyły, że była z jakimś innym gościem, tylko nie chciała im o nim mówić. Jej chłopak doszedł do tego samego wniosku i rzucił ją.

Ech, faceci.

Po tym wszystkim – i nic w tym dziwnego – zrobiła się trochę przygnębiona, czy też, by posłużyć się ich słowami, „nieźle pojechana". Miały chyba na myśli to, że była lękliwa i nerwowa, większość czasu spędzała w pokoju, w zasadzie z nikim nie rozmawiała, przestała chodzić na zajęcia, żaliła się, że nie może spać i że miewa koszmary.

I dostała potężnej fiksacji na punkcie szczurów. Tak, dobrze przeczytałeś, szczurów. Była przekonana, że w budynku roi się od gryzoni. Nikt inny nic nie zauważał, ale ona słyszała je bez przerwy, w dzień i w nocy. Totalnie jej odpieprzyło, i owszem, znów cytuję moje nowe przyjaciółki, bo jak już raz zaczęły gadać o szczurach, nie dało się ich zatrzymać. Podobno Nicole była adresatką kilku dowcipów ze szczurami w roli głównej. Któregoś dnia ktoś puścił mechanicznego szczura w Jadalni i dostała ataku histerii, ktoś inny włamał się do jej pokoju i oblepił ściany zdjęciami szczurów.

Więc, podsumowując (i już słyszę, jak mamroczesz: „najwyższy czas"), Nicole wygląda mi na typowy przypadek samobójczyni: w depresji, dręczona bezsennością i koszmarami, kiedy już spała, opuszczała się w nauce, wypisała się z życia towarzyskiego. Z drugiej strony, była ofiarą jakichś kolegów studentów z wypaczonym poczuciem humoru, i – co najbardziej niepokojące – zniknęła na parę dni krótko przed śmiercią.

Jak myślisz, powinniśmy się tym przejąć?

No dobra, to ja już kończę, kawa mi stygnie i chcę sprawdzić jeszcze jedną rzecz, zanim pozataczam się w objęcia Lete. O, widzisz, zaczynam przesiąkać tymi uniwersyteckimi bzdetami. Mam nadzieję, że w Londynie jest trochę cieplej niż tutaj. Zapowiadają śnieg lada dzień, całe szczęście, że zabrałam kozaki.

Śpij dobrze".

Joesbury wstał i podszedł do okna. Przysłała mu ten mail zaledwie pięć minut temu. Pewnie zaraz wyjdzie ze Starbucksa, może nawet tego na Market Street. Teraz opatula ramiona kurtką, okręca szyję tym głupim uniwersyteckim szalikiem, wychodzi na dwór. Odwrócił się i spojrzał na plan ulic Cambridge, leżący na jego biurku. Jeśli wracała do Świętego Jana, to pójdzie St Mary's Street. Jeśli. On musiał za dziesięć minut być na King's Parade i mógł wpaść prosto na nią. Ta sprawa zmieniała się w farsę.

– Wchodzi Brian Rix, lewa kulisa, ze spodniami w kostkach – mruknął, po czym włożył kurtkę, złapał portfel i wyszedł z pokoju.

38

Czwórka z tej dziewiątki to były nasze pacjentki – powiedział Nick.

– Znałeś je osobiście? – spytała.

Pokręcił głową i jego policzki zabarwiła odrobina róża.

– Jeśli to możliwe, młode kobiety oddajemy pod opiekę innym lekarzom – wyjaśnił. – To pewnie nadmiar ostrożności, ale sama wiesz, że lepiej dmuchać na zimne. Dostaję mężczyzn i kobiety po czterdziestce.

– Ja jestem zapisana do ciebie – przypomniała mu Evi. – A brakuje mi jeszcze parę lat do czterdziestki.

– Założyliśmy, że w twoim przypadku bliska znajomość zrodzi pogardę.

Evi się uśmiechnęła. Kobiety zakochiwały się w Nicku na zabój od kiedy go znała. Spojrzała na arkusz na swoim biurku.

– Mam tu listę dziewiętnaściorga studentów, którzy odebrali sobie życie w ostatnich pięciu latach – powiedziała. – Z Bryony Carter byłoby dwadzieścioro. Teraz mamy jeszcze dziewięć przypadków usiłowania samobójstwa.

– Kiedy tak cię słucham, nie mam dobrych przeczuć – powiedział Nick.

– Witaj w klubie.

Wieczór zrobił się jeszcze zimniejszy. Postawiłam kołnierz, okręciłam twarz moim nowym, uniwersyteckim szalikiem i ruszyłam. Szłam na miejsce pierwszego samobójstwa w tym roku akademickim. Pod koniec października Jackie King utopiła się pod mostem przynależącym do Kolegium Clare. Była studentką trzeciego roku anglistyki.

Most był z jasnego kamienia, z trzema łukami, pod którymi przepływały łodzie. Zanim tam dotarłam, ogarnęły mnie potężne wątpliwości dotyczące mojego maila do Joesbury'ego. Chyba nie powinnam być tak poufała. Ale jakoś łatwiej mi się z nim gadało, kiedy był daleko.

Cały most skrzył się od szronu. Weszłam nań, trzymając się blisko balustrady po lewej stronie, i przystanęłam dokładnie na środku, tak jak zrobiła to Jackie. Tyle że ona miała ze sobą linkę do suszenia prania. Przywiązała jeden jej koniec do balustrady. Drugim mocno obwiązała obie kostki. Ważna była dokładna długość linki. Jackie musiała wyliczyć to wcześniej i precyzyjnie ją przyciąć. Nie miałam pojęcia, co działo się z nią w ciągu kilku kolejnych sekund. Mogłam się tylko domyślać.

I wyszło mi coś takiego. Musiała zapewne usiąść na kamiennej poręczy i przerzucić nogi na drugą stronę. Pewnie spojrzała w dół, tak jak ja patrzyłam teraz, na wodę, czarną, wolno płynącą pod mostem. I pewnie było jej zimno. To była już jesień. Było około czwartej nad ranem; kamera przemysłowa uchwyciła ją po drodze. Na pewno spojrzała na wodę i zadała sobie pytanie, co wyprawia, do jasnej cholery. Na pewno poważnie się zastanawiała, czy nie zrezygnować i nie wrócić do domu. Nie zrobiła tego. Skoczyła.

Jackie, Bryony i Nicole. Trzy młode kobiety, które postanowiły zakończyć życie, jak to mówiła Evi, w bardzo nietypowy sposób. Miała rację. Każda z tych śmierci, czy też prawie śmierci w przypadku Bryony, była skomplikowana, zaplanowana i okrutna. Więc co się działo z kobietami w tym mieście?

– Dwadzieścioro dziewięcioro studentów, w tym dwadzieścia trzy kobiety. I oni wszyscy zabili się, czy też próbowali to zrobić, w ciągu ostatnich pięciu lat – podsumowała Evi, odchylając się na krześle i starając się nie okazać przy tym bólu.

– Do licha ciężkiego, to nie wygląda dobrze, co? – zastanawiał się Nick.

– Nie – przyznała Evi.

Sekunda milczenia.

– Widziałam się wczoraj z Meg – zauważyła Evi. – Wspomniała coś o fali samobójstw, kiedy my tu studiowaliśmy. Coś ci to mówi?

– Raczej nie. Był jeden gość, który skoczył z Wieży Świętej Marii przed egzaminami, ale poza tym...

– No właśnie, ja też pamiętam tylko jego.

– I rozmawiałaś już z policją?

Evi kiwnęła głową i bez przekonania wzruszyła ramionami.

– Co?

– Zdaje się, że zaczynam być trochę niewiarygodna dla miejscowej dochodzeniówki – powiedziała.

Nick spojrzał na nią spod zmarszczonych brwi. Evi dopiła swoje wino i opowiedziała mu o intruzie, o psikusach, których jest adresatką, o telefonach i mailach z dzisiejszego wieczoru.

– I te maile po prostu zniknęły z twojego komputera? – spytał ją. – Zupełnie się nie znam na informatyce. Czy to w ogóle możliwe?

Evi zrobiła minę.

– Niepokoisz się?

– Troszkę.

– Chcesz zanocować dzisiaj u mnie? – spytał ją. – Mam dowolną liczbę wolnych pokoi.

Evi pokręciła głową.

– Miło, że proponujesz, ale boję się zamarznąć w nocy.

Roześmiał się.

– Mógłbym ci pożyczyć psa do przytulania, ale pewnie masz rację. Słuchaj, może pogadam ze wspólnikami, pokażę im tę listę. Jeśli uda mi się ich przeciągnąć na naszą stronę, policja będzie musiała wysłuchać naszej piątki.

Evi zastanawiała się nad tym przez moment.

– Nie zaszkodzi – stwierdziła.

– Muszę już lecieć. Widzimy się w piątek, tak?

Evi obiecała, że przyjdzie.

– Właściwie pomyślałam, że mogłabym kogoś ze sobą przyprowadzić – powiedziała. – Nie, nie chłopaka. Nową studentkę, która pomaga mi zbierać dane. Musi poznać parę osób. Nie masz nic przeciwko? Jest dorosła.

– Jasne. A zanim pójdę, mam sprawdzić dom?

Evi odtworzyła usta, by powiedzieć, że sama już to zrobiła.

– Tak, poproszę – wyszło z jej gardła.

Spojrzałam na zegarek. Dziewiąta. Ruszyłam z powrotem do kolegium, weszłam do biblioteki i sprawdziłam maile.

Nic od Joesbury'ego. Jeden mail od Evi, z doniesieniem o skromnych postępach. To były jej słowa, nie moje. Znalazła dziewięć przypadków studentów, którzy próbowali popełnić samobójstwo różnymi metodami. Tajemnica lekarska nie pozwalała jej ujawnić nazwisk, ale to oznaczało, że moja lista rozrosła się do niemal trzydziestu osób.

Teraz na dodatek dowiedziałam się, że Nicole zniknęła na kilka dni. Czy z innymi samobójczyniami było tak samo? A ten jej patologiczny lęk przed szczurami? Czy to miało jakikolwiek związek?

Miałam już zamknąć laptop, kiedy w rogu ekranu wyskoczyło mi okienko. „Dopadła cię studencka chandra?", pytało. Pod nim było zdjęcie chłopaka w uczelnianym szaliku, opartego o barierkę mostu. Trochę mnie przeraża, kiedy dzieje się coś takiego. Szukasz w necie czegokolwiek, powiedzmy butów na imprezę, i nagle na ekranie zaczynają ci wyskakiwać banery i okienka z reklamami butów. Przez ostatnie dni kilka razy szukałam przez Google informacji o samobójstwach i gdzieś w cyberprzestrzeni trafiłam na listę mailingową ludzi z depresją. Ale, co dziwne, kiedy kliknęłam okienko, znalazłam się na blogu o życiu Cambridge, z własnym czatem, który nazywał się Studencka Chandra i był przewodnikiem przetrwania na tej najcięższej z brytyjskich uczelni.

Portal był dobrze zaprojektowany i dość przykuwający uwagę; zaczęłam go przeglądać. Trafiłam na społeczność ludzi tak jak ja niezbyt zachwyconych Cambridge, choć z bardzo różnych powodów. Elokwentnie, z dużą dozą empatii pisali o swoich problemach. Czasem bardzo wzruszająco. Ku własnemu zaskoczeniu kliknęłam w przycisk czatu.

Online było całkiem sporo osób. Zarejestrowałam się jako Laura i zaczęłam pisać:

„Dzisiaj nad rzeką prawie się rozpłakałam. Trudno wyobrazić sobie coś piękniejszego. Więc dlaczego przepełniło mnie to takim smutkiem?"

Odpowiedź dostałam po paru sekundach.

„Piękno zawsze nas wzrusza. Jeśli jesteśmy szczęśliwi, czyni nas szczęśliwszymi, jeśli jesteśmy smutni, może nas nawet pchnąć w przeciwną stronę.

Trudno mi wyobrazić sobie coś gorszego niż bycie gdzieś, gdzie czujesz się obco. (To znowu ja.) Wśród ludzi, którzy nigdy cię nie poznają. Nigdy nie będą mieli bladego pojęcia, kim naprawdę jesteś.

Ludzie, których potrzebujesz, są tutaj, Lauro. Tylko nie przestawaj szukać".

Okej, wszystko miało swoje granice. Wyszłam z czatu
z poczuciem winy. Gdyby Joesbury wiedział, co zrobiłam, powiedziałby, że jako żałosna, zwariowana Laura Farrow posu-
nęłam się o krok za daleko. Problem w tym, że na tym czacie
przed chwilą byłam nie tylko Laurą. Byłam też Lacey.

39

Jessica Calloway powoli odzyskiwała przytomność. Miała zaschnię-
te usta, obolałe oczy. Kiedy przełknęła ślinę, miała wrażenie,
że dno jej gardła jest zdarte do krwi. Mimo zamkniętych powiek wyczuwała w pokoju ponure, szare światło. A więc jest
ranek. Jej oczy otworzyły się, zanim zdążyła sobie zadać pytanie, czy to dobry pomysł. Och, Bogu niech będą dzięki.

Usiadła, pozwalając kołdrze opaść do pasa. Miała na sobie
obcisłą, żółtą koszulkę na ramiączkach i piżamowe spodnie
w żółte paski. To, w czym zawsze sypiała. Odrzuciła kołdrę
i spuściła nogi, by dotknąć nimi zimnego linoleum swojej sypialni. Siedziała tak przez całą minutę, nie do końca wierząc
własnym oczom.

Była w swoim pokoju w kolegium. Ciało miała obolałe
i sztywne, ale poza tym wydawało się, że wszystko jest w porządku. Czuła napięcie z tyłu czaszki, jakby groził jej silny
ból głowy, ale nie było to nic, z czym nie poradziłaby sobie
aspiryna czy dwie. Na szafce przy łóżku stał radiobudzik. Było
prawie wpół do ósmej rano. Jeszcze kilka sekund, i będzie...
Budzik się włączył. Radio Heart, z którym zawsze wstawała,
nawet w te poranki po najgorszych koszmarach.

Zasłony w oknie były szczelnie zaciągnięte, ale z dworu dobiegały zwykłe poranne odgłosy Kolegium Świętej Katarzyny.

Paru biegaczy. Ktoś na rowerze. Furgonetka dostawcza na drodze za murem.

Wszystko było dokładnie tak, jak powinno być. Te straszne, skrobiące stworzenia, które czołgały się ku niej w ciemnościach, były tylko wytworem czegoś, co wrzucono jej do drinka. Bezkształtne formy, które tłukły od wewnątrz w drzwi szafy, domagając się wypuszczenia, istniały tylko w jej głowie. Zimne, szponiaste dłonie, które ją pieściły... Jezu, potrzebowała wziąć prysznic.

Jessica wstała, ale nogi nie podpierały jej zbyt pewnie. Czuła się słaba, jakby nie jadła od dłuższego czasu, i trochę ją mdliło. Na przedramieniu miała siniaka, którego nie pamiętała z zeszłego wieczoru. Sięgnęła po szlafrok wiszący na oparciu krzesła. Jej praca była tam, gdzie zostawiła ją wczoraj – na biurku. Laptop był wyłączony, ale wciąż otwarty, książki stały na półce, torebka z wczorajszego wieczoru leżała pod biurkiem, z zawartością częściowo wysypaną na podłogę. Wszystko było normalnie.

Tyle tylko że wszystkie książki na półce stały do góry nogami.

Jessica dotknęła książek, by się upewnić, czy są prawdziwe. Wydawały się bardzo realne. Więc kto je poodwracał? Prawie pięćdziesiąt książek. Po co ktoś miałby robić coś takiego? Piosenka w radiu przyspieszała. Jak staroświecka winylowa płyta odtwarzana z niewłaściwą prędkością. Jessica obejrzała się na radio, wystraszona. Piosenka się urwała. Sekunda ciszy, i nagle zaczęła się nowa melodia. Muzyczka z wesołego miasteczka.

Nie.

Jessica na wpół pobiegła, na wpół padła na drzwi pokoju. Były zamknięte na klucz, oczywiście, zawsze zamykała je

wieczorem, ale klucz był w zamku, wystarczyło go tylko prze-
kręcić, złapać za klamkę i pociągnąć drzwi. Zamek obrócił się,
klamka była śliska od potu, a drzwi się nie otwierały.

Spróbowała jeszcze raz, sprawdziła klucz – wyglądał
tak samo – pociągnęła za klamkę, nawet parę razy uderzyła
w drzwi. W końcu odwróciła się i podbiegła do okna. Niemal
padając na biurko, szarpnęła zasłony.

Okna nie było. Zamiast niego ujrzała zdjęcie głowy i torsu
cyrkowego klauna, tak duże, że wypełniało całą ramę. Jessica
zawsze bała się klaunów, ale nawet ona nigdy nie wyobrażała
sobie czegoś podobnego. Ogromny czerwony nos, czerwono-
-biała czapka w kształcie rożka i niebieska kryza mogłyby przy
dobrych układach należeć do klauna, który nie przestraszył-
by dziecka na śmierć. Ale żaden rodzic nie naraziłby swojej
pociechy na widok tej długiej, kościstej, żółtej, starej twarzy,
z wyszczerzonymi ustami tak ogromnymi, tak pełnymi żółk-
nących zębów, z mętnymi, białymi oczami okolonymi czernią
i szkarłatem. Każde dziecko straciłoby zmysły na widok takiego klauna. Jessica myślała już, że i ona zaraz je straci, kiedy
nagle usłyszała ciche stukanie za sobą.

Wciąż na wpół leżąc na biurku, odwróciła się. Drzwi
jej szafy zaskrzypiały i się otworzyły. W środku stał kolejny
klaun. Ten był gorszy, o wiele gorszy. Ten miał na twarzy maskę białą jak śnieg, z wielkim, zwierzęcym pyskiem i haczyko-
watym czerwonym nosem. Tylko oczy wyglądały na ludzkie.

40

Ku mojemu zaskoczeniu po powrocie zastałam w naszym salonie Talaith, z tym jej mikroskopijnym tyłkiem usadzonym na

krześle i z nogą na biurku. Była w ciuchach do spania i sądząc po tym, że stosunkowo pewną ręką malowała sobie paznokcie u nóg, była trzeźwa. Jej włosy nie miały dokładnie takiego odcienia fioletu, jaki zapamiętałam z zeszłego wieczoru. Bardziej czerwone, mniej niebieskie, bliżej koloru śliwki. Machnęła w moją stronę kubkiem.

– Kawy? – zaproponowała. – Rozpuszczalne gówno, ale jak zwykle jestem spłukana.

– Dzięki – powiedziałam. – Ale ja zrobię. Rozmażesz sobie lakier.

Kiedy napełniałam czajnik, szukałam kubków i sypałam do nich kawę rozpuszczalną, Talaith dokończyła swoje dzieło, uniosła nogi z biurka i pokiwała palcami w powietrzu, utrzymując się w tej pozycji wyłącznie siłą mięśni brzucha. Musiała być trzeźwa. Żaden pijany by tego nie dokonał.

– Ktoś pytał mnie dziś o Bryony – powiedziałam, kiedy już wymieniłyśmy się zwykłymi grzecznościowymi uwagami, jak nam minął dzień i czy się aklimatyzuję. – To musiała być dla ciebie nieprzyjemna sprawa.

– Dla niej gorsza – odparła Talaith. Kiwnęłam głową. Trudno było zaprzeczyć.

– Wiesz, jak ona się czuje? – spytałam.

– Dzisiaj lepiej – powiedziała. – Odwiedziłam ją. Chyba mnie poznała. Pielęgniarka powiedziała mi nawet, że być może z tego wyjdzie.

Coś w twarzy Talaith kazało mi pomyśleć, że to niekoniecznie jest dobra wiadomość.

– Będzie strasznie oszpecona – spróbowałam.

Talaith pokręciła głową.

– Nie poradzi sobie. Przedtem była śliczna i też sobie nie radziła. Jeśli komuś takiemu jak Bryony odbierze się urodę, nie zostanie jej nic.

– Dość surowa ocena – stwierdziłam.

– Realistyczna – upierała się Talaith. – Nie masz pojęcia, ile godzin poświęcała wyglądowi. Pieniądzom zresztą też. Miała paranoję na punkcie zmarszczek. W jej wieku większość dziewczyn dziękuje losowi, że wyrosły z pryszczy.

– Ja chyba jeszcze nie wyrosłam.

– W pokoju miała wyłącznie własne zdjęcia – ciągnęła Talaith. – Żadnej rodziny, kumpli, chłopaków, tylko swoje. I to wszystko były takie pseudoartystyczne studyjne fotki, no wiesz, filtr zmiękczający, tona tapety. Czasami przyłapywałam ją, jak po prostu gapiła się na siebie w lustrze.

– Mam wrażenie, że nie byłyście bardzo zżyte – powiedziałam.

Talaith wzruszyła ramionami i napiła się kawy. Moja wciąż była zbyt gorąca.

– Kiedy się tu zjawiła, nie była taka najgorsza. Trochę drażliwa, nerwowa. Moja mama nazwałaby ją wątłym kwiatkiem, ale szczerze mówiąc, tutaj dużo ludzi tak ma.

– Naprawdę?

– Boże, tak. Kiedy się pomyśli, pod jaką jesteśmy presją, jeśli chcemy dostać się na jakikolwiek przyzwoity uniwerek, a co dopiero tutaj, to cud, że wszyscy nie jesteśmy psychiczni. Bryony była dość bystra, ale też nie była materiałem na budowniczego rakiet. Myślę, że całe życie miała korepetytorów, była trzymana pod kloszem i popychana we właściwą stronę. Ale nie była najgorsza. Nie gorsza niż wielu innych.

– Więc co poszło nie tak? – spytałam.

Śliwkowe włosy zatańczyły wokół twarzy Talaith, kiedy pokręciła głową.

– Nie wiem. Rzadko tu siedziałam. Dobrze się bawiłam i było jasne, że nie będziemy bratnimi duszami. Ale pod koniec zrobiła się trochę dziwna.

Dziwna? Nicole też zrobiła się dziwna, jeśli wierzyć jej koleżankom. Jakiego to słowa użyły? Pojechana.

– W jakim sensie dziwna? – spytałam.

Talaith miała taką minę, jakby nie wiedziała, ile mi zdradzić.

– Miewała złe sny – zdecydowała się w końcu.

Nie widziałam w tym nic szczególnie złego, ale nagle przypomniałam sobie, że Nicole Holt też miewała złe sny niedługo przed samobójstwem.

– Z cyklu goła w publicznej toalecie, czy raczej w stylu niebieskich jaszczurek wyłażących ze ścian?

– No więc, właśnie w tym rzecz. Nie bardzo potrafiła mi powiedzieć. Kiedy tu byłam, a pewnie już zauważyłaś, że nieczęsto mi się to zdarza, budziła mnie jękami i krzykami. Któregoś razu znalazłam ją tu, w pokoju. – Wskazała głową miejsce na podłodze. – Nad ranem. Była golusieńka, skulona, płakała i zawodziła. Obudziła całą bursę. Mówi się, że małe dzieci miewają czasem takie potworne koszmary. To było coś takiego.

– Brała coś? – spytałam.

– Hm, szczerze mówiąc, też tak pomyśleliśmy, dlatego nie wezwaliśmy karetki. W bursie nocował akurat student trzeciego roku medycyny. Sprawdził jej puls, źrenice i tak dalej i położyliśmy ją z powrotem do łóżka. Posiedziałam w progu, aż zobaczyłam, że się trochę uspokoiła.

– A rano?

– Czuła się jak kupa, nic nie pamiętała. To był najgorszy epizod, ale pod koniec chyba już w ogóle nie sypiała. Ciągle gadała o jakichś hałasach w nocy, że mówią do niej jacyś ludzie, budzą jakieś telefony. A mnie nigdy nic nie przeszkadzało.

– Podobno policja znalazła dowody, że tamtego wieczoru paliła jakiś mocny towar. Często to robiła?

Talaith przez sekundę patrzyła na palce stóp, po czym wyciągnęła rękę i starła nieistniejącą plamkę.

– Ja nie widziałam – stwierdziła. – Ale była dość drażliwa na punkcie wchodzenia do jej pokoju, więc mogła mieć coś do ukrycia.

– A kto wchodził do jej pokoju? – zapytałam.

Talaith wzruszyła ramionami.

– Myślała, że ja wchodzę w nocy, kiedy ona śpi – wyjaśniła. – Mówiła, że ktoś jej przestawia rzeczy. Że kiedy się kładzie, zostawia je w określony sposób, a rano leżą inaczej.

Uznałam, że na razie lepiej nie naciskać dalej. Moja współlokatorka z pewnością nie była głupia. Rozsiadłam się wygodniej na krześle, dopiłam kawę i wyciągnęłam ręce nad głową.

– Dlaczego wszyscy oprócz pastora mówią na ciebie Tox albo Toxic? – spytałam.

– Rodzinna ksywka – odparła. – Nadał mi ją starszy brat z powodu mojej niezwykłej skłonności do wzdęć, kiedy byłam mała.

– Tak?

– Nie panikuj. Wyrosłam z tego.

– Co studiujesz? – spytałam, spodziewając się czegoś w rodzaju psychologii czy socjologii. Talaith (Tox) ujawniła dość obszerną wiedzę na temat ludzkiej psyche.

– Inżynierię lotniczą – odpowiedziała i roześmiała się, widząc moją minę. – Jestem materiałem na budowniczego rakiet.

Wybuchnęłam śmiechem i się pożegnałyśmy.

Tej nocy zaczęły się sny.

41

Czwartek, 17 stycznia (pięć dni wcześniej)

Obudziłam się późno i w fatalnym stanie. Jakbym przez noc postarzała się o dziesięć lat. Kiedy wstałam z łóżka, ciało kazało mi natychmiast tam wracać. Nic z tego. O dziewiątej miałam wykład i musiałam się pospieszyć, jeśli chciałam zjeść śniadanie.

Tox właśnie wracała z Bufetu, kiedy otworzyłam frontowe drzwi bursy. Ciekawe, ile czasu będę się przyzwyczajać do spacerów po styczniowym mrozie, żeby zjeść miskę płatków kukurydzianych. Moja współlokatorka utrzymała kontakt wzrokowy o sekundę dłużej, niż wydawałoby się naturalne.

– Cześć – powiedziała. – Jak się miewasz?

– Dobrze – odparłam. – A ty?

– O, ja całkiem dobrze – odpowiedziała, kładąc nacisk na „ja". W tej chwili jakaś dziewczyna wyszła w pośpiechu z bursy i Tox weszła do środka. Ruszyłam do Bufetu, pchnęłam drzwi wejściowe i dołączyłam do niedobitków w kolejce, zastanawiając się, czy wstanie z łóżka było jednak słuszną decyzją. Usta miałam wyschnięte, gardło zdarte, jakbym połknęła kłąb stalowej wełny i ledwie byłam w stanie utrzymać otwarte oczy. Poprzedniego wieczoru nie piłam alkoholu, ale to było jak najgorszy kac w moim życiu.

Nagle sala pociemniała i podłoga wyjechała mi spod nóg.

– Nic ci nie jest? Słyszysz mnie?

– Czy ktoś mógłby przynieść krzesło?

Leżałam na podłodze w Bufecie, niedaleko lady, choć nie pamiętałam, żebym dotarła na początek kolejki. Koło mnie kucali chłopak i dziewczyna; kucharki za ladą wyglądały raczej na zaciekawione niż przejęte. Widziały tu już niejedno.

Pojawiło się krzesło, więc pozwoliłam się podnieść i posadzić na nim.

– Już dobrze, dziękuję – powiedziałam do bladej dziewczyny w okularach z czerwonymi oprawkami, która pomagała mnie dźwignąć. – Przegapicie śniadanie. Ja sobie tu chwilkę posiedzę.

W końcu, jedno po drugim, zostawili mnie samą. Starsza, sympatycznie wyglądająca kobieta zza lady zaproponowała mi coś do picia. Po kilku minutach poczułam się lepiej.

Złapałam Tox, kiedy miała już wychodzić.

– Przepraszam za ostatnią noc – powiedziałam. – Wystraszyłam cię?

Pokręciła głową, ale nie spojrzała mi w oczy. Wystraszyłam ją.

– To pewnie przez to całe gadanie o Bryony – ciągnęłam. – Widocznie tłukło mi się to po głowie. Zwykle w ogóle nie miewam snów.

Spojrzała na zegarek. Była za dziesięć dziewiąta. Wiedziałam, że będzie musiała biec, żeby zdążyć na wykład o dziewiątej.

– Bryony nigdy nic nie pamiętała po takiej nocy – stwierdziła.

– Też z początku nie pamiętałam – odparłam. – Tylko czułam się fatalnie, jakbym za dużo popiła i za mało pospała. Ale teraz zaczęło mi się przypominać.

– Co? – spytała.

– Nie spałam – zaczęłam opowiadać. – Znaczy, we śnie. Ale nie mogłam się ruszyć. Dokładnie wiedziałam, gdzie jestem, tylko nie mogłam ruszyć żadnym mięśniem ani otworzyć oczu. I ktoś stał nade mną, patrzył na mnie. Hałasowałam?

– Nie tak bardzo, jak potrafiła hałasować Bryony – odparła Tox.

Ale cicho nie było, sądząc po jej minie.

– Przypomniało mi się coś na temat snów Bryony – powiedziała Tox. – Jednego razu szlochała, że ktoś pociął jej twarz na strzępy, że leje się z niej krew. Oczywiście to nie była prawda, absolutnie nic jej nie było. Tylko tak świrowała.

W tej chwili zawibrował mój telefon. Przyszedł SMS od Evi z pytaniem, czy mogę wpaść w południe do jej pokoju. Chciała ze mną o czymś porozmawiać.

– Pójdę dzisiaj do lekarza – powiedziałam. – Jestem pewna, że to wszystko przez nowe miejsce, przez rozmowy o Bryony i tę akcję chłopaków we wtorek. Ale jeśli to się powtórzy, to się wyprowadzę.

Słysząc to, Tox zrobiła lekko zawstydzoną minę, i dokładnie o to mi chodziło.

– Nie musisz tego robić – powiedziała.

– Leć już – odparłam. – Dzięki, że jesteś taka miła. Zobaczymy się później.

42

Ładny pokój – powiedziała Laura Farrow, stojąc krok za progiem i rozglądając się po ścianach z jasnego, nieotynkowanego kamienia, po łukowatych oknach z kamiennymi framugami.

– To mój oficjalny pokój w kolegium – wyjaśniła Evi. – Tutaj przyjmuję studentów, w odróżnieniu od pacjentów.

– Co to za sztywniak? – spytała policjantka, patrząc na olejny obraz nad kominkiem.

– Jakiś cymbał w czarnej todze i trefionej peruce – odparła Evi. Z kominka wyskoczyła iskra i wylądowała na zdeptanym dywaniku. Zanim Evi zdążyła się ruszyć, Laura podeszła i zdusiła iskrę butem. O mało się przy tym nie potknęła; zachwiała się lekko, ale odzyskała równowagę. – Za drzwiami jest wieszak – powiedziała Evi. – Proszę siadać. Może pani potrzebować notesu.

Laura zdjęła kurtkę, rękawiczki i szalik, usiadła w głębokim fotelu naprzeciw fotela Evi i wyjęła z torby brulion i ołówek. Kiedy uniosła wzrok, miała zbyt szerokie źrenice.

– Dobrze się pani czuje? – spytała Evi.

– Oczywiście – rzuciła Laura trochę zbyt szybko. – A nie wyglądam?

Evi nie spieszyła się z odpowiedzią. Pomijając wyluzowaną pozę, Laura naprawdę nie wyglądała najlepiej. Makijaż leżał na jej bladej twarzy jak naleśnik, zamiast stapiać się z nią w naturalny sposób.

– Źle spałam – dodała Laura. – W tych studenckich bursach bywa nocą dość głośno. – Przywołała na twarz wymuszony uśmiech. – A ja nie jestem już taka młoda, jak udaję.

Evi postanowiła nie drążyć tematu. Z małego bocznego stolika wzięła teczkę i otworzyła ją.

– Znalazłam coś, co mnie zaniepokoiło – powiedziała, przerzucając kilka pierwszych kartek. – Niedługo po naszym wtorkowym spotkaniu. Nie wspomniałam o tym od razu, bo chciałam to przemyśleć, a już na pewno nie chciałam wysyłać tego mailem.

Kiedy uniosła wzrok, zobaczyła maleńki okruszek tuszu wysoko na lewym policzku Laury. Co dziwne, pasował do niej, jak staroświecki pieprzyk malowany dla urody.

– Musi pani zrozumieć, że to dla mnie bardzo trudne – ciągnęła Evi. – W służbie zdrowia tajemnica lekarska jest rzeczą świętą. A przynajmniej powinna być. Przez to, że w ogóle z panią rozmawiam bez aprobaty... hm, w zasadzie wszystkich możliwych czynników, narażam całą swoją karierę.

– Rozumiem – powiedziała Laura.

– Zwróciła pani uwagę na lęki Bryony, że została zgwałcona – podjęła Evi po chwili. – Bryony to bardzo zaburzona młoda kobieta z całą gamą problemów. Jestem ciekawa, dlaczego akurat to, z całej jej historii choroby, uderzyło panią najbardziej.

Laura spuściła oczy.

– Bo się tym interesuję – odparła. – Wstąpiłam do policji właśnie po to, by zwalczać brutalne przestępstwa popełniane na kobietach. Więc to naturalne, że ta sprawa mnie zaciekawiła.

Evi przemknęło przez myśl, żeby zapytać, czy pani detektyw sama doświadczyła na sobie brutalnego przestępstwa. Zły pomysł. Pozwalała, by jej osobiste zainteresowanie Laurą Farrow przeszkadzało w zadaniu, które obie starały się wykonać. Kiwnęła głową na znak, że słucha dalej.

– Ale chodzi nie tylko o to – ciągnęła Laura. – Wszystko inne, co działo się w życiu Bryony, jej problemy ze snem, stres przez nadmiar nauki, jej zaniżone poczucie własnej wartości, to wszystko było jej dziełem, jeśli pani rozumie, co mam na myśli. Nie staram się bagatelizować jej problemów, daleko mi do tego. Próbuję tylko powiedzieć, że były... oj, proszę mi pomóc, to pani jest psychiatrą.

– Endogenne? – zasugerowała Evi.

– Właśnie. Ale gwałt to coś wręcz przeciwnego. Gwałt jest dziełem zewnętrznego agresora.

– Jeśli rzeczywiście do niego doszło – przypomniała jej Evi i w niebiesko-orzechowych oczach dziewczyny dostrzegła błysk irytacji. – W odróżnieniu od tego, co Bryony wyobraziła sobie lub zmyśliła. Na pewno dobrze się pani czuje, Lauro? Ręce się pani trzęsą.

– Nic mi nie jest – rzuciła Laura tak szybko, że wręcz trochę niegrzecznie. – Dziękuję. Wiem, że terapeutka z waszego zespołu nie była przekonana do opowieści Bryony, ale kiedy ja słyszę kobietę mówiącą, że została zgwałcona, instynkt każe mi udzielać jej dobrodziejstwa wątpliwości.

Ta młoda kobieta była napastowana, być może nawet sama została zgwałcona. Teraz Evi była tego pewna. Ciekawe, czy jej przełożeni w policji wiedzieli o tym.

– I bardzo słusznie – przytaknęła. – Więc jeśli powiem pani, że cztery inne studentki twierdziły, że zostały zgwałcone, i to w okolicznościach bardzo podobnych do tych, o których mówiła Bryony, i to niedługo przed samobójstwem, pewnie uzna to pani za istotne?

Evi patrzyła, jak Laura powoli kiwa głową, a w jej oczach zapala się iskra.

– Mówimy o okresie pięciu lat – kontynuowała Evi. – W żadnym z przypadków nie było dowodu. Nic nie uwiarygodniało opowieści tych dziewczyn.

– Proszę mi o nich opowiedzieć.

– Nie mogę – odparła Evi. – Właśnie w tym problem.

– One wszystkie nie żyją – upierała się Laura.

Evi pokręciła głową.

– To nie ma znaczenia.

– Więc, na litość boską, jak mam…

Evi uniosła rękę.

– Trzy lata temu – zaczęła – pacjentka przychodni, nazwijmy ją pacjentką A…

– Proszę mi podać chociaż imiona – przerwała jej Laura.

– Jeśli podam pani imiona, będzie pani mogła je zidentyfikować na podstawie doniesień prasowych.

– Okej, więc słucham, co spotkało pacjentkę A – powiedziała Laura, która niemal z pewnością myślała teraz, że i tak zdoła je zidentyfikować.

– Pacjentka A skarżyła się na koszmary i problemy ze snem, dręczył ją też lęk, że ktoś wchodzi nocą do jej pokoju – powiedziała Evi. – Któregoś ranka, przekonana, że została zgwałcona w nocy, poszła na policję. Nie było żadnych fizycznych dowodów. Zabiła się sześć tygodni później.

Laura notowała w zeszycie.

– Kilka miesięcy wcześniej pacjentka B, studentka medycyny, zgłaszała podobne objawy – ciągnęła Evi. – Miewała koszmarne sny seksualnej natury, po przebudzeniu czuła się skacowana i zamroczona, choć twierdziła, że nie piła alkoholu i nic nie brała. Pacjentka B nigdy nie użyła słowa gwałt. Czuła się napastowana, i to wielokrotnie, ale uważała, że sprawcą jest jej umysł.

– Upiorne – powiedziała Laura. – Ona też się zabiła?

Evi skinęła głową.

– Na początku tego samego roku kolejna dziewczyna, pacjentka C, zgłosiła na policję powtarzające się gwałty – mówiła dalej. – W jej krwi wykryto wysoki poziom ketaminy, choć przysięgała, że nic nie brała. Poza tym nie było żadnych dowodów. Policja jej współczuła, ale nie miała punktu zaczepienia.

– Mówiła pani o czterech przypadkach – przypomniała jej Laura.

– Pacjentka D próbowała się zabić pięć lat temu – powiedziała Evi. – Podobna historia. Złe sny, problemy z zaśnięciem, mętne wspomnienia napastowania seksualnego.

– Próbowała? Chce pani powiedzieć, że żyje?

Evi nie odpowiedziała. Po chwili Laura wstała i podeszła do okna.

– Dowiedziała się pani, ile było przypadków prób samobójczych – rzuciła przez ramię – więc nasza lista sięgnęła dwudziestu dziewięciu osób.

– To prawda – przytaknęła Evi.

Laura odwróciła się i spojrzała wprost na nią.

– Pani wie, kim są te wszystkie osoby? – spytała.

Evi skinęła głową.

– Ale mi pani nie powie?

– Jeszcze nie jestem gotowa na to, żeby dać się odstrzelić – odparła Evi. – Poza tym są inne sposoby zdobycia tych informacji. Gdzieś są raporty koronera na temat samobójstw, które doszły do skutku. Policja może uzyskać do nich dostęp, jeśli tylko udowodnicie kornerowi, że macie dobry powód.

Laura nie wyglądała na przekonaną. Zacisnęła usta, spojrzała w podłogę. Nagle jakby coś jej przyszło do głowy. Uniosła wzrok i przywołała na twarz wymuszony, grzeczny uśmiech.

– Naprawdę rozumiem – powiedziała do Evi. – Dziękuję, że powiedziała pani chociaż tyle. Omówię to z moimi przełożonymi. Jeśli uznają to za ważne, z pewnością popchną sprawę dalej.

Laura Farrow kombinowała coś, czego nie powinna kombinować. W jej oczach widać było błysk ekscytacji i zerkała na drzwi, gdzie wisiała jej kurtka.

– Niech mi pani da znać, jeśli czegoś się pani dowie, dobrze? – poprosiła Evi.

Laura zgodziła się, oczywiście, ale myślami była już gdzie indziej. Przeszła przez pokój, zdjęła kurtkę z wieszaka i ubrała się w nią. Sekundę później już jej nie było.

43

Właśnie zaczęła się pora wizyt, ale w małej izolatce z jej tropikalnym mikroklimatem nie było nikogo prócz Bryony. Kiedy zbliżyłam się do ochronnego namiotu, zobaczyłam, że twarz martwego dawcy została przymocowana do jej ciała centymetrowymi stalowymi zszywkami. Ich rzędy biegły wokół jej oczu i ust, w poprzek czubka głowy. Frankenstein – nie mogłam się powstrzymać od tej myśli. Frankenstein zszywał kawałki martwych ludzi, by stworzyć żywą istotę.

Bryony znów usunięto respirator. Została tylko krótka, plastikowa rurka wystająca z szyi, na wypadek gdyby personel potrzebował szybko ją podłączyć. Na razie oddychała bez wspomagania.

Ja wolałabym nie żyć. Milion razy wolałabym nie żyć niż przeżyć jeden dzień z takim wyglądem.

Drzwi zamknęły się za mną z cichym szurnięciem i Bryony otworzyła oczy. Popatrzyła na mnie i mrugnęła.

– Cześć – powiedziałam.

Jej oczy były jasnoniebieskie. Pięknie oczy, nietknięte przez ogień, ale patrzenie, jak poruszają się wśród martwej skóry, było jak obserwowanie żywego trupa. Przyciągnęłam sobie krzesło i usiadłam parę kroków od łóżka. Miałam chyba nadzieję, że nie będę już widzieć tych oczu. Nie udało się. Odwróciła głowę i znów utkwiła je we mnie.

Jak mogłam pomyśleć, że te odwiedziny to dobry pomysł?

– Pewnie się zastanawiasz, kim jestem – powiedziałam, zmuszając się, by spojrzeć wprost na nią. – I prawdę mówiąc, nie bardzo wiem, co ci powiedzieć.

Jej bezrzęse powieki zamknęły się na chwilę i znów otworzyły. Nie mogłam wiedzieć, co do niej dociera i czy w ogóle cokolwiek. Mogła być przytomna, ale leki przeciwbólowe zapewne wciąż działały bardzo silnie.

– Nie mogę ci nawet powiedzieć, jak się nazywam, bo nie wolno mi podać prawdziwego nazwiska. A nie chcę cię okłamywać.

Coś było w tych oczach. To mogła być ciekawość. To mógł być strach. Naprawdę nie chciałam jej straszyć.

– Jeśli chcesz, żebym sobie poszła – odezwałam się znowu – to pójdę. Nie wiem, czy możesz mówić, ale jeśli szybko zamrugasz, uznam to za sygnał, że mam wyjść. Okej?

Właściwie nie spodziewałam się odpowiedzi, ale Bryony poruszyła głową w górę i w dół.

– Mieszkam w twoim dawnym pokoju – ciągnęłam więc. – Z Talaith. Ale nie jestem studentką. Tylko udaję studentkę, ale nie jestem.

Co ja robiłam, na litość boską? Jeśli Bryony potrafiła w jakikolwiek sposób komunikować się z ludźmi, to właśnie wszystko zniszczyłam. Spaliłam kamuflaż, położyłam śledztwo i prawdopodobnie naraziłam na szwank rekonwalescencję tej dziewczyny.

– Jestem tutaj – ciągnęłam, wiedząc, że nie ma już odwrotu – bo są ludzie, którzy się martwią. Uważają, że ktoś może krzywdzić studentów. Może nie bezpośrednio, może to wszystko jest bardzo subtelne, ale mimo to groźne.

Bryony uniosła z łóżka prawą rękę. Była grubo zabandażowana. Zetknęła palec wskazujący i kciuk i pokiwała dłonią w powietrzu.

– O co chodzi? – spytałam. – Mam ci coś podać? Potrzebujesz pielęgniarki?

Ręka opadła z powrotem na łóżko. Oddech Bryony przyspieszył, pierś unosiła się i opadała pod pościelą. Wbrew temu, co przy ostatniej wizycie mówił mi Nick na temat środków przeciwbólowych, miałam wrażenie, że cierpi.

– Przepraszam – powiedziałam. – Naprawdę nie chcę cię denerwować i pójdę sobie, kiedy tylko o to poprosisz.

Umilkłam, czekając na szybkie mruganie, które byłoby dla mnie sygnałem, że czas stąd iść. Miałam nadzieję, że je zobaczę. Ale ona tylko patrzyła na mnie. Czekała.

– Okej, więc sprawa wygląda tak – zaczęłam. Teraz chciałam to już mieć za sobą. – Czytałam akta twojej sprawy i wiem, co według ciebie spotykało cię w nocy w twoim pokoju. Wiem też, że przynajmniej cztery inne studentki twierdziły, że działo się z nimi coś bardzo podobnego.

Oczy otworzyły się szerzej.

– Cztery młode kobiety mówiły o złych snach, o tym, że ktoś przychodzi do nich w nocy. Mówiły, że zostały zgwałcone. Że spotkało je to, co ciebie.

Ani na sekundę nie spuszczała ze mnie wzroku.

– Bryony – zapytałam – czy ty wiesz, kto wchodził do twojego pokoju?

Bryony zamknęła oczy i poruszyła głową z boku na bok. Nie wiedziała. Minęło kilka sekund, zanim znów uniosła powieki. Męczyłam ją.

– Dziękuję – powiedziałam. – Pozwolę ci odpocząć.

Jej prawa ręka znów uniosła się z pościeli. Znów zetknęła palec wskazujący i kciuk i zataczała nimi kółeczka w powietrzu.

– Zawołam pielęgniarkę – powiedziałam.

W drodze do drzwi zatrzymały mnie naglące dźwięki dobiegające z łóżka za mną. Dźwięki, jakie wydaje człowiek, kiedy nie może mówić, ale bardzo chce, by go usłyszano. Odwróciłam się. Bryony na wpół uniosła się z łóżka. Wciąż wykonywała dłonią ten dziwny, urywany gest. W końcu zmęczenie ją pokonało i z cichym jękiem padła z powrotem na łóżko. Podeszłam do prawej strony namiotu, do otworów, których używały pielęgniarki przy zabiegach pielęgnacyjnych. Przy otworze najbliższym jej ręki wisiał mały prostokąt białego plastiku i mazak z miękką końcówką.

– Bryony – powiedziałam – ty możesz pisać?

Odpowiedzią było krótkie, gwałtowne kiwnięcie głową. Z pudełka przy łóżku wyjęłam sterylną rękawiczkę i tak delikatnie, jak umiałam, wsunęłam mazak między jej kciuk a palec wskazujący. Potem przytrzymałam tabliczkę, by mogła na niej pisać.

Trzymanie mazaka i poruszanie nim było wielkim wysiłkiem – poznawałam to po zmrużonych oczach i cichych sapnięciach, które wyrywały się z jej gardła. Pełna nadziei i jednocześnie poczucia winy patrzyłam, jak pisze literę.

O

Zajęło jej to dużo czasu, ale wreszcie jej ręka opadła na łóżko, a na tabliczce były dwa słowa.

„Obserwują mnie"

Ruch na korytarzu. Gałka drzwi Bryony zaczęła się obracać i znów znieruchomiała. Usłyszałam oddalające się kroki. Spojrzałam w dół i przekonałam się, że Bryony napisała coś jeszcze.

„Boję się"

– Czego się boisz? – spytałam głosem, którego chyba nie mogła usłyszeć; pochyliłam się bliżej, by odczytać ostatnie słowo, które napisała. Jej ręka opadła na pościel. Napisała: „Bell. Dzwon".

Jaki dzwon? Na litość boską, dlaczego miałaby się bać dzwonu? Musiałam przełknąć całą masę pytań. Bryony miała dość. Nawet ja to widziałam. Zmusiłam się, żeby się do niej uśmiechnąć, zrobiłam krok w stronę drzwi i nagle przypomniał mi się ostatni raz, kiedy byłam w tym pokoju.

Był tu wtedy dzwon, poniekąd. Nick Bell. I obserwował ją.

44

Smutek. Beznadzieja. Rozpacz. Raczej takich słów spodziewałabym się od młodej dziewczyny, która próbowała popełnić samobójstwo. Nie „obserwują mnie". Nie „boję się". Na litość boską, co działo się w życiu Bryony, że popchnęło ją do tak drastycznego kroku? Jeśli to nie były urojenia czy wymysły dla zwrócenia na siebie uwagi, to sprawa zaczynała wyglądać zupełnie inaczej. I co w tym wszystkim robił Bell, czy też dzwon?

Przez całą drogę powrotną do pokoju aż skręcało mnie z rozpaczliwej chęci porozmawiania z kimś. Zawsze uważałam się za samotniczkę pozbawioną wszelkich skłonności do dzielenia się przemyśleniami. Jakże się myliłam. W policji zawsze był ktoś, komu zdawało się raport, z kim omawiało się swoje pomysły. A tu, po raz pierwszy od lat, miałam za dużo do poukładania w głowie i nikogo, do kogo mogłabym się zwrócić.

Bell niekoniecznie musiał oznaczać Nicka Bella. Było to dość popularne nazwisko, ale mimo wszystko nie zamierzałam jeszcze spuszczać tego gościa z haczyka. W Cambridge musieli być inni Bellowie. Otworzyłam laptop i zaczęłam szukać na uczelnianych stronach jakiegoś innego Bella. Najpierw przejrzałam listę studentów licencjackich, potem magistrantów, potem kadry naukowej, wykładowców, honorowych profesorów, członków zarządu i personelu pomocniczego. W społeczności liczącej ponad dwadzieścia tysięcy osób znalazłam jeszcze trzy osoby o tym nazwisku, z czego dwie kobiety. Trzeci był Harold Bell, z którego notki biograficznej dowiedziałam się, że od jakiegoś czasu jest na emeryturze.

Więc może ktoś z miasta. Z baru, restauracji, księgarni? Talaith pewnie mogłaby mi pomóc wytypować miejsca, w których bywała Bryony.

To prawda, dokładnie wiedziałam, co robię. Nie chciałam, żeby Nick Bell okazał się zamieszany w to, co się tu działo. Polubiłam go.

Kiedy poszukiwania Bellów przyniosły zerowe rezultaty, zabrałam się do kolejnego wyznaczonego samej sobie zadania. Odszukanie nazwisk kobiet, o których powiedziała mi tego przedpołudnia Evi: samobójczyń, które podejrzewały, że zostały zgwałcone.

Trzy lata akademickie wcześniej sześcioro młodych ludzi odebrało sobie życie – był to jeden z najgorszych roczników w annałach pod względem liczby samobójstw. Przez jakiś czas przeszukiwałam uniwersyteckie gazety i dzienniki, a potem również periodyki wydawane w mieście Cambridge, i ostatecznie znalazłam sześć nazwisk. Jednak bez pomocy Joesbury'ego nie mogłam wiedzieć, o której z kobiet mówiła Evi.

Zeszły rok był jeszcze trudniejszym zadaniem, bo samobójstw wśród studentów było aż siedem. Nie udało mi się nawet odnaleźć wszystkich nazwisk, więc nie mogłam wiedzieć, kim była dwójka Evi. Ale z rocznikiem sprzed dwóch lat mi się poszczęściło. Kobieta, którą Evi nazywała pacjentką D, nie umarła i namierzyłam ją dość szybko. Danielle Brown, dwudziestoletnia studentka neurologii z Kolegium Clare próbowała się powiesić w lesie za miastem. Zauważyły ją jakieś dzieciaki, które odcięły ją ze stryczka i uratowały jej życie.

Danielle Brown. Wciąż żyje.

O trzeciej wiedziałam już, że nie wytrzymam długo w czterech ścianach. Po pierwsze ciągle jeszcze czułam się zamulona i trudno było mi się skupić. Po drugie, czułam się coraz bardziej nieswojo w moim pokoju. Może tylko przez wspomnienia tego, co przeżyła Bryony, ale coś nie pozwalało mi usiedzieć tu spokojnie.

A poza tym z każdą mijającą godziną rosła moja frustracja. Przez niemal całe trzy dni robiłam dokładnie to, co mi kazano – nurzałam się w uczelnianym życiu, patrzyłam i obserwowałam. Każdego dnia przez ładnych kilka godzin surfowałam po necie, szukając dowodów popierających teorię Evi, że jakaś wirtualna subkultura wywiera destrukcyjny wpływ na zdrowie psychiczne uniwersyteckiej zbiorowości. W sieci było całe mnóstwo samobójczych stron, ale nie znalazłam nic, co wiązałoby się konkretnie z Cambridge.

Kwadrans po trzeciej zaczęło mnie już nosić. W normalnych okolicznościach, kiedy tak się czułam, próbowałam zwalczyć ociężałość, robiąc sześćdziesiąt albo i więcej długości basenu, ale nie odkryłam jeszcze pływalni i nie zaczęłam nawet układać sobie grafiku zajęć sportowych. Uznałam więc, że czuję się dość dobrze, by pójść pobiegać.

Przebrałam się, zerknęłam na mapę i już miałam ruszyć nad rzekę, gdy nagle przypomniałam sobie swoją wczorajszą wycieczkę do kompleksu przemysłowego i ogólnodostępną nadrzeczną ścieżkę, którą tam zauważyłam. Jeszcze jedna szybka konsultacja z mapą powiedziała mi, że to ponadsześciokilometrowa okrężna trasa, zahaczająca o brzeg jednego z dopływów Cam. Miejsce równie dobre jak każde inne na popołudniowy jogging.

Z początku była to ciężka praca, męczyłam się przez jakiś kilometr, ale szybko weszłam w rytm. Wszystko zależy od oddechu, nieważne, na jaki dystans się biegnie. Jeśli zapanuje się nad oddechem, można biec w zasadzie do oporu, póki ciału starczy sił. Dla kogoś w moim wieku i z moją kondycją mogło to być nawet kilka godzin. A kiedy tak biegłam, nie mogłam się opędzić od myśli o tym, co napisała Bryony.

Ktoś ją obserwował. Ktoś ją przerażał. To były prawdziwe lęki czy tylko majaczenia półprzytomnej dziewczyny? Nie byłaby pierwszą młodą kobietą, która wymyśliła sobie prześladowcę, by zwrócić na siebie uwagę. I czy słusznie, czy niesłusznie podejrzewałam Nicka Bella? Czy to normalne, że lekarz domowy odwiedza pacjentów w szpitalu? Raz, może i tak, ale regularnie, jak sam pochwalił się Bell? Oj, chyba nie.

Kiedy już zostawiłam za sobą budynki, krajobraz zbielał. Trawa chrupała mi pod stopami, pokryte lodem kałuże pękały jak szkło, a drzewa obsypywały mnie drobnym, lodowym konfetti, kiedy pod nimi przebiegałam.

Biegłam dalej w blasku zniżającego się słońca, mijając zaorane pola, pokonując przełazy w żywopłotach. Przez jakieś półtora kilometra posuwałam się z biegiem małej rzeczki, która wiła się wężowato po łąkach. Po jej obu stronach rosły wierzby, a sam brzeg porastało sitowie, które w świetle zachodu wydawało się rzeźbione z polerowanej miedzi.

Po trzydziestu minutach pokonałam maleńki mostek i zorientowałam się, że wracam. Przebiegłam już z półtora kilometra, kiedy wydało mi się, że w oddali przede mną widzę duże, zardzewiałe dachy przemysłowych budynków. Zbliżałam się do kompleksu, tyle że z przeciwnej strony, patrząc od miejsca, gdzie wczoraj parkowałam. Kiedy wspięłam się na drewnianą bramę prowadzącą na kolejne pole, okazało się, że jestem bliżej, niż sądziłam. Brakowało mi jeszcze z osiemset metrów. Od tej strony widziałam o wiele starszy, ceglany budynek. Wyglądał na wiktoriański i zrujnowany. Jakaś stara fabryka, może odlewnia.

I nagle to się stało. Dosłownie jak grom z jasnego nieba – i była to chyba ostatnia rzecz, jakiej się spodziewałam. W jednej chwili biegłam sobie, czując, że zwalniam i że pot cieknie mi między łopatkami. W następnej chwili usłyszałam piskliwy skrzek. Instynkt kazał mi unieść głowę. Jakieś sto metrów przed sobą zobaczyłam wielkiego ptaka, lecącego nisko w moją stronę.

Nie od razu się zaniepokoiłam, ale ptak zbliżał się, krzycząc cały czas, więc zwolniłam bezwiednie, jakbym chciała opóźnić moment, kiedy się spotkamy. Spojrzałam w górę, gdy przelatywał tuż nad moją głową, tak nisko, że mogłam dostrzec cętkowane, brązowe pióra na jego piersi, ocenić rozpiętość skrzydeł na niemal metr i obejrzeć sobie żółte, pokryte łuską szpony.

Odwróciłam się, przekonana, że ptak odleci. I owszem, odleciał, ale nie na długo. Teraz trudniej było mi go dostrzec, bo nadlatywał wprost od strony słońca, ale nie miałam żadnych wątpliwości, że zawrócił i znów leci na mnie.

Okej, co robić? Jesteś kilka kilometrów od najbliższego schronienia, dookoła nie ma żywego ducha, a ciebie atakuje duży drapieżny ptak. Są jakieś instrukcje na taką okazję? Bo ja nie miałam żadnego pomysłu. Choć wiedziałam, że to głupota próbować prześcignąć ptaka, szczególnie tak dużego, jednak spróbowałam. Poczułam wiatr skrzydeł, a może nawet ich muśnięcie, kiedy ptak znów przeleciał mi nad głową.

Co tu się działo, do cholery? Ptaki nie atakują ludzi. Czyżbym zasnęła przy biurku i obudziła się w filmie Hitchcocka? Spojrzałam w górę. Okej, musiałam coś wymyślić. I to szybko. Po lewej miałam druciane ogrodzenie, wysokie na jakiś metr dwadzieścia. Po drugiej stronie był las. Ptakowi z pewnością trudniej będzie mnie atakować między drzewami niż na otwartej przestrzeni.

Napastnik wracał, jeszcze niżej, celując prosto w moją twarz. Odwróciłam się i pognałam w stronę płotu. Ptak wzniósł się wyżej i zawisł nade mną, przez cały czas skrzecząc jak potępieniec. Drzewa były wysokie, ale smukłe. Na szczęście dla mnie rosły bardzo gęsto i nie sądziłam, by ptak mógł tu do mnie sfrunąć.

Nie mógł i nie próbował. Ale nie poddawał się łatwo. Wciąż słyszałam go nad koronami drzew, jak krzyczał, zapewne wyzywając mnie od tchórzy w ptasim języku.

Ruszyłam przez las, schylając głowę pod niskimi gałęziami, i po jakichś pięciu minutach dotarłam na niewielką polanę. Na środku widniały pozostałości ogniska. W pierwszej chwili pomyślałam o dzieciakach, wymykających się tu, żeby pić tani alkohol i palić papierosy z podejrzanych źródeł. Tyle że nie było tu żadnych wyraźnych śladów bytności nastolatków. Nastolatki śmiecą; po imprezie, wracając do domu, nie zahaczają o kosze z recyklingiem. A tutaj nie było nic oprócz poczerniałych głowni i popiołu.

Po drugiej stronie polany była wąska ścieżka; z ulgą ruszyłam ku niej. Zdziwiłam się mocno, widząc, że jest oświetlona. Po jej obu stronach, w pięciometrowych odstępach, stały niewielkie lampy. Przy silniejszym oświetleniu pewnie bym ich nie zauważyła, ale w zapadającym zmroku właśnie zaczynały świecić. To były solarne lampki, dość podobne do tych, jakie miałam w domu. Co oznaczało, że muszą być podłączone do paneli słonecznych. Podeszłam do drzewa najbliższego lampy, przy której stałam. I rzeczywiście, cienki, izolowany drut biegł w górę po pniu i ginął mi z oczu na wysokości.

Instalowanie solarnego oświetlenia w leśnej głuszy to kosztowne przedsięwzięcie. I po co ktoś miałby oświetlać ścieżkę prowadzącą na polanę?

Trudno było zorientować się w gęstniejącej ciemności, ale czułam, że zbliżam się do skraju lasu. Między drzewami przed sobą i po lewej dostrzegałam przebłyski jakichś dużych budynków. Z mojej prawej było pole ze ścieżką, po której wcześniej biegłam, i to była najbardziej oczywista droga do domu, ale mogłabym się założyć, że ten piekielny jastrząb widział po ciemku lepiej niż ja. Uznałam, że lepiej będzie wejść między budynki i trzymając się blisko ich osłony, jakoś dotrzeć do samochodu.

Wciąż jeszcze byłam dość zdenerwowana, więc kiedy usłyszałam jakiś dźwięk za plecami, obróciłam się, jakby ktoś do mnie strzelił. Nic nie zobaczyłam, ale lasy są pełne maleńkich stworzeń. Gałęzie spadają z drzew, czasami drewno trzeszczy ot tak. Nie było powodu do niepokoju, a przedzieranie się tyłem przez gąszcz jeżyn, pokrzyw i czarnego bzu raczej nie było dobrym pomysłem. Odwróciłam się z powrotem w kierunku, w którym zmierzałam.

I o mało nie umarłam ze strachu.

Wprost przede mną, niecałe dziesięć metrów, na drzewie wisiało za szyję ludzkie ciało. Ułamek sekundy później zorientowałam się, że nie jest to prawdziwy człowiek. Była to tylko duża szmaciana lalka.

Podeszłam bliżej. Lalka miała niecały metr wysokości. Jej ręce i nogi były uszyte z kremowej bawełny. Ubrana była w żółtą sukienkę, poplamioną przez deszcz, pleśń i ptasie odchody. Stopy obszyto takim samym materiałem, imitującym buty. Dłonie były namalowane. Włosy zrobiono z pomarańczowej wełny, zaplecionej po bokach głowy w dwa warkocze. Obydwa były związane dużymi żółtymi kokardami. Twarz lalki była groteskowa. Wielkie, szeroko uśmiechnięte, krzywe usta, grube brwi i groźne czarne oczy. Po prawym policzku biegła potężna blizna. To nie była dziecięca zabawka – to coś zrobiono, by przerażało. I udało się.

Obeszłam drzewo, szerokim łukiem omijając wiszącą postać. Przeszło mi przez myśl, że kolejne spotkanie z wojowniczym ptakiem może nie byłoby takim złym pomysłem. O, z całą pewnością nie było złym pomysłem, bo szmaciana lalka nie była jedynym wisielcem w tym lesie. Wprost przede mną wisiało zwierzę, bujając się łagodnie, jakby ktoś przed chwilą trącił je dla zabawy.

Lis był prawdziwy. Miał zakrwawioną szyję, co oznaczało, że prawdopodobnie był żywy, kiedy go tu powieszono. Na kolejnym drzewie, jakieś pięć metrów dalej, widziałam kolejną dyndającą postać. Zbyt daleko, bym mogła się zorientować, czy to człowiek. Musiałam podejść bliżej. Była za mała na dorosłego, jakieś metr dwadzieścia, metr pięćdziesiąt wzrostu. Byłam już dość blisko. Kolejna ohydnie wymalowana bawełniana twarz. Włosy tym razem czerwone, związane niebieską wstążką.

Och, coś tu cholernie nie grało.

– To prywatny las.

Nie miałam pojęcia, że ktokolwiek jest w pobliżu, a mimo to niski srebrnowłosy człowieczek podkradł się tak blisko, że mógł mnie dotknąć. Był ubrany jak typowy prowincjonalny farmer w brązowe sztruksowe spodnie i sztormiak.

– Co tu się dzieje? – spytałam bez zastanowienia, wskazując najbliższą lalkę. – Co to jest?

Nie mogłam nie podziwiać faceta, który mając najwyżej z metr siedemdziesiąt wzrostu, potrafił patrzeć na mnie z góry.

– Słyszała pani, co powiedziałem? – spytał. – Rozumie pani słowo „prywatny"?

Och, mieć przy sobie odznakę.

– Przepraszam – wycedziłam przez zęby.

– To jest najkrótsza droga do wyjścia – powiedział, wskazując pole po mojej prawej. To, po którym biegłam, kiedy zaatakował mnie ptak. – Sugeruję nią pójść.

Spojrzałam w stronę kompleksu przemysłowego.

– Pójdę tędy – oznajmiłam. – Trochę już za ciemno, żeby biegać po polach.

Jego wyciągnięta ręka nawet nie drgnęła.

– Tędy – powiedział.

Trochę już wkurzona życzyłam mu dobrej nocy i zrobiłam krok na bok, chcąc go obejść i ruszyć w stronę budynków. Facet wykonał lustrzany ruch, skutecznie zastawiając mi drogę.

– Co pan wyprawia? – spytałam dość zaczepnie, ale prawda była taka, że zaczynałam się go troszeczkę bać. Był tuż po sześćdziesiątce i choć nie był zbyt postawny, prawdopodobnie i tak był dużo silniejszy ode mnie. A w jego oczach czaiło się coś, czego nie nazwałabym rozsądkiem.

– Moja ziemia – powiedział. – Mogę robić, co mi się podoba.

– Nie może pan – odparłam. – Proszę mi zejść z drogi.

Nie ruszył się. Potrząsnął tylko z emfazą ręką, którą wskazywał mi kierunek

– Idzie pani tędy.

– Jak się pan nazywa? – spytałam.

– A pani? – odpowiedział.

No cóż, tu mnie miał. Laura Farrow nie mogła się wdawać w publiczny spór z miejscowym właścicielem ziemskim. Gdyby wmieszali się w to lokalni policjanci, szybo zorientowaliby się, że Laura Farrow nie istnieje. Mogłam spalić całą tajną operację.

– No cóż, miłego wieczoru, sir – powiedziałam, co, przyznaję po namyśle, nie było zbyt mądre. Życzenie komuś miłego wieczoru i nazwanie go „sir" było w bardzo policyjnym stylu. Zawróciłam i szybkim krokiem ruszyłam na skraj lasu. Jeszcze jeden skok przez płot i byłam na polu. Kiedy się odwróciłam, on wciąż mnie obserwował.

Zaczęłam biec. I nie przestałam, dopóki nie dobiegłam do samochodu.

Po powrocie do pokoju zastałam mail od Evi, z pytaniem, czy mam jutro wolny wieczór i czy pójdę z nią na proszoną kolację. Pisała, że byłaby to dla mnie szansa poznać więcej osób, a my dwie miałybyśmy okazję porozmawiać, gdyby coś wyszło w ciągu dnia.

Pomyślałam, że dałoby mi to też okazję wypytać ją o Nicka Bella. Chciałam wiedzieć, czy go zna i co o nim myśli. Odesłałam jej krótką odpowiedź, że bardzo chętnie jej potowarzyszę, a ona natychmiast odpisała mi, podając adres. Wiejski dom pod Cambridge. Miałyśmy się tam spotkać o ósmej.

Wieczór znów spędziłam na surfowaniu po internecie i poszukiwaniu stron i portali, które mogłyby podżegać bezbronne osoby, takie jak Bryony, Nicole i Jackie, do odebrania sobie życia. Ale jeśli takie miejsca gdzieś tam były, to umykały mi. Byłam coraz mocniej przekonana, że teoria Evi nie jest słuszna. Kiedy czułam już, że oczy wyłażą mi z orbit, wysłałam raport Joesbury'emu i poszłam spać.

45

Joesbury wypuścił powietrze, choć nawet nie zdawał sobie sprawy, że wstrzymywał oddech. Na litość... Której części zdania „nie jesteś tam, żeby prowadzić śledztwo" ta kobieta nie mogła pojąć? Wygiął się do tyłu, przeciągnął, potarł oczy i jeszcze raz przeczytał akapit.

„Pamiętaj, że to nie jest gwałt na randce. Te cztery kobiety, a właściwie pięć, jeśli liczyć Bryony, nie poszły do domu z kimś, kogo spotkały w barze. One wszystkie były przekonane, że ktoś wchodzi nocą do ich pokoju, kiedy śpią, i napastuje je seksualnie. Większość dziewczyn w takich uczelnianych środowiskach zamyka się na noc na klucz, a to oznacza, że ktoś dostawał się do nich przez zamknięte drzwi. Większość kobiet obudziłaby się i wrzaskiem postawiła na nogi całą okolicę, gdyby w środku nocy zaczął ich dotykać obcy mężczyzna".

Tylko nie ty, Lacey, dumał Joesbury, podchodząc do okna. Obcy mężczyzna dotykający cię w środku nocy to dla ciebie zupełnie normalne zjawisko. Jezu, potrzebował się wypisać z tej sprawy. Nie, potrzebował ją wypisać z tej sprawy. Zwyczajnie nie był w stanie myśleć logicznie, kiedy... A w tym hotelowym pokoju zaczynał się czuć jak zwierzę w klatce. Wyszedłby na spacer, ale dobrze wiedział, dokąd by trafił. Na trawnik pod bursą Świętego Jana.

Odwrócił się i spojrzał na niebieską teczkę leżącą koło jego laptopa na wąskim hotelowym biurku. Doskonale wiedział, kim były te cztery kobiety. Freya Robin, Donna Leather, Jayne Pearson i Danielle Brown. Zaczynał już recytować te nazwiska – te i wszystkie pozostałe – przez sen. Westchnął jeszcze raz i wrócił do raportu.

Chryste, tylko Lacey mogła zostać zaatakowana przez wściekłą pustułkę, znaleźć martwe zwierzęta wiszące na drzewach i dać się wyrzucić z prywatnej ziemi przez obłąkanego farmera. I wszystko w jedno popołudnie. Kiedy skończyła wreszcie paplać o tym, jak spędziła wolny czas, wróciła do poprzedniego tematu.

„Ja tu widzę wyłaniający się schemat. Złe sny, możliwe zaginięcia, zażywanie narkotyków, nieudowodnione napastowanie seksualne, może nawet gwałt, a potem śmierć. Wiem, mówiłeś, że nie prowadzę tu śledztwa, ale licząc z usiłowaniami samobójstw, mamy już dwadzieścia dziewięć potencjalnych przypadków czegoś bardzo podejrzanego. Evi nie chce mi podać nazwisk, zasłania się jakimiś bzdurami o tajemnicy lekarskiej, ale znalazłam kilka z nich, w tym Danielle Brown, jedną z możliwych ofiar gwałtu, w prasowych archiwach. Wiem, że resztę mógłbyś zdobyć z archiwów miejscowej dochodzeniówki. Bardzo by mi pomogło, gdybym wiedziała, kim one były. Mam tu mnóstwo wolnego czasu. Mogę po prostu siedzieć przy komputerze i zestawiać fakty. Sprawdzić, czy coś się nie rzuca w oczy. Jestem dobra w szczegółach, wspominałam już? Kolejna sprawa, która byłaby bardzo pomocna, to odnaleźć Danielle Brown i porozmawiać z nią. Gdyby nam powiedziała, że ktoś wywierał na nią presję przez internet, to byłby duży krok naprzód, prawda? Mogłabym popracować nad tym jutro".

Pisała tak, jak nigdy z nim nie rozmawiała. O wiele mniej oficjalnie, wręcz po przyjacielsku. Kiedy byli twarzą w twarz, zawsze miała się na baczności, pilnowała każdego słowa, które wychodziło z jej ust. Chyba że traciła panowanie nad sobą. Kiedy ją poznał, celowo sprowokował ją w absolutnie nieprofesjonalny sposób, byle tylko wykrzesać z niej reakcję, która nareszcie byłaby autentyczna.

„Okej, teraz będzie naprawdę poważnie. Dziś znowu poszłam odwiedzić Bryony Carter i odkryłam coś. Dziewczyna nie może mówić, ale może pisać. Bardzo powoli, tylko słowo czy dwa, bo chyba nie ma wielkiej kontroli nad mięśniami. Napisała mi, że ktoś ją obserwuje. Co zupełnie nie klei się z teorią Evi na temat gnębienia przez internet. Obserwowanie kogoś to bardziej osobiste, wyrachowane działanie. Przyznała mi się też, że się boi, i napisała słowo Bell. Coś ci to mówi? Jej lekarz domowy nazywa się Nick Bell i był w jej pokoju (obserwował ją?) tego dnia, kiedy go poznałam, ale szczerze mówiąc, jakoś tego nie widzę. Wygląda na miłego. Nikt inny o tym nazwisku na uczelni nie wydaje się prawdopodobnym kandydatem. Zamierzam jeszcze ją odwiedzić. Ale nie chcę naciskać zbyt mocno, ona jest w fatalnym stanie.

Okej, to chyba wszystko na dzisiaj. Ledwie mogę utrzymać otwarte oczy, a na mojej poduszce wyleguje się młody dżentelmen, którego zbyt długo już zaniedbywałam. Mówię o misiu, oczywiście. Mówię na niego Joe, wspominałam ci? Do licha, jestem zmęczona. Dobranoc. Pchły na noc. Nie pozwól, żeby karaluchy... No dobra, naprawdę kończę. Chrap, chrap..."

Joesbury wstał, przeszedł przez pokój i oparł czoło o chłodne drewno drzwi. Po pięciu minutach westchnął i sięgnął po telefon.

46

Cambridge, piętnaście lat wcześniej

Nikt nie musi tego robić – *odezwał się młody człowiek, który ukradł klucz i otworzył drzwi na szczycie kościelnej wieży. Był wysoki i smukły. W wieku dwudziestu jeden lat jego ciało było niemal ideałem męskiej urody. Włosy, które zapuścił trochę po zakończeniu surowej szkoły z internatem, fruwały wokół jego głowy jak jakaś pogańska korona.* – *Wiem, że rozmawialiśmy, ale dopóki tam nie staniemy, żaden z nas nie będzie wiedział, jak się poczuje. Jeśli ktokolwiek zmieni zdanie, nie ma sprawy.*

Jeden z jego dwóch towarzyszy – *pierwszy, który wyszedł na dach* – *miał na szyi granatowo-czerwono-żółty szalik jednego ze słynniejszych kolegiów Cambridge. Pokręcił głową.*

– *Ja nie zmienię zdania* – *powiedział.* – *Nie macie pojęcia, o ile wszystko jest bardziej klarowne, od kiedy się zdecydowaliśmy. Jakby zniknął jakiś potężny ciężar.* – *Odwrócił się i spojrzał na schody.* – *Nie wrócę tam, na dół* – *dodał, a w jego oczach błyszczały łzy.* – *Po prostu nie mogę.*

– *Będziesz musiał, tak czy inaczej* – *odparł trzeci chłopak. Zerknął niespokojnie na dwóch kolegów.* – *Przepraszam* – *rzucił. Ogromne źrenice w jego bladej twarzy jakby straciły zdolność skupienia. Ręce mu drżały. Był niższy i chudszy niż jego dwaj towarzysze; typowy okaz hodowany pod dachem.*

Długowłosy młodzieniec położył dłoń na ramieniu tego mniejszego.

– *W porządku* – *powiedział.* – *Każdy radzi sobie z tym, jak umie.*

– Więc jak to robimy? – spytał trzeci chłopak. Jego mowa była nienaturalnie szybka. – Łapiemy się za ręce i liczymy do trzech?

– Chodźmy na razie spojrzeć – zasugerował chłopak z długimi włosami. – Chcę, żeby wszyscy byli pewni.

– Ja jestem pewny – stwierdził ten z szalikiem Kolegium Świętej Trójcy. – Dzięki, że jesteście ze mną, chłopaki. Nie wiem, czy pójdziecie ze mną do końca, czy nie, ale bez was nie dotarłbym aż do tego miejsca. Byliście dobrymi przyjaciółmi.

Wyciągnął ręce i dwaj koledzy po kolei dali się objąć. Uściski były krótkie, męskie, niewiele więcej niż wzajemne klepnięcie po plecach.

Razem przeszli przez dach aż na gzyms. Metr czy dwa wcześniej trzeci chłopak został z tyłu. Pierwsi dwaj albo nie zauważyli, albo udawali, że nie widzą. Dotarli do kamiennego obrzeża i usiedli na nim. Nie spuszczając z siebie nawzajem wzroku, zwiesili nogi poza gzyms. Nad przepaścią zadyndały dwie pary butów.

– Powodzenia, przyjacielu – powiedział pierwszy.

– Kocham cię, stary – odparł jego towarzysz.

Zduszony krzyk z tyłu. Trzeci chłopak pędził na nich, z otwartymi ustami, wymachując pięściami. Dotarł do nich, wybił się na gzyms i skoczył.

Cisza przez trzy, może cztery sekundy. Potem chrupnięcie. I znów cisza.

Obydwaj młodzieńcy na gzymsie wychylili się do przodu, by widzieć moment uderzenia. Teraz, poruszając się jak jedno ciało, wyprostowali się i spojrzeli na siebie.

– Wiesz, Iestyn, nawet gdyby tego nie zrobił, to porządne pchnięcie załatwiłoby sprawę – powiedział ten długowłosy.

Ten w szaliku Świętej Trójcy, Iestyn, pokręcił głową.

– W życiu – powiedział. – Uwierz mi, to psuje całą zabawę.

Wciąż poruszając się jak jeden, uśmiechnęli się, unieśli pra-
we dłonie i głośno przybili sobie piątkę.

47

Piątek, 18 stycznia (cztery dni wcześniej)

Spóźniłaś się.

Zgrabny tyłek w dżinsach usadowił się wygodnie na skórzanym fotelu pasażera, a jego właścicielka ostentacyjnie
uniosła lewy nadgarstek.

– Zegarek ci spieszy – stwierdziła, nie patrząc na Joesbury'ego. – Jestem punktualnie. – Joesbury zwolnił ręczny hamulec, zerknął we wsteczne lusterko i ruszył. Dokładnie w tej
chwili Chris Evans oznajmił, że słuchają piątkowej audycji
Radia 2 i jest dziewiąta trzydzieści dwie.

– Zdaje się, że tym w BBC też się spieszą zegarki – zauważył.

– Ruch był duży?

– W sumie nie najgorszy jak na tę godzinę – odparł Joesbury, co dość wyczerpująco opisało jego pięciominutową jazdę z wielopoziomowego parkingu w centrum miasta do miejsca na Queen's Road, kawałek od kolegium, gdzie umówił się
z Lacey. Wysyłając jej mail bladym świtem, zadbał o to, by
była przekonana, że jechał z Londynu.

Rozglądała się. Spojrzała na tylne siedzenie, na sufit.

– To nie jest twój samochód – oznajmiła. Joesbury skręcił
w Huntingdon Road. Ruch na drogach prowadzących na północ
od Cambridge był spory, ale nie było korków. W radiu zaczął
się kawałek Jamesa Browna.

– To jest czy nie? – naciskała.

Teraz, kiedy ona była w środku, samochód pachniał bosko: słodkimi pomarańczami i maleńkimi białymi kwiatkami w tropikalny wieczór. Co jest, do cholery, teraz nagle był poetą?

– Kiedy poznałam cię jesienią, miałeś pedalski, zielony kabriolet. Auto dla pań, które jadają na mieście.

– Miło, że pamiętasz. – Przed nimi były światła, więc Joesbury zdjął nogę z gazu. Gdyby się zatrzymali, mógłby na nią spojrzeć. W innych okolicznościach to nie byłoby odpowiedzialne. Zacisnął usta, by powstrzymać uśmiech; ciekawe, czy przepisy przewidywały karę za prowadzenie pod wpływem Lacey.

– Z drugiej strony, kiedy poznałam cię jesienią, miałeś też prawe płuco bez dziury po kuli. Cóż, życie idzie naprzód.

– Auć – jęknął Joesbury. Nie, właśnie że nie spojrzy.

– Boli?

Ta dziwna nuta w jej głosie nie brzmiała jak troska – raczej jak nadzieja – ale trudno było stwierdzić bez patrzenia na nią.

– Nie, szczerze mówiąc, jedzie mi się całkiem dobrze.

Wciąż mieli zieloną falę, przedmieścia zaczęły zostawać w tyle, samochody wokół jechały szybciej. Kątem oka widział, że Lacey patrzy wprost na niego. On też zerknął, zanim zdążył się powstrzymać, i jego żołądek wywinął koziołka. Prawie nigdy nie miała makijażu. Przez chwilę cieszył się w duchu na myśl, że wystroiła się dla niego. Ale nagle przypomniał sobie, że przecież jest tajniaczką. Udaje piękną, ale mocno płaczliwą Laurę Farrow.

– Wciąż mam to auto dla pań, które jadają na mieście – powiedział, kiedy zbliżali się do dwupasmówki. – Ten pojazd jest zarejestrowany na pewną firmę w Essex, która zakończyła działalność dwa lata temu.

– Łał, prawdziwy szpiegowski samochód.

Udał westchnienie.

– Flint, czy ty to traktujesz ze stuprocentową powagą?

Powierciła się trochę na siedzeniu jak podekscytowane dziecko na wycieczce.

– Absolutnie – odparła. – Opuściłam dwa wykłady, żeby się z tobą przejechać. Więc dokąd jedziemy?

– Do Lincoln – rzucił, zjeżdżając na zewnętrzny pas i przyspieszając. Termometr na desce rozdzielczej pokazywał zero stopni na dworze. – Na spotkanie z Danielle Brown.

Sekunda ciszy, i w końcu:

– Dlaczego?

– Bo to była studentka Cambridge, która próbowała popełnić samobójstwo, a wcześniej zgłaszała napaść seksualną dokonaną przez nieznanych sprawców.

Lacey przeciągnęła dłonią po włosach.

– Wiem – powiedziała. – Napisałam ci o tym wczoraj wieczorem. Pytam, dlaczego jedziemy się z nią spotkać? Bo mnie to jakoś dziwie przypomina śledztwo, a ja przecież nie jestem tu po to, żeby prowadzić śledztwo. Wyłożyłeś mi to bardzo dobitnie.

– Będziesz tak truć przez całą drogę? – spytał.

– Prawdopodobnie. Tam i z powrotem. I dlaczego ty się w to wmieszałeś? Myślałam, że wypełniasz lżejsze obowiązki. No wiesz, parzysz herbatkę ważnym ludziom w Yardzie.

– Widocznie ważni ludzie w Yardzie uznali, że podwiezienie cię sto pięćdziesiąt kilometrów i patrzenie, jak przesłuchujesz miłą młodą damę, zalicza się do lżejszych obowiązków. Najwyraźniej nie znają cię tak dobrze jak ja.

Kiedy znów na nią zerknął, uśmiechała się. Obcy, lekki ból policzków powiedział mu, że i on się uśmiecha.

Megan miała rację. Piętnaście lat temu, kiedy Evi Oliver była studentką pierwszego roku medycyny i kiedy jeszcze miała lśniące włosy i sprawne nogi, pięcioro studentów odebrało sobie życie.

Evi siedziała w swoim gabinecie w poradni. Odchyliła się na krześle, a jej lewa ręka automatycznie zjechała w dół lewego uda, próbując masażem choć trochę złagodzić ból. Pamiętała jednego z nich, tego, o którym Nick wspomniał w środę wieczorem. Chłopaka, który skoczył z wieży jednego ze starszych kościołów. Miejsce u podstawy wieży było odgrodzone przez ponad dwadzieścia cztery godziny, a potem przez wiele dni zasłane tanimi kwiatami. Teraz dowiedziała się jeszcze o czterech osobach, z których żadnej nie pamiętała. Może takie rzeczy były wyciszane w tamtych czasach. Wróciła do statystyk na ekranie.

Nic innego nie rzucało się w oczy. Jedno, dwa samobójstwa na rok, w niektórych latach żadnego. Dokładnie to, czego należało się spodziewać. Z wyjątkiem nagłego skoku, kiedy była na studiach, i tego, co działo się teraz, średnia studenckich samobójstw w Cambridge nie odbiegała od normy.

Zerkając jednym okiem na zegar (bo za piętnaście minut miała zebranie rady wydziału), Evi weszła do internetowego archiwum uczelnianej gazety. Wpisała „samobójstwo" w wyszukiwarkę i po chwili miała już informacje o piątce młodych ludzi, którzy zginęli na jej pierwszym roku.

Czterech chłopaków, jedna dziewczyna. Jeden skok z wieży, jedne podcięte nadgarstki i trzy przedawkowania. Trójka z nich to byli studenci medycyny – jeden na drugim roku (skoczek) i dwójka na pierwszym (ten, który podciął sobie żyły i jeden z amatorów pigułek). Evi jeszcze raz spojrzała na zegarek i podniosła słuchawkę.

– Sprawdziłem twojego kolegę, Nicka Bella – powiedział Joesbury, kiedy jechali już A1.

– I masz coś? – spytała Lacey, odwracając głowę w jego stronę o ułamek sekundy szybciej, niż powinna. Nie spodobało mu się to.

– Czysty jak łza, ale będziemy go mieć na oku.

– Mogłabym wpaść na niego przypadkiem. No wiesz, spróbować poznać go trochę lepiej?

Drażniła się z nim. A przynajmniej taką miał nadzieję.

– Zajmuj się swoją robotą, Flint. Do swojego nietypowego życia miłosnego będziesz mogła wrócić, kiedy zdejmiemy cię z tej sprawy.

Nie odpowiedziała. Kiedy spojrzał na nią, wpatrywała się wprost przed siebie, a jej pomalowane na różowo usta były odrobinę odęte. Nadąsane. Nawet nie wiedziała, jak pulchna była jej dolna warga.

– Możemy też wprowadzić kogoś do jego przychodni, żeby sprawdził komputery – powiedział Joesbury, zdecydowanie wbijając oczy w drogę. – Jeśli wchodził na podejrzane strony internetowe, to się dowiemy. – Lacey wciąż wpatrywała się w deskę rozdzielczą. – Wystarczy na to jakiś tydzień.

– Jak? – Odwróciła się i znów na niego spojrzała. – Nie można tak po prostu zapukać komuś do drzwi i poprosić, żeby pozwolił przeprowadzić inspekcję swojego twardego dysku.

W radiu Michael Bublé zaczął śpiewać o tym, że przyszedł nowy świt i nowy dzień. Nie był to ulubiony cover Joesbury'ego, ale piosenka niezła. Sięgnął do przodu, żeby zrobić troszeczkę głośniej. Zastanawiał się, czy powinien zostawić ostatnie pytanie bez odpowiedzi. Pewnie byłoby lepiej.

– Najpierw wysyłamy im trudnego do wykrycia wirusa – zaczął. – Byle tylko trochę namieszać w systemie. Potem przekierowujemy połączenia wychodzące z budynku, by wyłapać telefon do serwisu komputerowego, kiedy zechcą wezwać pomoc. I jeszcze tego samego popołudnia podsyłamy kogoś od nas.

– Przebiegłe.

– Chyba sprawdziłaś w słoniku definicję „tajnej operacji", zanim wzięłaś tę robotę, co, Flint?

Wypuściła powietrze przez nos – mógł to być nawet cichy chichot – i Joesbury znów to poczuł. To, co zawsze czuł, kiedy był przy niej, nawet kiedy największe gówno świata właśnie trafiało w wentylator. Pewność, że na ziemi nie ma takiego miejsca, w którym wolałby być w tej chwili.

– Meg, obudziłam cię?

Cisza w słuchawce. Potem szelest materiału o materiał. Coś skrzypnęło, ktoś chyba ziewnął. Meg leżała jeszcze w łóżku.

– Nie, obecna – odparła ze swoją zwykłą poranną chrypką palaczki. – Tylko nie do końca przytomna. Mam dzisiaj wolne i nie wlałam w siebie jeszcze dawki kofeiny. Co tam, Evi?

– Przepraszam, nie wiedziałam. Mogę do ciebie zadzwonić w przyszłym tygodniu.

Znów szelest materiału, cichutkie stękniecie.

– Nie, mów.

Evi wymieniła rok, w którym obie studiowały w Świętym Janie; Evi na pierwszym roku, Megan na trzecim.

– Pięć samobójstw – powiedziała. – I to jedyny taki nietypowy rocznik pod tym względem, nie licząc ostatnich pięciu lat. Wspomniałaś o tym przedwczoraj. Jak dużo pamiętasz?

Sekunda ciszy, kiedy Megan myślała i wstawała z łóżka.

– Niewiele, szczerze powiedziawszy – odparła po chwili. – Ale Evi, piętnaście lat temu internet był jeszcze w powijakach. Tego rodzaju zastraszanie i zachęcanie, o jakim mówiłaś, nie mogłoby się zdarzyć. Nie rozumiem, jaki to może mieć związek.

Miała rację.

– To prawda.

Ciche westchnienie.

– Posłuchaj, Evi, naprawdę nie jestem pewna, czy w tej chwili powinnaś zaprzątać sobie głowę czymś takim. Sama nie czujesz się dobrze. Pozwól, że przekażę te informacje Johnowi. Jego ludzie będą mogli się tym zająć, jeśli uznają, że to ważne.

Coś w głosie Megan sugerowało, że ten ostatni pomysł wydawał jej się zabawny.

– On tam jest? – spytała Evi.

Chwila ciszy.

– Może i jest – odparła Megan z ewidentnym uśmiechem w głosie.

– Okej, okej, już ci daję spokój. Miłego dnia, Meg.

– To ja panie zostawiam – powiedział Joesbury i ruszył do stołu w najdalszym końcu pokoju. Wysunął sobie krzesło. Wcześniej kupił egzemplarz „Daily Mirror"; teraz otworzył go na sportowych stronach i podparł głowę palcami. Dzięki temu miał dobry widok na dwie kobiety i mógł udawać, że czyta.

Danielle Brown była wrakiem. Naprawdę trudno byłoby określić to inaczej. W wieku dwudziestu pięciu lat wyglądała na dziesięć więcej. Miała ze dwadzieścia kilo nadwagi, skórę upstrzoną trądzikiem i bez przerwy się drapała. Półtorej godziny wcześniej Joesbury i Flint podjechali pod niewielką kancelarię, gdzie pracowała jako sekretarka radcy prawnego. Przedstawili się i poprosili o rozmowę w przerwie na lunch. Zgodziła się dość chętnie, niemal ucieszyła się z nieoczekiwanego zainteresowania. O pierwszej podwieźli ją do domu na przedmieściu, w którym mieszkała z rodzicami.

Dom był to duży bliźniak z lat trzydziestych, z dużymi pokojami, wysokimi sufitami i oknami w stylu art déco. Ogromny, otwarty salon, a właściwie salon i jadalnia w jednym, był pełen zdjęć Danielle jako uczennicy i młodej studentki. Była szczupła i wysportowana, miała długie, błyszczące, kasztanowe włosy. Teraz były krótkie, ścięte raczej dla wygody pielęgnacji niż dla urody. Danielle ze zdjęć i teraz to były dwie różne osoby.

– Czytałam o tej dziewczynie – mówiła do Lacey, zdrapując zaschniętą skórkę ze spodniej strony nadgarstka. – O tej, która się podpaliła na świętego Michała. Nie żyje?

– Jest bardzo poważnie ranna – odparła Lacey. – Nie jest pewne, czy wyzdrowieje.

– A w tym tygodniu następna. W gazetach nie było żadnych szczegółów. Co jej się stało?

– Podejrzewamy, że mogła umyślnie rozbić samochód – powiedziała Lacey. – Danielle, zadam pani kilka pytań, na które może pani być trudno odpowiedzieć. Z góry przepraszam, bo to nie będzie przyjemne, ale nie pytałabym, gdyby to nie było ważne. Zgadza się pani?

Kątem oka Joesbury zobaczył, że Danielle kiwa głową. Była trochę nieufna, ale i zaintrygowana. Znów spuścił wzrok, czekając na nieuniknione pytanie o rzekome molestowanie seksualne.

– Danielle – zaczęła Lacey. – Kiedy studiowała pani w Cambridge, czy czegoś się pani bała?

Joesbury zorientował się, że od dwudziestu minut nie przewrócił stronicy. Lacey, która najwyraźniej minęła się z powołaniem studenckiej terapeutki, fundowała Danielle całkiem niezłą darmową psychoterapię, ale poza tym nie poczyniły zbyt wielkich postępów.

Jeszcze przed przyjazdem tutaj (ponieważ dość szczegółowo przestudiował akta Danielle) wiedział, że nie najlepiej radziła sobie ze studiami w Cambridge. Nie odrabiała zadanych prac, zapominała chodzić na wykłady i ćwiczenia, często zdarzało jej się zaspać. Szło jej tak źle, że władze wydziału zastanawiały się nad podjęciem jakichś działań. Widział też jej akta ze Studenckiej Poradni Psychologicznej i wiedział o jej niepopartych dowodami twierdzeniach, że nocami, we własnym pokoju, padała ofiarą napaści seksualnych. Ale nie miał pojęcia, co udało się wykopać Lacey. Nie miał pojęcia, że zanim Danielle powiesiła się na leśnym dębie, bała się czegoś.

– W naszym śledztwie sprawdzamy między innymi – mówiła Lacey – czy wrażliwi studenci nie są nakłaniani do robienia sobie krzywdy przez jakieś internetowe grupy. Wchodziła pani na jakieś portale albo czaty dla samobójców, kiedy była pani w Cambridge?

Danielle skinęła głową. Joesbury wyprostował się na krześle, nie przestając jej obserwować. Z miejsca, gdzie siedziały dwie kobiety, Lacey mogła go widzieć. Danielle nie.

– Chciałam tylko wiedzieć, czy są gdzieś jacyś inni ludzie, którzy czują się tak strasznie jak ja – powiedziała Danielle.

– Czy ktoś powiedział pani o tych stronach?

Spojrzenie, jakby nie zrozumiała pytania.

– Czy te strony same panią odnalazły w jakiś sposób? Dostawała pani maile albo wyskakiwały pani jako reklama w wyszukiwarce, czy coś w tym rodzaju? Jak pani się o nich dowiedziała?

– Wpisałam w Google „samobójstwo" – odparła Danielle odrobinę pogardliwym tonem. – To nie było trudne.

– Czy któreś z tych stron były skierowane specjalnie do studentów Cambridge?

Danielle znów pokręciła głową.

– Większość chyba była prowadzona w Stanach, o ile pamiętam – wyjaśniła.

Joesbury wstał po cichu i podszedł do okna. Ogród przed domem był dojrzały i zadbany. Nawet w zimie był atrakcyjny – ozdobne trawy i wiecznie zielone krzewy lśniły od szronu. Postanowił, że da Lacey jeszcze dziesięć minut, a potem zakończy to przesłuchanie. Był jeszcze czas na lunch, może nadarzy się okazja pogadać o czymś niezwiązanym z policyjną pracą. Czy w ogóle kiedykolwiek to robili?

Lacey i Danielle, siedzące na sofach, rozmawiały o samym wydarzeniu: o tym, jak Danielle pojechała rowerem do pobliskiego lasu, przerzuciła sznur przez gałąź i powiesiła się.

– Jak pani sięgnęła do gałęzi? – wypytywała Lacey. – Jeśli była tak wysoko, że mogła pani się na niej powiesić, na pewno nie można było jej dosięgnąć z ziemi.

– Pamiętam to dość mętnie – odparła Danielle. – Nawet następnego dnia nie pamiętałam wszystkiego zbyt wyraźnie. Policja powiedziała, że miałam linę z wcześniej zawiązaną pętlą i po prostu ją przerzuciłam.

– Pewnie zna się pani na węzłach – stwierdziła Lacey. – Ja jestem w tym beznadziejna. Nigdy nie wiem, od którego końca zacząć.

Cisza.

– Więc jak się wiąże pętlę na linie? – spytała Lacey. – A potem jak się to zakłada na szyję, żeby węzeł odpowiednio się zacisnął? Ja nie miałabym pojęcia, jak to zrobić.

Joesbury przestał udawać, że podziwia ogród. Odwrócił się przodem do kobiet.

– Nie pamiętam – powiedziała Danielle. – Lekarze twierdzili, że coś wzięłam. Wszystko pamiętam jak przez mgłę.

– Co pani wzięła?

Wzruszenie ramion. Twarz dziewczyny zesztywniała. Chęć współpracy znikała.

– A co pani zwykle brała?

– Nic. Nie brałam narkotyków.

– Tylko tego ranka, kiedy próbowała się pani zabić?

– Posterunkowa Flint – powiedział Joesbury, robiąc krok w ich stronę.

Spojrzała na niego na wpół buntowniczo, na wpół ze skruchą. Potem ze stanowczą miną odwróciła się z powrotem do Danielle.

– Na czym pani stanęła?

– Posterunkowa Flint... – Joesbury podniósł głos.

– Żeby skutecznie się powiesić, trzeba znaleźć się nad ziemią, zacisnąć pętlę, a potem skoczyć. Na czym pani stała?

– Z raportu Wydziału Dochodzeniowego wynika, że pani Brown balansowała na pedałach roweru wystarczająco długo, by zawiązać linę – powiedział Joesbury. – A jeśli jej zaraz nie odwieziemy, spóźni się do pracy.

– Pieprzenie!

Joesbury rozejrzał się po ulicy i wyjechał z małego parkingu.

– Nie krępuj się, Flint, powiedz, co myślisz.

– Pieprzenie jak stąd do Chin. O kim my mówimy, o cyrkowej akrobatce? Balansowała na pedałach roweru dość długo, żeby zawiązać sobie pętlę na karku, a potem drugi koniec na drzewie? Pieprzenie jak stąd do Chin i z powrotem!

W pewnym sensie miło było popatrzeć, jak traci tę swoją maskę opanowania.

– Tak, zrozumiałem, o co ci chodzi – rzucił. – Jesteś głodna?

– Nie mogła tego zrobić sama. Słyszałeś ją, nie ma pojęcia o węzłach. Ktoś jej pomagał.

– Być może. Odpowiada ci barowe żarcie?

– Do cholery, co ma znaczyć „być może"?

– Danielle nie umarła, bo ktoś ją znalazł i odciął – zauważył Joesbury. – Ci ludzie zadzwonili po pomoc i zwiali. Dochodzeniówka ich nie znalazła. Bardzo możliwe, że to był jakiś wisielczy żart, który zaszedł trochę za daleko.

– Nie potrafiła ich zidentyfikować?

Joesbury pokręcił głową.

– Kiedy ją znaleziono, była nieprzytomna. Najważniejszą informacją, jaką należy wynieść z tej rozmowy, jest to, że nie działała pod wpływem stron internetowych.

– Ale je odwiedzała.

Kawałek dalej był pub. Tablica przed wejściem głosiła, że cały dzień podają jedzenie. Proponowała też noclegi w pokojach gościnnych. Och, marzenia ściętej głowy. Stek, placek z mięsem i frytki, butelka dobrego bordo, a potem na górę na resztę popołudnia.

– Oczywiście że odwiedzała – powiedział. – Każdy średnio kumaty użytkownik komputera, rozważający jakiekolwiek ważne działanie w życiu, najpierw zagląda w Google. Ale nic nie wskazuje na to, że to, co znalazła w necie, uczyniło znaczącą różnicę.

Albo na resztę tygodnia.

– Chyba nie – przyznała Lacey.

Joesbury wrzucił lewy kierunkowskaz i wjechał na parking pubu.

– No dobra, trafił ci się dzień wolny od szkoły i pobawiłaś się trochę w prawdziwą policjantkę – stwierdził, gasząc silnik. – Więc czy teraz możesz się już trzymać wytycznych, które dostałaś, czy mam cię zastąpić jakąś funkcjonariuszką, która rozumie zdanie „rób, co ci każą"?

Przez sekundę, może dwie, patrzyli sobie w oczy. Pocałowała go raz, w październiku, około czwartej nad ranem, i delikatnie pociągnęła do swojego łóżka. Naprawdę obszedłby się w tej chwili bez tego wspomnienia.

– Czy to będzie naruszenie dyscypliny służbowej, jeśli nazwę starszego oficera protekcjonalnym dupkiem? – spytała go.

Być może ona nigdy się nie dowie, ile kosztowała go wtedy odmowa. Ile kosztowała go każda sekunda spędzona w jej obecności, kiedy nie mógł jej dotykać.

– Zapłać za lunch, Flint – powiedział – i będziesz mnie mogła nazywać, jak chcesz.

48

Kolacja, na którą Evi zaprosiła mnie jako swoją osobę towarzyszącą, odbywała się na totalnym pustkowiu. Czy też, jeśli ktoś chce być precyzyjny, w maleńkim przysiółku zwanym Endicott, między wsiami Burwell i Waterbeach, jakieś trzynaście kilometrów na północny wschód od Cambridge. Teraz już naprawdę czułam wokół siebie Fens. Miałam wrażenie, że gdyby wieczór był bardziej pogodny, widok ciągnąłby się nieprzerwanie aż do Morza Północnego. Spędziłam życie w miastach i te bezkresne, wschodnioangielskie krajobrazy trochę wytrącały mnie z równowagi. Było tego jakoś za dużo, za dużo pustki. Nie było się gdzie ukryć.

Dodam, że zachód słońca tego wieczoru, kiedy wracaliśmy z Joesburym do Cambridge, wręcz rzucał na kolana. Przez całe popołudnie było dużo chmur, a kiedy słońce się zniżyło, zerwał się wiatr i niebiosa zaczęły kotłować się nieskończonymi odcieniami oranżu, karmazynu i złota. Gdyby ktoś mi powiedział, że niebo się pali, mogłabym uwierzyć.

Ten niesamowity widok miał też chyba wpływ na Joesbury'ego. Milczał przez większość drogi, a kiedy podrzucił mnie do kampusu, ledwie się pożegnał. Teraz wyparowały już niemal wszystkie barwy i tylko parę wstążek złota przecinało nieustępliwą czerń. Jak wspomnienie dnia, z którym nie chciałam się żegnać.

Dostrzegłam przerwę w żywopłocie, której kazała mi wypatrywać Evi, i zjechałam z drogi. Po kilku metrach jazdy boczną dróżką wyłączyłam album Black Eyed Peas, którego słuchałam. W tej wiejskiej drodze ciągnącej się kilometry przede mną i znikającej w czarnej pustce było coś, co sprawiało, że hip-hop wydawał mi się zupełnie nie na miejscu.

Nawierzchnia nie była najlepsza i musiałam jechać powoli, bujając się i przeskakując z jednej dziury w drugą. Miałam wrażenie, że cywilizację zostawiłam za sobą. Reflektory mojego samochodu były jedynym jasnym punktem w otaczającej mnie czerni. Nie mogłam też zaczepić oka na żadnych ciałach niebieskich. Ktoś wziął odkurzacz i wyssał z nieba wszystkie gwiazdy, a jeśli księżyc w ogóle wzeszedł tego wieczoru, to najwyraźniej zmienił zdanie i zaszedł z powrotem.

Nagły kaprys kazał mi zatrzymać się i wyłączyć reflektory. Chciałam zobaczyć, jak to jest. Noc jakby stwardniała. Przyskoczyła bliżej, otoczyła samochód. Przysięgam, że słyszałam, jak karoseria jęczy pod naciskiem. Przerażające! Szybko włączyłam światła z powrotem. Nie miałam pojęcia, że noc może być tak gęsta.

Minęłam jakieś zabudowania po prawej, w tym coś, co mogło być domem. Ale nie było żadnych świateł. Żadnych zaparkowanych samochodów. Nic, co wskazywałoby na ludzkie zgromadzenie. Zastanawiałam się już, czy się nie poddać, kiedy wreszcie przejechałam między dwoma wysokimi, kamiennymi filarami i zobaczyłam przed sobą wiejski dom. Przed wejściem stało kilka aut, a w oknach na dole paliły się światła. Zaparkowałam i wysiadłam. W przysłanym wcześniej mailu Evi ostrzegała mnie, żebym nie zakładała obcasów. Łatwo było się zorientować dlaczego. To nie był nawet byle jaki, żwirowany podjazd. To była usłana kamieniami ziemia.

Dom był piętrowy, przysadzisty, kamienny. Wyglądał jak nawiedzony dom z książek dla dzieci: rzeźbione parapety, skomplikowany herb nad głównym wejściem i te paskudne diabliki, które szczerzą się do ciebie z wywieszonymi językami, przycupnięte na gzymsie dachu. Na środku drzwi znajdował się duży żelazny pierścień. Uniosłam go i właśnie zamierzałam puścić.

– Te drzwi nie były otwierane od śmierci starej królowej – odezwał się głos gdzieś z boku. Odwróciłam się i ujrzałam Nicka Bella, idącego w moją stronę z zapalonym papierosem w dłoni.

– To twój dom? – spytałam, kiedy był już bliżej. Sklęłam się w duchu za głupotę, że nie zapytałam Evi, na czyją imprezę mnie zaprasza.

– Raczej on posiada mnie – odparł. – Laura, prawda? Evi powiedziała, że wpadniesz. Miło cię znowu widzieć.

Schylił się i pocałował mnie w policzek. Skóra jego twarzy była zimna, oddech pachniał dymem i czerwonym winem. Nie mogłam powstrzymać dreszczu, kiedy dotknęły mnie jego usta.

– A ta stara królowa umarła tutaj? – spytałam raczej po to, żeby pokryć zmieszanie niż z zainteresowania zmarłą monarchinią. Dom wyglądał na tak wiekowy, że można go było skojarzyć z dowolną liczbą martwych królowych.

– Całkiem możliwe – odparł. Miał na sobie dżinsy i ten sam wełniany sweter, granatowy w brązowe ciapki, w którym widziałam go w szpitalu. – Jej gnijące ciało wciąż może leżeć w którymś z pokoi na poddaszu – dodał. – Czujemy tu od czasu do czasu bardzo dziwne zapachy.

Poszłam za Nickiem. Obeszliśmy dom z boku, mijając grupkę palaczy przygarbionych wokół ogrodowego paleniska, i znaleźliśmy się w dużej sieni, w której pachniało psami. Na stole zobaczyłam pudło pełne czegoś, co wyglądało jak żółte, puchate kurczaczki. Pochyliłam się bliżej. Owszem, kurczaczki. Martwe. Już miałam pytać Nicka, dlaczego trzyma w domu martwy drób, ale wprowadził mnie do kuchni. Szczupła kobieta po pięćdziesiątce, z ciemnymi włosami sięgającymi ramion, zajęła go jakąś sprawą, a dwa pointery zajęły mnie.

Mam bardzo niewiele doświadczenia z psami, ale trudno oprzeć się stworzeniom, które tak bezwstydnie cieszą się na twój widok. Obydwa były zasadniczo białe, w brązowe ciapki. Mniejszy i szczuplejszy miał czekoladowy pysk i uszy tak ruchliwe, że niemal do mnie mówiły. Drugi, z rudobrązową głową, wyglądał na starszego, jego oczy barwy kakao były mądre i przyjazne. Na tabliczce przy jego obroży napisane było „Merry". Młodszy miał na imię Pippin.

Wiem z doświadczenia, że ludzie, którzy mają świra na punkcie *Władcy Pierścieni*, bywają dziwni. Z drugiej strony ja sama jestem fanką Tolkiena.

Nick szukał czegoś w kuchennej szufladzie. Postawiłam na stole butelkę wina i nalałam sobie soku pomarańczowego.

– Wspaniały dom – stwierdziłam, kiedy Nick wyjął już wszystkie sztućce z szuflady i znów zajął się mną.

– Należał do moich rodziców – odparł. – Odziedziczyłem go parę lat temu. Sprzedam go komuś, kogo będzie stać na renowację, ale najpierw muszę połatać go na tyle, żeby móc bezpiecznie oprowadzić agentów od nieruchomości. Ta rudera się sypie.

Ktoś znów podszedł, żeby porozmawiać z Nickiem, więc sama ruszyłam do jadalni z dębową boazerią, obwieszonej glinianymi kuflami i talerzami malowanymi w wierzby. Kominek był ogromny. Po sekundzie zorientowałam się, że musiał taki być. Pomiędzy przeciwległymi ścianami pokoju pełnymi nieszczelnych okien wiał nieomal wiaterek. Na kamiennej posadzce ujrzałam dwa wiadra i miskę do łapania deszczówki. A przecież byliśmy na parterze.

W pokoju było około tuzina osób i niewiele miejsca dla kolejnych. Przeszłam dalej, do kolejnego pokoju z kamienną posadzką, w którym były fotele, błyszczący fortepian i jeszcze większy kominek, a do tego – cóż za sztampa – odcięta głowa dużego ssaka na ścianie. W dalszym końcu, na podokiennej ławie, siedziała Evi. Obok niej siedział jakiś starszy pan i pochylał się tak blisko, że ja na jej miejscu czułabym się niezręcznie. Dziś wieczór Evi była ubrana w jaskrawe czerwienie: czerwony sweter sięgający do połowy uda, czarne dżinsy wpuszczone w czerwone botki. Włosy, zebrane do góry, spięła czerwoną klamrą. Do tego maleńkie, błyszczące czerwone kolczyki. Zauważyłam, że ma długą szyję i wysoko trzyma głowę.

Zobaczyła mnie i się uśmiechnęła. Miałam już przejść przez pokój i przyłączyć się do niej, kiedy ktoś się do mnie odezwał.

– Widzę, że już wyschłaś – powiedział chłopak, który wydał mi się znajomy. Był chyba ciut starszy niż przeciętny student: trochę bardziej pergaminowa skóra, głębsze zmarszczki wokół oczu. Miał jakieś metr siedemdziesiąt wzrostu i był chudy. Ściągnięta twarz. Gdybym chciała być wredna, nazwałabym go wymoczkiem.

– A co, pada? – spytałam, choć doskonale wiedziałam, co miał na myśli. Dostrzegł zły błysk w moim oku i o mało nie uciekł. Znów byłam Lacey.

– Domyślam się, że we wtorek wieczorem byłeś na trawniku – powiedziałam, podnosząc najbliższą miskę i częstując go zawartością. Spojrzał w dół i zrobił zdezorientowaną minę. No cóż, poczęstowałam go potpourri. Sprężynki wiórów i suszone liście. Mniam. Lacey włożyłaby sobie wiórek do ust, żeby udowodnić swoją rację. Laura odstawiła miskę na fortepian i zrobiła głupią minę.

– Jestem Laura – powiedziałam.

– Will – przedstawił się. – Co studiujesz?

Kusiło mnie, żeby odpowiedzieć „przestępczość związaną z pornografią", ale się powstrzymałam.

– Psychologię – odparłam. – A ty?

– Teraz robię trzecią część matematycznego tripusu – wyjaśnił, a ja kiwnęłam głową, jakbym wiedziała, co to znaczy.

– Kim byli ci chłopacy? – spytałam go. – Ci zamaskowani na trawniku? – Scotta Thorntona już znałam. Nie zaszkodziłoby poznać nazwiska pozostałych.

Uśmiechnął się złośliwie i spojrzał na mój biust.

– A co? Planujesz zemstę?

– Chciałam tylko wiedzieć, kogo kopać po goleniach, kiedy zobaczę ich w biały dzień – odparłam, zanim zdążyłam się ugryźć w język. W tym gościu było coś takiego, co wydobywało ze mnie Lacey.

– Szczerze mówiąc, nie widziałem wcześniej takiej bandy – powiedział. – Dużo dziewczyn na pierwszym roku zalicza polewanie wodą, ale zwykle nie przez sobowtórów Zorro. I co, fajnie było, kiedy cię skuli?

Jezu, co za gnojek. Na szczęście w tej chwili zaczęli się pojawiać ludzie z pełnymi talerzami.

– Umieram z głodu – mruknęłam. – Pogadamy później.

Tymczasem wielbiciel porzucił już Evi.

– Przynieść pani coś do jedzenia? – zaproponowałam. Zaczęła kręcić głową, ale nagle jakby zmieniła zdanie.

– Bardzo proszę – powiedziała.

Wróciłam do kuchni i stanęłam w krótkiej kolejce. Curry, które czułam, okazało się łagodnie przyprawioną potrawką z bażanta, podaną z pieczonymi warzywami. Ale goście wciąż jeszcze wcinali pierwsze danie, jakiś rodzaj pasztetu.

Ukroiłam kawałek dla Evi, znalazłam pieczywo i nóż i ruszyłam z powrotem. Zamierzałam wypytać ją, jak długo zna Nicka Bella, i – o ile uda się to zrobić dyskretnie – co o nim myśli. Pewnie nie zaszkodziłoby się też dowiedzieć, czy pan doktor zna się na informatyce.

Ale nie było mi dane. W tej chwili rozmawiali z nią dwaj mężczyźni. Była piękna i krucha jak księżniczka z bajki. Po prostu nie mogli się oprzeć. Sięgnęłam zza pleców jednego z nich i podałam jej talerz.

– Dzięki, Lauro – powiedziała. – Porozmawiamy później?

Pozostawiłam ją adoratorom i wróciłam po jedzenie dla siebie. Pasztet był świetny, a potem ciemnowłosa kobieta zaczęła serwować potrawkę. Grzecznie gawędziłam o niczym z osobami w pobliżu i zastanawiałam się, czy wypada mi prosić o dokładkę, kiedy nagle pojawił się gospodarz.

– Co u ciebie? – spytał.

– Wylewam się z dżinsów, ale poza tym w porządku – odparłam. – Jedzenie jest obłędne.

– Mamy umowę z Liz – powiedział, wskazując ruchem głowy ciemnowłosą kucharkę. Kiedy usłyszała swoje imię, posłała mu spojrzenie matki, która ma trochę zbyt dużą słabość do syna. – Ja poluję, ona gotuje – ciągnął. – To, czego nie zjemy, sprzedaje w każdy trzeci wtorek miesiąca na targu farmerskim.

Byłam w jakimś całkiem innym świecie.

– Kiedy mówisz „poluję", oczywiście mówisz w przenośni, tak? – spytałam. – Znaczy, wpadasz do supermarketu, niczym drapieżnik skradasz się między półkami i wyrywasz ostatni kawałek mrożonego kurczaka matce z dwójką dzieci.

– Jesteś na wsi – wtrąciła się Liz, która tymczasem podkradła się bliżej. – Jim nie wziąłby do ust mięsa, które oglądało supermarket od środka. – Skinieniem głowy wskazała żylastego srebrnowłosego mężczyznę pod oknem i Lacey korciło, by spytać, czy Jim jest jej mężem, bratem, czy jednym i drugim. Ale Laura uśmiechnęła się tylko grzecznie. Liz, nie odwzajemniwszy uśmiechu, wzięła stertę brudnych talerzy i wyszła z pokoju.

– Więc jesteś mordercą? – zapytałam Nicka, spoglądając mu w oczy i próbując się zorientować, czy nie ma w nich niczego niepokojącego. Odpowiedziały mi spokojnym, pewnym spojrzeniem. Ciepły złoty brąz. Piękne oczy. Z wesołym błyskiem, którego nie potrafiłam zinterpretować.

– To ci przeszkadza? – odpowiedział pytaniem.

– Zależy, co zabijasz – odparłam. – No i jak to robisz. – Oj, musiałam uważać. Lacey stała na paluszkach, z wyciągniętymi rękami, domagając się wyjęcia z pudełka. Jeśli ten człowiek miał coś do ukrycia, to od tej chwili pewnie będzie miał się przede mną na baczności.

Ale muszę przyznać, że umiał zachować zimną krew. Uśmiechnął się do mnie bardzo szeroko i wyjął mi z ręki pusty talerz.

– Chodź – poprosił. – Pokażę ci moją zabójczą broń.

Jessica Calloway otworzyła oczy i przekonała się, że nie jest już w swoim pokoju w kolegium, który ostatnio był scenerią tylu koszmarów. Była w lesie. Powoli podniosła się z ziemi. Widziała gwiazdy przeświecające przez korony niewiarygodnie wysokich drzew. Ziemia była pokryta miękką posypką szronu, połyskującą srebrem w świetle gwiazd.

– Jessica! – zawołał głos skądś spomiędzy drzew. Wysoki, blaszany głos, który nie całkiem brzmiał jak ludzki. To był kolejny zły sen. Wiedziała, że niedługo się obudzi, drżąca, spocona i z krzykiem, ale bezpieczna na jawie.

Stała na nierównej, wydeptanej ścieżce. Co kilka metrów w zaroślach ukryto niewielkie lampy, siejące miękki blask. Światła zdawały się ją zapraszać głębiej do lasu.

Podskoczyła, słysząc ruch nad głową. Spojrzała w górę i zobaczyła jakieś stworzenie, bardzo dużego nietoperza, który zaczął pikować ku niej z koron drzew. Jessica drgnęła i zagapiła się nań zdumiona. Nietoperz był w najbledszym odcieniu błękitu i pozostawiał za sobą szlak, jak srebrzysty promień księżyca. Na jej oczach nietoperz zniknął, a świetlisty szlak zgasł, migocząc.

W sieni Nick podał mi sztormiak. Wsunęłam ręce w rękawy; kiedy wyszliśmy na dwór, okazało się, że pada śnieg. Poczułam dreszcz niepokoju, ale powiedziałam sobie: spokojnie. Otaczają nas ludzie. To jest jego dom. Nic się nie stanie.

– Nie wziąłem latarki – powiedział. – Trzymaj się blisko. Poszliśmy kamiennym chodniczkiem prowadzącym z domu do rzędu zabudowań gospodarczych. Niektóre wyglądały na stajnie. Kiedy się zbliżyliśmy, ukazał nam się długi, blady pysk konia.

– To Cienistogrzywy – przedstawił go Nick, zatrzymując się, by pogłaskać konia po nosie.

– Naprawdę jesteś fanem *Władcy Pierścieni* – mruknęłam, kiedy wyciągnął klucze z kieszeni dżinsów i wsunął jeden z nich w zamek drzwi sąsiedniego budynku.

– One już śpią – uprzedził. – Nie podnoś głosu.

W szopie przywitała nas ciemność, silny zapach zwierzęcych odchodów i dziwna, wyczekująca cisza. I nagle trzepot, tuż nad moim lewym ramieniem. Zaczęło przybywać światła. Widziałam dłoń Nicka w kącie pokoju, przekręcającą ściemniacz. Patrzyło na mnie dziesięć par łagodnych czarnych oczu.

Cofnęłam się i oparłam plecami o drzwi. Za szybko. Przestraszyłam je. Zaczęły podskakiwać, skrzeczeć, burczeć i bić skrzydłami.

– Wszystko dobrze? – spytał Nick, patrząc na mnie ze zmarszczonymi brwiami. – Przepraszam, powinienem był cię ostrzec?

– Co to za ptaki? – zapytałam, strzelając oczami od jednego stworzenia do drugiego, aż przekonałam się, że wszystkie są przywiązane do grzędy. Nie ruszyłam się od drzwi.

– Sokoły wędrowne – odparł Nick, podchodząc do najbliższego. Ptak schylił głowę w stronę wyciągniętej ręki Nicka, jakby chciał się połasić. Albo dziobnąć. Nick zabrał rękę, zanim ptak zdążył zrobić jedno lub drugie.

Sokoły różniły się trochę wielkością, ale miały identyczne ubarwienie. Pióra na ich grzbietach i wierzchu skrzydeł miały barwę zmoczonego deszczem łupku. Te na piersi były kremowe i cynamonowe, czarno nakrapiane.

– Najszybsze istoty na tej planecie – powiedział Nick. – Haldir, to jest Laura.

Sokół spojrzał na mnie. Oczy miał czarne, żółto obrzeżone. Widywałam ludzi z mniej inteligentnym spojrzeniem.

– Myślałam, że najszybsze są gepardy – zdziwiłam się. Sokół nie spuszczał ze mnie oka.

– E tam, gepardy. – Nick znów podsunął ptakowi palec i zabrał go, kiedy ptaszysko schyliło głowę. – Gepardy mogą biec sto dziesięć kilometrów na godzinę przez jakieś dwie minuty, a obserwowano sokoły nurkujące sto sześćdziesiąt na godzinę.

W dalszym końcu szopy, na osobnej, wysoko umieszczonej grzędzie siedziało coś, co niemal z całą pewnością było sową. Teraz podskoczyła i rozłożyła skrzydła, jakby domagając się uwagi.

– No dobrze, byłabym pod wrażeniem, ale czy to nie to samo, co spadanie? – spytałam. – Jeśli jesteś dość wysoko, to czy nie przyspieszasz w nieskończoność?

Nick wyciągnął rękę i sokół wszedł na jego przedramię.

– Zasadnicza różnica między swobodnym spadkiem a kontrolowanym nurkowaniem jest taka, że z nurkowania sokół jest w stanie wyjść w dwie sekundy.

Zbliżyłam się o krok do nich obu.

– Pozwoli mi się dotknąć? – zapytałam. Ptak popatrzył na mnie, jakby chciał powiedzieć: tylko spróbuj, kochanie.

– Jest trochę nerwowy – powiedział Nick. – Nawet ja muszę się pilnować. Ale Leah pozwoli. – Przysunął ramię do grzędy i sokół zszedł na nią z gracją. – Załóż to. – Nick podał mi wielką, skórzaną rękawicę. Naciągnęłam ją na prawą rękę. Sięgała mi do łokcia. Nick uniósł moje przedramię, aż ustawiło się poziomo, i wprowadził mnie głębiej do szopy. Otoczyły nas przenikliwe, czarne oczy. Zdjął sowę z grzędy i delikatnie postawił ją na moim wyciągniętym przedramieniu. Była niemal całkowicie biała i tylko pióra na jej grzbiecie i skrzydłach miały kolor, jaki można by zobaczyć na szylkretowym kocie, gdyby powoli zmieniał się w złoto.

– Prawie nic nie waży – zdziwiłam się, odrobinę unosząc rękę. Sowa podskoczyła i potrząsnęła skrzydłami.

– To właściwie tylko maskotka – wyjaśnił Nick. – Płomykówka. Sowy nie bardzo się nadają do polowania. Czasem pozwalam jej polatać, tak dla frajdy.

– Te ptaki dla ciebie polują? – spytałam. – Naprawdę łapią twoje jedzenie?

– I to więcej, niż mogę przejeść. Dlatego przydaje mi się Liz. Powinnaś kiedyś się ze mną wybrać.

– Wypuszczasz je codziennie?

– W sezonie tak.

– Jak ty znajdujesz czas na pracę? – zapytałam.

– Jestem lekarzem domowym – powiedział. – Pracuję na pół etatu i zarabiam fortunę. Nie czytasz gazet?

Leah odwróciła głowę, żeby spojrzeć mi w oczy. Było coś niesamowitego w tym, jak jej głowa poruszała się niezależnie od ciała. Nick wyciągnął rękę i delikatnie pogłaskał ptaka. Kiedy zabierał dłoń, sowa wyciągnęła za nią szyję, jakby z żalem.

– Nie sądziłam, że usłyszę, jak któryś z was się do tego przyznaje – powiedziałam.

– O, zawsze mówię szczerze o drobiazgach – stwierdził. – Dzięki temu duże kłamstwa pozostają niezauważone. Nie czułaś się zbyt pewnie, kiedy tu weszłaś, co?

– Rzeczywiście – odparłam. – Bardzo podobny ptak zaatakował mnie wczoraj.

– Gdzie?

– Kilka kilometrów stąd. Kawałek za miastem. Kiedy wyszłam pobiegać. W pewnej chwili myślałam, że stracę oczy. To było dość przerażające.

– Jak wyglądał? – spytał Nick.

Najlepiej jak umiałam z pamięci opisałam mu ptaszysko, które napadło na mnie wczoraj. Rozpiętość skrzydeł, na ile udało mi się ją ocenić, kolor upierzenia.

– Był większy niż te twoje – dokończyłam, uważnie przyglądając się sokołom. – I miał inne pióra na brzuchu.

– Wygląda mi to na myszołowa – powiedział Nick.

– One są znane z napastliwego zachowania?

– Hm, o dziwo, czasem się o tym słyszy – odparł. – Szczególnie latem, kiedy mają młode w gniazdach. Ale o tej porze roku to dość niezwykłe. Mogę tylko podejrzewać, że był kiedyś trzymany w niewoli i przywykł, że ludzie go karmią.

Ptaki wyczuły zamieszanie, zanim my je usłyszeliśmy. W jednej chwili były zrelaksowane, przywykały do naszej obecności, może nawet cieszyły się z niespodziewanego towarzystwa, a w następnej było już stroszenie piór, podniecone skakanie i naglące skrzeczenie. Nick z niepokojem spojrzał na drzwi i sięgnął, by odebrać ode mnie Leah. Odstawił ją z powrotem na grzędę, przemówił cicho do pozostałych i poprowadził mnie do wyjścia.

– Jesteś tam, Nick?! – zawołał męski głos. Zostałam w szopie. Rozpoznałam ten głos.

– Tu jesteśmy – odezwał się Nick. – Co tam?

– Jakiś pies dostał się do kotnych owiec na Tydes End – odparł znajomy głos. – Sam mówi, że robi straszne zamieszanie.

Nick głęboko zaczerpnął powietrza.

– Cholera – zaklął. – Jest za ciemno, do diabła. Będziemy potrzebować światła.

– Mamy. John pojechał tam pikapem. Powiedziałem, że pojedziemy za nim.

Nick zwrócił się do mnie. Nie miałam wyjścia, musiałam się pokazać. Zbliżyli się do nas dwaj mężczyźni. Jeden był wysoki, ciemnowłosy, przed pięćdziesiątką; wyglądał, jakby jadał za dużo ciemnego mięsa. Drugi był mniejszy i szczuplejszy, miał siwe włosy i wąsko osadzone oczy. To on był Jimem, którego wcześniej wskazała mi Liz. Był też tym gburowatym farmerem, który wczoraj wygonił mnie ze strasznego lasu.

– Lauro, trafisz sama do domu? – zapytał Nick. – Wrócę tak szybko, jak będę mógł.

Wyczułam, że Jim mnie nie poznał. Wczoraj byłam w ciuchach do biegania, włosy miałam ściągnięte i pociemniałe od potu i nie byłam umalowana. Ubrana na imprezę wyglądałam zupełnie inaczej.

– Oczywiście – odparłam. – Wszystko w porządku?

– Jakiś pies niepokoi owce kilka pól dalej – wyjaśnił Nick. – Wszystkie są kotne, więc to poważna sprawa. Połowa stada może poronić, jeśli go nie złapiemy. Niedługo wracam.

Poklepał mnie po ramieniu i ruszył z tamtymi, zatrzymując się jeszcze po drodze, by otworzyć ostatnią szopę w szeregu i wyjąć z niej coś, co podejrzanie przypominało strzelbę. W końcu wszyscy trzej zniknęli za płotem po drugiej stronie pola.

Jessica szła dalej, coraz głębiej w las, i powoli zaczęło docierać do niej, że światło się zmienia. Drzewa nie były już czarne i srebrne od światła księżyca; przybrały blady odcień złota. Pałały wszędzie dookoła, coraz jaśniej, jakby odbijały światło słoneczne. Spojrzała w górę. Każdy pień, sięgając granatowego nieba, rozszczepiał się na połyskującą pajęczynę gałęzi. A z góry spływały maleńkie kawałeczki złota. W pierwszej chwili Jessica pomyślała, że to spadające liście, ale kiedy jeden z nich wylądował na jej wyciągniętym przedramieniu, zrozumiała, że pada śnieg.

Płatek, niemal trzycentymetrowej średnicy, leżał na jej nadgarstku. Widziała jego misterny wzór, niczym wnętrze kalejdoskopu, na tle swojej bladej skóry. Patrzyła, jak topnieje, a inne zajmują jego miejsce. Złote płatki padały wszędzie dookoła, lądowały na jej ramionach, nogach, włosach, pokrywały ziemię jak jedwabny dywan.

Jessica się wyprostowała. Nigdy w życiu nie widziała czegoś tak pięknego jak ten złoty las, w którym drzewa rosły nieomal na jej oczach. Widziała, jak oddychają, jak ich długie, mocne pnie puchną, nabierając powietrza, a potem rozluźniają się, wydychając je. Zawsze wiedziała, że drzewa oddychają, wszystkie rośliny to robiły, ale nigdy nie sądziła, że zobaczy to na własne oczy.

Z każdym oddechem robiły się odrobinę wyższe. I czyżby śpiewały? Tak. Drzewa śpiewały jej cichą, piskliwą, niemal pozbawioną melodii pieśń, podobną do dźwięków wydawanych przez wieloryby, kiedy nawołują się przez setki kilometrów oceanu. Taką muzykę można by pewnie usłyszeć wśród gwiazd.

Jessica obracała się w miejscu, słuchając, jak drzewa wołają do siebie; była pewna, że gdyby postała tu dość długo i wsłuchała się uważnie, zaczęłaby rozumieć, co mówią. Zorientowała się, że już nie czuje strachu. Nie było się czego bać w tak pięknym lesie. Zrobiła krok w stronę najbliższego drzewa i wyciągnęła rękę. Było ciepłe i miękkie jak skóra ciepłokrwistego zwierzęcia. Pogłaskała je i poczuła, że drzewo mruczy do niej jak wielki kot.

Za jej plecami rozległ się niski śmiech.

Jessica podskoczyła i obróciła się, przywierając plecami do koto-drzewa. Ktoś ją obserwował. Zaczęła się cofać, powolutku obchodząc drzewo. Ścieżkę zgubiła już dawno. Mogła polegać tylko na blasku złotych drzew i łagodnie opalizującego śniegu pod stopami. Cofnęła się pod kolejne drzewo i obeszła je. O mało się nie przewróciła, ale w porę odzyskała równowagę.

Wciąż ją obserwowali. I byli coraz bliżej. Nie widziała ich, ale słyszała ich oddechy, czuła gryzący, stęchły, męski zapach.

Gałązka trzasnęła za nią i Jessica zaczęła biec. Nie miała odwagi się obejrzeć, biegła przed siebie po nierównej ziemi, omijając krzaki, wynajdując wąskie ścieżki między drzewami. Zobaczyła światło i przemknęło jej przez głowę, że to może być jakieś nowe niebezpieczeństwo. Jej mózg nie przetworzył tego w porę. Dotarła do polany, wpadła między nich i dopiero wtedy zobaczyła klaunów.

Nie spieszyło mi się do prowadzenia grzecznych pogaduszek z obcymi, ale kiedy dotarłam do ogrodu od tyłu, zobaczyłam, że w palenisku wciąż płonie ogień. Wokół niego na składanych krzesełkach siedzieli dwaj mężczyźni i dziewczyna. Pomyślałam, że się przyłączę. Podobno palacze zawsze są najbardziej rozrywkowym towarzystwem na wszelkich imprezach. Właśnie się zbliżałam, kiedy w tylnych drzwiach stanęła Evi w niebieskim wełnianym płaszczu, na którym natychmiast zaczęły osiadać płatki śniegu.

– A, Laura, tu pani jest – zagadnęła. – Jest szansa, żeby odprowadziła mnie pani do samochodu?

Evi, mimo swojej niepełnosprawności, nie wyglądała na osobę, która potrzebowała odprowadzania do samochodu, więc domyśliłam się, że chce porozmawiać.

– Wcześnie pani wyjeżdża – zauważyłam. – A może już po wszystkim? Czy wszyscy muszą wstać na poranny udój?

– Nie, tylko ja uciekam – odparła. – Siedzenie do późna mi nie służy.

Samochód Evi był zaparkowany obok mojego. Przytrzymałam jej drzwiczki, a ona rozejrzała się, jakby sprawdzała, czy jesteśmy same.

– Wszystko w porządku? – spytałam.

Przez chwilę nie odpowiadała. Spuściła spojrzenie na kierownicę; w następnej chwili znów popatrzyła mi w twarz. W słabym świetle jej oczy wydawały się czarne.

– Lauro, zna się pani na informatyce? – spytała. – Z detektywistycznego punktu widzenia?

– Trochę – odparłam. – Co się stało?

Inni goście też już wychodzili i byli coraz bliżej. Obeszłam samochód i wsiadłam na miejsce pasażera, obok Evi.

– Dwadzieścia metrów dalej od drogi odchodzi boczna dróżka – powiedziałam, kiedy odwróciła się i spojrzała na mnie ze zdziwieniem. – Może mnie pani tam wysadzić.

Jechałyśmy przez parę chwil, po czym Evi zatrzymała się na poboczu. Samochód jadący za nami minął nas.

– Nie wiedziałam, że zna pani Nicka – stwierdziła.

– Poznałam go parę dni temu w szpitalu. A pani go dobrze zna?

– Oboje studiowaliśmy tutaj medycynę – odparła. – Nick był dwa lata wyżej. – Uśmiech rozluźnił jej twarz. – Wczoraj przyszedł mnie odwiedzić. Jego też niepokoją te samobójstwa. Ulżyło mu, kiedy się dowiedział, że ktoś coś robi w tej sprawie.

– Chyba nie powiedziała mu pani o mnie? – zapytałam.

Otworzyła szerzej oczy.

– Nie, oczywiście że nie. Myślałam, że może pani to zrobiła.

Stanowczo pokręciłam głową.

– Nie, nie zrobiłam tego. On nie może wiedzieć. – Joesbury i reszta wbili mi do głowy przynajmniej jedno: nikt nie mógł wiedzieć, kim jestem. Nikomu nie wolno ufać. – Wróćmy do pani informatycznego problemu – poprosiłam. – O co chodzi?

Znów się odwróciła, postukała palcami w kierownicę, spojrzała w lusterko. Za nami nie było nic, dookoła tylko czarne kształty.

– Niewykluczone, że ktoś mnie prześladuje – powiedziała w końcu. – Ale policja nie traktuje mnie zbyt poważnie. Uważają mnie za lekką... histeryczkę.

Histeryczka to nie było słowo, jakiego użyłabym, chcąc opisać Evi Oliver. Nerwowa, być może, z pewnością schorowana, ale poza tym wszystkie jej słowa i czyny były aż za bardzo wyważone.

– Na czym polega to prześladowanie? – spytałam.

– Przedwczoraj wieczorem dostałam dwa maile z pogróżkami – wyjaśniła. – Ale kiedy próbowałam je przesłać policjantowi, z którym rozmawiałam, zniknęły bez śladu z mojego komputera. I teraz on powątpiewa, czy w ogóle istniały, i ja sama też zaczynam tak myśleć.

– Zniknęły, kiedy użyła pani funkcji „prześlij dalej"?

– Tak. To możliwe?

– Jak najbardziej – odparłam. – Musiały mieć wbudowanego wirusa, który uruchomiłby się przy każdej próbie przesłania dalej, zapisania czy wydrukowania listu. Ale na pewno wciąż są gdzieś w pani komputerze. Mamy w Met kryminalnych analityków komputerowych. Znajdą je bez trudu.

– Nie wiem, czy to zasługuje na uwagę Policji Metropolitalnej – stwierdziła Evi. – Ale dobrze wiedzieć, że może jednak nie wariuję.

– Obawiam się, że nie powinnyśmy się wymieniać mailami, dopóki nie będziemy mieć pewności, że pani system jest bezpieczny – oceniłam.

Evi westchnęła. Wciąż miała zatroskaną minę.

– To wszystko? – spytałam, pewna, że jest tego więcej.

Pokręciła głową.

– Były też telefony – powiedziała. – Całe mnóstwo, jeden po drugim, na komórkę i stacjonarny. Cisza w słuchawce. Numer zastrzeżony.

– Kiedy? – spytałam.

– Dwa wieczory temu. Zaczęły się w środę. Wczoraj wieczorem były kolejne i dzisiaj, zanim wyszłam. W końcu wyłączyłam obydwa telefony. To nie jest rozwiązanie, biorąc pod uwagę, że w przyszłym tygodniu mam dyżur pod telefonem.

– To bardzo uciążliwe – odparłam. – Ale niestety się zdarza. Być może będzie pani musiała zmienić numery i mieć nadzieję, że dowcipnisie odpuszczą. To pewnie nic osobistego.

Evi nie odpowiedziała. Nie musiała. To, jak wetknęła oba kciuki do ust rozpaczliwym, dziecinnym gestem, mówiło samo za siebie. Czekałam, licząc w głowie. Przy trzydziestu znów na mnie spojrzała.

– Właśnie w tym rzecz – powiedziała. – To jest bardzo osobiste.

Trzej klauni siedzieli wokół drewnianej, ażurowej skrzynki, która służyła im za stolik. Na skrzynce stał czajnik, biały w kolorowe ciapki, i trzy filiżanki na spodeczkach od tego samego kompletu. Był też talerz babeczek i drugi z górą kanapek. Jeden z klaunów, ubrany w patchworkowy kombinezon, grał rolę gospodyni. Miał wielkie, białe, szkieletowate dłonie, które trzęsły się, kiedy podniósł czajnik i zaczął nalewać

herbatę. Wszyscy trzej zachichotali, kiedy parująca ciecz wy-
chlapała się na ziemię. Klaun z czajnikiem miał trzy kępki fioletowych włosów, które podskakiwały, kiedy się śmiał. Dolna
połowa jego białej twarzy składała się z samych zębów.

Klaun, który wziął sobie szeroką filiżankę, miał na sobie
marynarkę ekscentrycznego, wiejskiego szlachetki, w czerwo-
no-żółtą szachownicę. Jego twarz była dwa razy dłuższa niż
normalne twarze i zwężała się w spiczasty podbródek, sięgający niemal mostka. Włosy miał długie, rozczochrane, w kolorze
jaskrawej zieleni.

Trzeci klaun wydawał się ogromny. Na szyi miał niezliczone warstwy wielokolorowych kryz, a na nogach spodnie
w czerwone i białe prążki. Jego brzuch i tyłek były gigantyczne. Podobnie jak stopy w tradycyjnych, wielkich, klaunich butach. Jego twarz, tak jak twarze dwóch poprzednich, składała
się głównie z wyszczerzonych żółtych zębów.

– Cześć, Jessica – powiedział.

Dziesięć minut później stałam już na drodze. Poczekałam,
aż tylne światła samochodu Evi znikną w ciemności, i zawróciłam do domu, zastanawiając się, czy dobrze zrobiłam, mówiąc jej, żeby się nie martwiła i że odwiedzę ją we wtorek.

Upiorne zabawki. Zamaskowane postacie w ogrodzie.
Krew – nawet jeśli sztuczna – w wannie. To były działania
mocno zaburzonego umysłu. A do tego inteligentnego.

Jeszcze dwa samochody minęły mnie na drodze, słyszałam zapalanie kolejnych silników. Ludzie na wsi najwyraźniej wcześnie kładli się spać. Ja też musiałam się już zbierać.
Opowieść Evi zaniepokoiła mnie. Chciałam też na spokojnie pomyśleć o Nicku Bellu i zdecydować, czy naprawdę go
podejrzewam. A jeśli był zamieszany, to w co? No i był jeszcze Scott Thornton, wykładowca z mojego kolegium. Razem

z dwoma kumplami przebrał się za Zorro i pożyczył sobie tradycyjny uczelniany rytuał, żeby nastraszyć i upokorzyć nową studentkę.

Nagle wszelkie myśli o Bellu i Thorntonie uleciały mi z głowy, przegnane przez ohydny odgłos. Czy raczej kilka krótkich, gardłowych odgłosów. Jakby ktoś usiłował krzyczeć, ale duszono go przy każdej próbie.

Uciekaj! – powiedział mi wewnętrzny głos. Ukryj się!

Mówiąc sobie, że te dźwięki były ciche, że cokolwiek je wydawało, było z pewnością dość daleko, i że przyniósł je do mnie wiatr, mimo wszystko wyszłam na środek drogi. Nie chciałam być zbyt blisko żywopłotu ani niczego, co mogło się w nim kryć. Noc znów zrobiła się cicha.

Na litość boską, co właściwie usłyszałam? W pierwszym momencie przyszła mi do głowy zaatakowana kobieta, ale byliśmy wiele kilometrów od czegokolwiek. Obejrzałam się na dom, próbując wyliczyć, ile czasu zajmie mi dobiegnięcie tam w ciemnościach i po nierównym podłożu.

W żywopłocie coś się poruszało. Coś dużego, dyszącego. Cofnęłam się, o włos od panicznej ucieczki, choć jednocześnie nie śmiałam oderwać oczu od tego, co pędziło na mnie. Stworzenie na czterech potężnych łapach, z zębami błyszczącymi tak, jakby były podświetlone od wewnątrz. Podbiegło do mnie z prędkością, której nie byłabym w stanie dorównać. I nagle zatrzymało się, jakby dobre maniery nie pozwalały mu skoczyć mi do gardła.

– Cześć – powiedziałam niezbyt pewnym głosem. – Skąd się tu wziąłeś?

Pies był przemoczony. Długim białym nosem zaczął trącać kieszenie mojego pożyczonego sztormiaka. Wymachiwał ogonem, uszy miał położone i po prostu wiedział, że moje palce są stworzone do drapania go po głowie. Kiedy przestałam, wspiął się na tylne łapy i oparł przednie o moją pierś. Niewiele mu brakowało do mojego wzrostu. Czy pies – ten pies – mógł wydać odgłos, który słyszałam przed chwilą? Nie wydawało mi się.

Och, wylizanie twarzy było komplementem, bez którego mogłabym się obejść.

Nagle usłyszałam nawoływania dobiegające z pola za żywopłotem. Rozpoznałam głos Nicka i wysokie, piskliwe pokrzykiwania siwowłosego Jima. To pewnie był pies z pastwiska owiec. Jeśli tak, to deptali mu po piętach. I będą przy nas lada sekunda.

– Chodź – szepnęłam do psa. Posłuszny, jak potrafią być tylko psy, ruszył za mną do samochodu. – No, wsiadaj. – Wskoczył do środka i usadowił się na tylnym siedzeniu. – Nie wychylaj się – przykazałam mu i ruszyłam z powrotem do domu. Zanim odszukałam własną kurtkę, zjawili się Nick i reszta.

– Znaleźliście go? – spytała Liz Nicka, całkowicie ignorując Jima. Nick pokręcił głową i zwrócił się do mnie.

– Tracimy cię?

– Wcześnie wstaję – skłamałam. – Dzięki, że mnie ugościłeś.

– Odprowadzę cię do auta – zaproponował.

– Nie, nie trzeba. Zajmij się gośćmi.

– Ty jesteś moim gościem.

Byliśmy już za drzwiami i szliśmy przez boczne podwórko.

– Zapisałaś się już do lekarza? – zapytał, kiedy byliśmy dziesięć metrów od samochodu i mogłabym przysiąc, że na tylnym siedzeniu widzę błyszczące oczy.

– A ty co, naganiasz sobie klientów? – spytałam, dostrzegając mignięcie białego ogona. Och, wpadłam na całego.

– Wręcz przeciwnie, chciałem cię prosić, żebyś nie zapisywała się do nas – powiedział.

– Dlaczego? – zdziwiłam się. To prawda, nie błyszczałam w tej chwili inteligencją, ale na obu przednich siedzeniach widziałam po jednej białej łapie, a długi, biały pysk celował prosto we mnie. Jeszcze sekunda i...

– Bo jeśli będziesz moją pacjentką, nie będę mógł cię zaprosić na ko... Co jest, u licha?

Pies i człowiek mierzyli się wzrokiem przez okienko pasażera. Biorąc pod uwagę, że ten drugi jeszcze parę chwil wcześniej próbował zastrzelić tego pierwszego, pies wydawał się zdumiewająco ucieszony widokiem człowieka.

– Proszę, powiedz mi, że to nie jest... – Nick urwał i spojrzał na mnie. Nie dało się zaprzeczyć, że był przystojny. Wzrostu Joesbury'ego, ale nie tak napakowany. Chociaż właściwie nigdy nie leciałam na mięśniaków.

– No cóż, chciałabym – zaczęłam. – Ale nigdy nie byłam zbyt dobrą kłamczuchą. – Co już samo w sobie było kłamstwem. Od zawsze kłamałam jak z nut.

– Wiesz, ile tysięcy funtów mogą wynieść szkody wyrządzone przez takiego psa na pastwisku pełnym ciężarnych owiec?

– Przecież nic nie zrobił, prawda? – odpowiedziałam. – Nie było na nim ani kropelki krwi. Ten pies na pewno niczego nie zabił.

Nick otworzył usta, zamknął je, rozejrzał się, znów otworzył. I być może był jedynym facetem na świecie, w którego wykonaniu taka głupawa pantomima mogła wyglądać atrakcyjnie.

– A wiesz też to, że ja i kilku innych mężczyzn w tym domu mamy wszelkie prawo zastrzelić go tu, w twoim samochodzie? – spytał.

– Najpierw musielibyście mi zabrać kluczyki – odparłam. – A poza tym nie macie takiego prawa.

Zamrugał i przeciągnął dłonią po włosach, które stanęły mu na głowie.

– Słucham?

– Jeśli pies atakuje żywy inwentarz i jedynym sposobem zapobieżenia temu jest zastrzelenie go, będziesz musiał udowodnić swoje racje w sądzie, jeśli właściciel psa zechce cię pozwać – powiedziałam. – Nie masz żadnego prawa uśmiercić zwierzęcia bez zgody właściciela. Tylko sędzia może ci na to zezwolić.

– A ty co, nagle jesteś prawniczką?

Okej, stąpałam po niebezpiecznym gruncie. Nie dość, że znów byłam Lacey, to jeszcze popisywałam się wiedzą, której nie miałaby Laura, tylko Lacey.

– Miłośniczką zwierząt – oznajmiłam, co było kolejnym kłamstwem. W moim życiu nigdy nie było czasu na zwierzęta. – Oj, no przestań, na pewno nie zabił żadnej owcy.

– Całe cholerne pastwisko może poronić w ciągu nocy.

Spuściłam wzrok, po czym znów spojrzałam na niego przez rzęsy. Zdaje się, że nawet przechyliłam głowę na bok.

– Czy nie jest bardziej prawdopodobne, że właściciel pokryje straty, jeśli pies cały i zdrowy wróci do domu? – powiedziałam. – Rano odwiozę go do najbliższego schroniska i zgłoszę go do miejscowego hycla. Przykro mi, zawsze się rozczulam nad psami.

– A jeśli jest bezpański?

Wzruszyłam ramionami. Lekko odęłam usta.

– To będzie siedział w schronisku – odparłam. – Tam wiele nie nabroi.

Nick zrobił taką minę, jakby chciał się dalej kłócić, ale w końcu pokręcił głową.

– Poddaję się – powiedział, ale teraz był już bliski uśmiechu. – Jeśli zgodzę się nie powiedzieć więcej ani słowa na temat psa, zgodzisz się zjeść ze mną jutro kolację?

Joesbury mnie zabije. A może będzie miał to w nosie. Wszystko jedno.

– Jeśli odmówię, wyjdę na zołzę – powiedziałam.

– Wpadnę po ciebie o ósmej – zaproponował, teraz już uśmiechnięty na całego.

Odjeżdżając, wesoło machałam Nickowi we wstecznym lusterku. No cóż, jak to mówią, wrogów lepiej nie spuszczać z oka.

49

Joesbury znalazł wolne miejsce parkingowe na Queen's Road i otworzył laptop. Połączył się z centralnym serwerem Scotland Yardu i wpisał sześciocyfrowy klucz. Po kilku sekundach patrzył już na mapę Cambridge. Czerwony punkt przesuwający się drogą A1303 powiedział mu, że jego zwierzyna się zbliża.

Odchylił oparcie siedzenia i na sekundę przymknął oczy. Powinien był wyjechać do Londynu pół godziny temu. Czekali tam na niego, a on był tak cholernie zmęczony. Pojedzie, jak tylko ją zobaczy.

Kiedy znów otworzył oczy, czerwony punkt był bardzo blisko. Widział już jej światła nadjeżdżające z tyłu. Patrzył; wbrew rozsądkowi miał nadzieję, że ona zobaczy w lusterku odbicie jego oczu i się zatrzyma. Nie zrobiła tego. Minęła go, a potem wycofała na miejsce parkingowe jakieś pięć metrów od niego. Usłyszał, że silnik ucichł, zobaczył, że światła gasną, i przez chwilę był wściekły. Dlaczego zaparkowała tak daleko od budynków? Tu mogły się kręcić wszelkie szumowiny.

Joesbury uśmiechnął się do siebie. To jego przede wszystkim nazwałaby szumowiną, gdyby go tu znalazła.

Drzwiczki od strony kierowcy otworzyły się, Lacey wysiadła. Miała na sobie obcisłe dżinsy wpuszczone w botki na płaskich obcasach i wojskową kurtkę w kolorze butelkowej zieleni. Wiedział – bo widział zdane przez nią paragony – że kurtka była kupiona w jednym z hipermarketów i kosztowała dwadzieścia pięć funtów. Ale nawet w dziennym świetle nie wyglądałaby na niej tanio. Na niej nic nie wyglądało tanio.

Otworzyła tylne drzwiczki i pochyliła się do środka, jakby rozmawiała z kimś na tylnym siedzeniu. Jeśli przywiozła sobie jakiegoś podpitego dzieciaka na szybki numerek, to pieprzyć całą tajną operację – pójdzie i da gnojowi w zęby.

Przywiozła psa.

Pies, wielkości i kształtów charta (choć białe łaty na nogach, pysku i ogonie zdradzały jakiegoś collie w rodzinie), wyskoczył z samochodu i zaczął wymachiwać ogonem, jakby odnalazł swoją panią po latach separacji. Lacey zapięła mu na szyi coś, co miało posłużyć za smycz, i znów schyliła się do samochodu.

Joesbury potarł oczy. Zdarzało mu się w życiu siedzieć na czatach.

Znów wychyliła się z samochodu i pies o mało nie wyskoczył ze skóry z radości. Joesbury zobaczył, że Lacey schyliła się i z dużej papierowej torby wyjęła styropianowe pudełko. Otworzyła je, wyjęła coś dwoma palcami i wrzuciła sobie do ust. Resztę postawiła na ziemi dla psa.

Trzy minuty później, kiedy pies wylizywał już tłuszcz z pustego pudełka, Lacey znów sięgnęła do auta i wyjęła półlitrową butelkę wody. Nalała trochę do pudełka i pozwoliła psu się napić. Kiedy skończył, pospacerowała z nim chwilę po małym spłachetku trawy, aż natura zrobiła swoje; pies zatrzymał się i kucnął.

Okej, dość tego. Joesbury postanowił, że jeśli ona to zostawi, aresztuje ją za zanieczyszczanie publicznej przestrzeni. Owszem, zdemaskuje ich oboje, ale do diabła z tym. Nie zostawiła. Schyliła się, zebrała kupę w pojemnik po jedzeniu i wyrzuciła do najbliższego kosza, po czym oboje z psem znikęli między budynkami kolegium.

Idealny pretekst, żeby pójść za nią i zapytać, co sobie wyobraża i kto pozwolił jej przemycać zwierzęta na uczelnię. Wymyśli jakąś wymówkę, dlaczego jeszcze jest w mieście. Ona zaproponuje mu kawę, spróbuje go zagadać. Będą sami. Joesbury trzymał już dłoń na klamce i kluczyk w drugiej ręce, ale opamiętał się w ostatniej chwili.

Wsunął kluczyk z powrotem w stacyjkę i zapalił silnik.

50

Przemycenie wielkiego, podekscytowanego psa do sypialni w uczelnianej bursie nie było najłatwiejszym wyzwaniem w mojej karierze, ale jakoś się udało. U stóp schodów natknęłam się na trzech chłopaków, ale żaden nie wyglądał na trzeźwego.

– Maskotka – wyjaśniłam im, kiedy zagapili się na psa. Żaden nie zdążył wymyślić odpowiedzi przez tę chwilę, jakiej potrzeba mi było, żeby wbiec po schodach i zniknąć w korytarzu.

Joesbury, ma się rozumieć, byłby wściekły, gdyby wiedział, co zrobiłam. Stwierdziłby, że ściągając na siebie uwagę bez słusznego powodu, niepotrzebnie narażam się na zdemaskowanie.

Oczywiście zawsze mogłam odpowiedzieć, że studenci są znani z robienia głupot i coś takiego mogło nawet uwiarygodnić mój kamuflaż. Ale naprawdę mnie to nie obchodziło. Po prostu nie chciałam, żeby ten pies został zastrzelony. Z samego rana miałam zamiar zgłosić go urzędnikowi odpowiedzialnemu za kontrolę psów i podrzucić do miejscowego schroniska.

Talaith nie było w pokoju – żadna niespodzianka – więc pies przez dziesięć minut spokojnie obadał wszelkie zapachy, po czym okręcił się trzy razy w miejscu i zwinął w kłębek na dywaniku przed moim biurkiem. Zaparzyłam sobie herbatę i poświęciłam godzinę na zrelacjonowanie Joesbury'emu wydarzeń wieczoru, a w szczególności mojego niepokoju o Evi. Potem – raczej dlatego, że chciałam być rzetelna, a nie dlatego, że wierzyłam, iż cokolwiek znajdę – zaczęłam jak co dzień przeczesywać internetowe strony związane z Cambridge. Dowiedziałam się, że jakaś Jessica nie wróciła do pokoju od dwóch nocy i jej koleżanki, Belinda i Sarah, zastanawiały się, czy powinny zawiadomić jej opiekuna naukowego. Poza tym nic.

Przez cały czas, kiedy pracowałam, pies ani razu nie oderwał ode mnie łagodnych brązowych oczu, jakby niezmiernie fascynował go każdy ruch moich palców na klawiaturze. O dziwo, jego obecność tutaj działała na mnie uspokajająco.

Kiedy odwiedziłam już wszystkie znane mi strony i portale, rozsiadłam się wygodniej na krześle, by jeszcze raz zastanowić się nad Danielle Brown. Kiedy tylko zachęciłam ją do wyznania, że się bała, nie mogła się już powstrzymać. Ostatnie tygodnie w Cambridge Danielle przeżyła w strachu. Bała się zawalić studia, jak powiedziała, bała się zawieść rodziców, którzy byli tacy dumni, że dostała się do Cambridge. Bała się, że nie nadąży za kolegami. Że okaże się nie dość dobra. O ironio, im bardziej się bała, tym gorzej szło jej studiowanie i cały ten jej strach stał się samospełniającą się przepowiednią.

Nie zastanawiając się, co właściwie robię, wpisałam w Google „Danielle Brown" i „Cambridge" i wcisnęłam „enter" – z czystej ciekawości, co z tego wyjdzie. Wyskoczyło mi kilka wyników, między innymi linki do gazetowych archiwów, które już wcześniej widziałam. Jeden z linków odsyłał do informacji o zwycięskiej drużynie żeglarskiej, do której Danielle należała na pierwszym roku. Jeden odsyłał do YouTube. Kliknęłam go, nie spodziewając się raczej niczego na ten temat.

„Ten film został usunięty z powodu naruszenia regulaminu serwisu".

Lekko zaintrygowana wpisałam w okienko wyszukiwarki „Danielle Brown" i „YouTube" i znów wcisnęłam „enter". Znalazłam jedną dyskusję na czacie, dotyczącą polityki YouTube nakazującej usuwanie obraźliwych i drastycznych treści, z krótką wzmianką o przypadku filmiku nakręconego komórką i przedstawiającego usiłowanie samobójstwa przez studentkę Cambridge Danielle Brown.

Joesbury spekulował wcześniej, że samobójstwo Danielle mogło być dowcipem, który zaszedł za daleko. Że gówniarze, którzy odcięli ją ze stryczka i zadzwonili po pomoc, mogli też pomóc jej się powiesić. Więc czy sfilmowali ją, dyndającą na sznurze, zanim wkroczyli do akcji? Wysłałam kolejny krótki mail do Joesbury'ego z zapytaniem, czy wiedział, że próba samobójcza Danielle została sfilmowana.

O wpół do dwunastej wyszorowałam zęby, zmyłam makijaż i położyłam się spać. Sniffy, czyli Niuchacz; nazwałam go tak, bo węszył praktycznie bez przerwy – poszedł za mną do pokoju, porządnie wszystko sprawdził nosem, po czym ułożył się na dywaniku koło łóżka. Pozwoliłam mu zostać, o dziwo dość zadowolona z jego towarzystwa.

Chwilę zanim zasnęłam, ktoś wrzasnął na dworze. Po wrzasku nastąpiły chichoty, męski okrzyk i tupot biegnących stóp. Młodzieńcze wygłupy, nic więcej, i z pewnością nie przypominało to krzyku, który słyszałam wcześniej na farmie Nicka. Ale ten ciąg myślowy sprawił, że kobiecy krzyk o pomoc nie dawał mi spokoju, kiedy zasypiałam.

Tuż po pierwszej w nocy Joesbury wszedł do swojego biura w Scotland Yardzie. Nie zdziwił się zbytnio, widząc, że sala nie jest pusta. Dwoje jego kolegów, teraz przydzielonych do innych spraw, pracowało po cichu przy swoich biurkach. Trzeci rozmawiał przez telefon. Jego szef, nadinspektor Pete Phillips, którego wszyscy nazywali PiPi, ale tylko za plecami, siedział w swoim przeszklonym gabinecie w rogu. Spojrzał, kiedy Joesbury siadał za swoim biurkiem, i uniósł rękę z rozłożonymi palcami. Prosił o pięć minut. Joesbury otworzył laptop.

Cztery wesołe piknięcia, zawiadamiające o odebranych mailach. Pierwszy z księgowości, drugi od młodszego brata. Trzeci od posterunkowej Flint. Joesbury otworzył go i zamrugał ze zdumienia na widok ilości tekstu. Przysłała go czterdzieści minut temu, co oznaczało, że poszła prosto do swojego pokoju i natychmiast zabrała się do pisania. Zaczął czytać.

Najzwyklejsze odgłosy potrafią zmienić się w coś pokręconego, kiedy przenikają do snu – a przynajmniej tak mi mówiono. Sama nie miewam snów i moje doświadczenia w tej materii są żadne, ale słyszałam na przykład, że dźwięk butelek z mlekiem stawianych delikatnie na schodach w głowie osoby śniącej na piętrze może zmienić się w klekot kości, że ciche stuknięcie szczeliny na listy może brzmieć, jakby troll próbował się włamać do domu.

Ze mną tej nocy było odwrotnie. Dźwięk, który usłyszałam we śnie, nie był złowrogi. Na swój sposób był nawet dość przyjemny, ale kiedy obudziłam się i usłyszałam go jak trzeba, natychmiast zrozumiałam, że to nie krople deszczu bębniące o szybę. To były paznokcie drapiące w szkło.

Leżałam tak, z coraz szybciej bijącym sercem, i powtarzałam sobie, że to nic, ot, kolejny studencki dowcip. Wystarczyło usiąść, otworzyć okno i zepchnąć żartownisia z drabiny.

Tylko że nie mogłam się ruszyć.

W połowie opowiadania Lacey o wykwintnym wieczorku w wiejskiej chacie tego złamasa Bella Joesbury przestał się uśmiechać. Wstał, podszedł do automatu z kawą i wcisnął guzik podwójnego espresso. Wiedział, że ona tylko próbuje go wkurzyć, i wiedział też, że jej się to udaje.

– Spodziewaliśmy się ciebie godzinę temu – odezwał się głos szefa za jego plecami.

Joesbury wymamrotał coś o wypadku na M1.

– Sprawdzanie samochodu nic nie dało – dodał szybko, mając na myśli samochód napastników, którzy trzy wieczory wcześniej zlali wodą Lacey. – Zarejestrowany na sześćdziesięcioletnią pracownicę stołówki. Nawet nie wiedziała, że został „pożyczony".

– Więc to studencki żart?

– Niemal z pewnością. O ile się zorientowałem, polewanie wodą półnagich kobiet zdarza się często. I niemożliwe, żeby tak szybko ją wytypowali.

Phillips roztarł skronie palcami wskazującymi, jakby chciał złagodzić ból głowy.

– No cóż, są małe szanse, że w ogóle ją wytypują.

Joesbury nie odpowiedział. Sam nie raz podnosił ten argument.

Kubek napełnił się kawą, Joesbury i Phillips odeszli od automatu.

– Wiesz, szefie, że jeśli to trafi do publicznej wiadomości, wszystko się skończy. Kiedy władze uniwersytetu i sami studenci dowiedzą się, co się tam dzieje, oni nie będą mogli tego dłużej robić.

– Jeśli podamy to do publicznej wiadomości, nigdy ich nie złapiemy. Przeniosą się do innego miasta i zaczną wszystko od nowa. W grę wchodzą za duże pieniądze, żeby zrezygnowali. Nie wspomnę już o awanturze, jaką będziemy mieli z miejscową policją, jeśli ich oskarżymy, że przegapili nie wiadomo ile ofiar śmiertelnych, a nie będziemy mieli na to dowodów.

– Nie przyszło panu do głowy, że miejscowa policja może być w to zamieszana? – spytał Joesbury. – Każde z tych tak zwanych samobójstw zostało schludnie zamiecione pod dywan. Wszystkie dowody na miejscu, wszystkie punkty odfajkowane. Jakie są na to szanse w prawdziwym świecie?

Phillips milczał przez chwilę.

– No cóż, to nam trochę poszerza bramkę – stwierdził w końcu.

– Na szerokość całego pieprzonego boiska – powiedział Joesbury.

Przez kilka minut zdawało mi się, że w pokoju jest ciemniej niż zwykle. Potem dotarło do mnie, że po prostu nie mogę otworzyć oczu. Kawałek na prawo od swojej głowy, od miejsca, gdzie parapet służył za nocny stolik, słyszałam skrobanie. W myślach widziałam cienkie kościste palce, dłoń skuloną jak szpon, długie żółte paznokcie jeszcze raz przesuwające się w dół po szkle. Tak naprawdę nie widziałam nic. Oczy po prostu nie chciały się otworzyć.

Spróbowałam wydać dźwięk. Choćby najcichszy odgłos w gardle, by udowodnić sobie, że mam kontrolę nad własnym ciałem. Nie słyszałam nic prócz tego nieustępliwego drapania. Nagle ustało. Zastąpił je odgłos wyłamywania zamka okiennego od zewnątrz. Potem otwieranego okna.

Poczułam zimne powietrze na twarzy, a potem coś innego, co mogło być zasłonką zdmuchniętą na mnie przez wiatr. A potem najgorsze ze wszystkiego: zgrzyt metalu, pisk, jaki wydaje pocierane szkło, a potem ciche tupnięcie. Odgłosy czegoś włażącego przez okno.

– Zlecę komuś, żeby to sprawdził. Przyjrzymy się, czy któryś z miejscowych gliniarzy ma już coś na sumieniu. Albo czy nie szasta forsą.

Phillips wrócił do gabinetu, a Joesbury do raportu Flint. Och, do jasnej cholery, białe konie i sokoły! Za kogo ten pacan się uważa? Za Robin Hooda?

Joesbury westchnął. Pomyślał, że dokończenie tego najnowszego rozdziału *Wojny i pokoju*, a potem napisanie szybkiej odpowiedzi zajmie mu jeszcze z piętnaście minut, a później będzie mógł iść. Jutro po raz pierwszy od trzech tygodni miał się zobaczyć z synem. Ostatnio coraz trudniej było mu znaleźć czas dla Hucka. Ironia losu, biorąc pod uwagę, że zaniedbywanie dziecka było jednym z powodów, które jego żona podała przy rozwodzie.

Przeczytał epistołę do końca i dotarło do niego, że w najbliższym czasie nigdzie nie pójdzie. Pogrubił fragment tekstu i przesłał go z oznaczeniem „pilne" swojemu szefowi. Kiedy zobaczył, że PiPi zakłada okulary do czytania, wstał i przeszedł przez salę. Otworzył drzwi gabinetu bez zaproszenia. PiPi spojrzał na niego.

– Dotarła za blisko – powiedział Joesbury.

Żadnej odpowiedzi. PiPi znów spojrzał na ekran.

– Powinniśmy ją wyciągnąć – spróbował Joesbury.

– Daj mi sekundę – odparł PiPi.

Joesbury dał mu dwie.

– Wie o filmiku z Danielle Brown na YouTube. Rozpracuje to w parę dni – zauważył.

– Być może więcej nam nie potrzeba – odpowiedział PiPi. – Ale martwi mnie ta doktor Oliver.

Joesbury podszedł i oparł się o biurko.

– No więc właśnie – potwierdził. – Nie podobają mi się te wszystkie dowcipy i znikające maile. Jeśli Oliver dostaje podejrzane maile, to znaczy, że ktoś mógł się dostać do jej komputera. A jeśli oni wiedzą, że jest naszą informatorką, może być w niebezpieczeństwie.

Nadinspektor odchylił się na krześle i przetarł oczy dłonią.

– Jeśli ktoś dostał się do komputera Oliver i znalazł maile od Flint, całą operację może trafić szlag.

– Powinniśmy ją stamtąd wyciągnąć.

Phillips zmrużył oczy.

– Kogo? – spytał. – Posterunkową Flint czy doktor Oliver?

– Obie. Doktor Oliver mogłaby wziąć parę tygodni zwolnienia. Laura Farrow może po cichu zniknąć.

PiPi z rezygnacją oparł się o biurko.

– Chryste – zaczął. – Prawie dziewięć miesięcy pracy i te dwie baby mogą nam wszystko rozpieprzyć.

– Z całym szacunkiem, szefie, ale ja w ogóle nie chciałem jej tam posyłać.

– Zastanowię się nad tym. Idź do domu. Zadzwonię do ciebie rano.

To coś było centymetry ode mnie, czekało na właściwy moment. Nie widziałam tego, ale wiedziałam, że tu jest. Jak paskudny zapach, jak wycie w szumie wiatru, jak ślad dotyku na karku – nie dało się zaprzeczyć jego obecności. Uniosłam rękę, zaczęłam drapać i drzeć. Ale nie dotknęłam niczego. Moja ręka w ogóle nie uniosła się z łóżka. Nie mogłam się ruszyć.

Ciszę rozdarło wycie. Jak wycie wilków, wiedźm, demonów. Rozbrzmiewało wśród nocy, aż myślałam, że głowa mi wybuchnie. Potem dźwięk jak grom. Nieustanne łomotanie, raz po raz. Zostałam uniesiona wysoko w powietrze, rzucona przez pokój. Wylądowałam z impetem i wiedziałam, że będzie bolało, jeśli przeżyję następne sekundy.

To coś nade mną opuściło głowę i poczułam gorący oddech na twarzy. Wiedziałam, że zęby są o ułamek sekundy od mojej skóry.

– Tox! Laura! Co się tam dzieje, do diabła?

Znajome głosy. Przejrzałam na oczy. Koszmar cofnął się o krok. Byłam w saloniku, który dzieliłyśmy z Tox, i stałam na czworakach, jak małe dziecko, któremu odechciało się walczyć z grawitacją. Pies, roztrzęsiony, ale w o wiele lepszym stanie niż ja, lizał mnie po twarzy. A te grzmoty to były dziewczyny łomoczące do drzwi i żądające wyjaśnień, dlaczego obudziło je szczekanie i warkot psa.

51

Sobota, 19 stycznia (trzy dni wcześniej)

Kiedy rozległo się pukanie, niewiele brakowało, by Evi nie wstała. O wiele za mało spała tej nocy, usnęła wreszcie ze dwie godziny przed świtem. Ból, który ją obudził, od lat nie był tak silny, a leki jak na razie nie działały. Ostatnią godzinę spędziła w fotelu przy oknie wychodzącym na ogród. Plama słonecznego światła działała kojąco, ciepło łagodziło ból i zaczynała czuć, że może znów się zdrzemnie. Ale teraz ktoś stał pod drzwiami.

Łomotanie się powtórzyło. Nie pełne wahania pukanie kogoś, kto nie wie, czy mu otworzą. To było pukanie kogoś, kto uparł się zwrócić na siebie uwagę. Evi wstała.

W progu stała Laura Farrow, policjantka z Londynu. Pierwszą myślą Evi było, że wygląda strasznie. Pod oczami miała sińce, od których jej twarz się jakby skurczyła. Usta były bledsze i mniejsze. Evi po raz pierwszy widziała ją bez makijażu i tak niestarannie ubraną. Laura zwykle dbała o wygląd. Tego ranka po prostu wrzuciła na siebie dres i sportowe buty.

Drugie, co zauważyła Evi, to to, że Laura nie przyszła sama. Na prawej dłoni miała pętlę z czegoś, co wyglądało na pasek od szlafroka. Do drugiego końca paska przyczepiona była psia obroża. Zapięta na psiej szyi.

Ogon z białym końcem powiewał niczym flaga, a wielkie brązowe oczy błyszczały z podniecenia. Pies był zdumiewająco ucieszony widokiem Evi, choć przecież wcześniej się nie spotkali.

– Musimy porozmawiać – powiedziała Laura.

– Ma pani psa – odparła Evi, nie ruszając się z progu.

Policjantka spojrzała w dół, jakby dopiero teraz przypomniała sobie, że jest z nią zwierzak. Wyglądał jak chart, był gładkowłosy i smukły, z długim wąskim pyskiem. Na czarnej sierści miał białe łaty. Oderwał wzrok od Evi i spojrzał na Laurę, nastawiając uszy. Niemal jakby czekał, że go przedstawi. Potem znów spojrzał na Evi. Ogon z białym końcem trochę zwolnił.

– Tak – potwierdziła Laura. – Ma pani coś przeciwko? Próbowałam zostawić go w samochodzie. Dwa razy. Zaczyna wyć, kiedy tylko się oddalam. Wydaje mi się, że jest nauczony czystości.

W sumie, co to komu szkodzi... Evi wpuściła Laurę i psa i poprowadziła ich do salonu. Evi zajęła fotel, z którego przed chwilą wstała, i ruchem głowy wskazała Laurze drugi. Pies zaczął zwiedzać pokój, węszyć pod krzesłami, w kątach, za telewizorem.

– Jeśli podniesie nogę, spalę się ze wstydu – powiedziała Laura, nerwowo obserwując jego poczynania.

– Nie pani jedna – dorzuciła Evi.

Ale nie podniósł. Zakończył wycieczkę po salonie i znalazł sobie słoneczną plamę u stóp Evi. Wzdychając głęboko, ułożył się jak pies pasterski, z łapami pod sobą, z jednym uchem do góry, drugim na dół, i zaczął obserwować to jedną, to drugą kobietę, jakby czekał na instrukcje. Albo na rzuconą piłkę.

– Jakim cudem ma pani psa? – spytała Evi.

– Długa historia – odparła Laura. – Wiem, że nie planowałyśmy dzisiaj spotkania, ale niepokoi mnie parę spraw. I przepraszam za szczerość, ale nie wygląda pani najlepiej. Wydarzyło się coś jeszcze?

Evi ugryzła się w język, by nie powiedzieć Laurze, że i ona nie wygląda kwitnąco. Kiedy odpinała smycz psu, ręce jej się trzęsły. A źrenice miała wyjątkowo duże i błyszczące.

– Nie, nic nowego – stwierdziła Evi. – Przez większość czasu łykam środki przeciwbólowe. Kontuzja narciarska sprzed paru lat. Czasami trochę schodzi, zanim zaczną działać. Więc co panią niepokoi?

Laura dotknęła palca wskazującego lewej dłoni palcem prawej. Miała listę.

– Po pierwsze to, co powiedziała mi pani wczoraj wieczorem. Te wszystkie dziwne rzeczy, które panią spotykają. Jak dla mnie, są dwie możliwości. Pierwsza, że pani zwariowała.

Evi nie spodobało się ukłucie czegoś, co dziwnie przypominało poczucie winy. Czyżby jednak potwierdzały się jej obawy?

– W branżowych kręgach ten termin jest dziś uznawany za trochę niemodny – powiedziała, siląc się na swobodny uśmiech, choć wiedziała, że wypadł sztywno.

– Moim zdaniem ma pani problemy – ciągnęła Laura – i pewnie to też nie jest poprawny termin. Jest pani nerwowa i wystraszona i moim zdaniem na granicy poważnej depresji, co może być wynikiem życia z nadmiarem bólu, ale nie sądzę, żeby była pani wariatką.

Evi nie wiedziała, czy ma być zirytowana, czy ubawiona. Spojrzała Laurze prosto w twarz. Policjantka wytrzymała kontakt wzrokowy, ale dłonie wciąż jej drżały. I miała przyspieszony oddech, jakby tu przybiegła.

– No cóż, dobrze wiedzieć – odparła Evi. – Więc jaka jest druga możliwość?

– Że ma pani prawdziwego i bardzo wyrafinowanego stalkera – wyjaśniła Laura. – Niezwykle biegłego w informatyce, przede wszystkim. Wczoraj przed snem trochę poczytałam. To, o czym mówiłam, spreparowanie maila tak, żeby zniknął bez śladu, kiedy chce się z nim coś zrobić, jest wykonalne, ale niełatwe. Całkiem możliwe, że ktoś włamał się tutaj z pamięcią USB i zainstalował wirusa bezpośrednio na pani komputerze. Mógł w nim umieścić dowolną liczbę takich pułapek, których nie mamy szans wykryć bez gruntownego sprawdzenia komputera. Ale na razie, obawiam się, że nie może pani mu ufać.

– Kto miałby to zrobić? – spytała Evi.

– Nie mam pojęcia. Ale można zakładać, że ktokolwiek to jest, bardzo dużo wie o pani. Prowadzi pani dziennik czy pamiętnik w komputerze?

– Nie, skąd – odparła Evi. – Ale to rzeczywiście bardzo niepokojące. Mam wrażenie, jakby ten ktoś zaglądał mi do głowy.

– Wypaczone umysły bywają bardzo inteligentne – powiedziała Laura. – My, normalni, nigdy nie wpadlibyśmy na tak pokrętne pomysły. Dlatego nas zaskakują. Ale jeśli się zastanowić, jest oczywiste, jak to było.

– Tak?

– O tej zeszłorocznej sprawie z Lancashire pisało wiele gazet – wyjaśniła Laura. – Mówili o tym nawet w głównych wiadomościach. Wygooglowałam panią wczoraj wieczorem i znalazłam mnóstwo informacji. O tych małych dziewczynkach i dziwnych rytuałach, i o tej pacjentce, która umarła w wannie pełnej krwi. Obstawiam, że ktoś dowiedział się o tych wszystkich sprawach dokładnie tak samo jak ja i wykorzystuje to, żeby namieszać pani w głowie.

Evi wyprostowała się w fotelu, żeby się zastanowić. Wściekła szpila bólu przeszyła jej nogę z dołu do góry, ale ledwie to zauważyła. Słowa Laury były logiczne. Powinna była sama na to wpaść. Niemal poczuła się lepiej, znając wyjaśnienie. Tylko że...

– Dlaczego? – spytała. – Dlaczego ktoś to robi?

– No cóż, to może być zemsta – powiedziała Laura. – O ile się zorientowałam, bardzo przyczyniła się pani do wyjaśnienia, co się tam działo. I teraz ktoś, kogo pani wkurzyła, odgrywa się na pani. Ale nie sądzę.

– A co pani sądzi?

– Myślę, że to ma związek z tym, co się dzieje tutaj. Przepraszam, nie chcę być niegrzeczna, ale czy mogę sobie zrobić herbaty?

– Oczywiście – odparła Evi. – Mam pani jakoś...

– Poradzę sobie – oświadczyła Laura już w połowie drogi przez pokój. – Doskonale odnajduję się w cudzych kuchniach. Co jest dość interesujące, bo kucharka ze mnie żadna.

Evi patrzyła, jak Laura wychodzi. Potknęła się w progu i błyskawicznie chwyciła futrynę, by nie stracić równowagi. Potem zniknęła. Pies leżący u stóp Evi wstał i spojrzał w stronę korytarza. W końcu podszedł do Evi i spojrzał jej prosto w oczy. Brakowało mu koniuszka prawego ucha.

– Cześć – szepnęła prawie bezgłośnie. Pies zrobił jeszcze krok i położył głowę na jej kolanach, ani na sekundę nie odrywając od niej brązowych oczu. Kiedy Evi delikatnie przeciągnęła dłonią po jego nosie i czole, westchnął głęboko, z zadowoleniem. Sierść miał gładką i ciepłą, uszy jak aksamit.

Dłoń Evi wróciła na kolana. Pies uniósł głowę i prawą łapę i zaczął domagać się pieszczot, delikatnie trącając łapą bok jej nogi. Evi znów zaczęła głaskać go i drapać po uszach, dopóki Laura nie wróciła z dwoma parującymi kubkami. Ręce wciąż jej się trzęsły.

Nie chcąc ryzykować, że oparzy psa gorącą herbatą, Evi odepchnęła go łagodnie. Wrócił w słoneczną plamę i położył się, nie spuszczając z niej oczu. Evi spojrzała na Laurę, która ściskała kubek, jakby nie mogła się doczekać, aż herbata przestygnie.

– No dobrze. Przede wszystkim proszę mi powiedzieć, co się z panią dzieje – zaczęła Evi. – Gdybym nie wiedziała, kim pani jest, powiedziałabym, że coś pani brała.

Laura pokręciła głową.

– Ja też miałam fatalną noc – odparła. – Chyba mnie rozkłada jakiś wirus. Albo zjadłam wczoraj coś, co mi nie posłużyło. Niech mi pani wierzy, jestem bardziej przyzwyczajona do hamburgerów i chińszczyzny na wynos niż do potrawki z dziczyzny.

– Potrzebuje pani czegoś? – spytała Evi. – Może paracetamol?

– Dzięki, godzinę temu wzięłam maksymalną dawkę – powiedziała Laura. Zaryzykowała łyk herbaty i oczy jej załzawiły. – Więc ten pani stalker mocno mnie niepokoi – ciągnęła. – Wsadziła pani kij w mrowisko. Zaalarmowała pani władze uczelni i policję, twierdząc, że dzieje się coś tajemniczego, i nagle ktoś próbuje panią nastraszyć, a jednocześnie podważyć pani zawodową wiarygodność. Moim zdaniem to ostrzeżenie, że ma się pani nie wtrącać.

– W co nie wtrącać? Lauro, to, co tu mamy, jeśli w ogóle cokolwiek mamy, to niebezpieczna, ale całkowicie nieuchwytna subkultura, żerująca na...

– Nie, nie wydaje mi się – przerwała jej Laura. Pies, zrezygnowany, westchnął ciężko i położył się na boku.

– Nie?

– To jest właśnie druga sprawa, która mnie martwi. Ta pani teoria. Ta rzekoma wywrotowa, internetowa subkultura. Otóż, nie znalazłam niczego takiego. A szukałam bardzo pilnie. Byłam na wszystkich tutejszych portalach i forach, zawodziłam, jęczałam i zgrzytałam zębami, udawałam depresję, lęki i skłonności samobójcze. W odpowiedzi uzyskałam tylko współczucie. I jeśli mogę coś stwierdzić, to to, że tutejsza społeczność internetowa jest bardzo wspierająca.

Evi czekała. Nie miała siły się sprzeciwiać, a poza tym przecież sama doszła już do tego samego wniosku.

– Więc na razie jestem skłonna twierdzić, że jeśli te samobójstwa są w jakiś sposób powiązane, to raczej nie mamy tu do czynienia z jakimś syndromem samobójczego grupowego myślenia.

Evi poczuła, że jej brwi podjeżdżają do góry.

– Od tygodnia chodzę na wykłady z psychologii – powiedziała Laura. – Parę fachowych terminów musiało mi zostać w głowie.

Słusznie. Syndrom grupowego myślenia oznaczał zjawisko polegające na tym, że ludzie pod wpływem otoczenia skłaniają się ku zachowaniom, których w innych okolicznościach w ogóle nie braliby pod uwagę.

– Więc się mylę – powiedziała Evi. – Zawsze wiedziałam, że jest taka możliwość. Ale jestem wdzięczna, że pani to sprawdziła.

– O, ja jeszcze nie skończyłam – odparła Laura. – Myślę, że to, co tutaj mamy, może być o wiele gorsze.

Na dworze wiewiórka przebiegła przez trawnik i zatrzymała się, żeby obejrzeć kupkę bukowych liści. Pies zerwał się z podłogi i potruchtał do okna.

– Gorsze niż namawianie ludzi, żeby odebrali sobie życie? – spytała Evi.

Laura też obserwowała wiewiórkę. Wróciła spojrzeniem do Evi.

– Tak – powiedziała. – Te czaty i strony internetowe działają na odległość. Dlatego zawsze tak trudno jest udowodnić, że w ogóle doszło do przestępstwa. Ofiary i sprawcy nigdy się nie spotykają. Nie ma namacalnych, materialnych dowodów.

Evi czekała.

– Ale tutaj dzieje się całe mnóstwo namacalnych rzeczy. Na przykład ten pani stalker.

– Który może w ogóle nie mieć z tym związku – stwierdziła Evi.

– Owszem, to może być zbieg okoliczności. Ale są też gwałty, o których mi pani mówiła. Pięć przypadków.

– Gwałty popełnione przez nieznanego sprawcę, na które w żadnym z przypadków nie ma ani cienia dowodu, i jest ich zaledwie pięć w ciągu pięciu lat – przypomniała jej Evi.

– Do tego dochodzą zniknięcia – powiedziała Laura.

– Co takiego?

– Nicole Holt niedługo przed śmiercią zniknęła na kilka dni. Rozmawiałam z jej koleżankami w kolegium. Wróciła mocno naćpana, twierdząc, że nie pamięta, gdzie była i co ją spotkało. Jej mądre inaczej koleżanki nie zabrały jej do lekarza, więc nie mamy dowodów. Ale teraz zginęła kolejna studentka. Wiedziała pani o tym?

Pies przy oknie skomlał na wiewiórkę. Sierść sterczała mu na karku. Evi pokręciła głową.

– Jakaś Jessica. Piszą o tym na paru portalach internetowych. I na Facebooku. Jej koleżanki zaczynają się martwić. A Nicole nie była sama, kiedy zniknęła. Obejrzałam miejsce zdarzenia. Chyba trochę dokładniej niż lokalna policja, bo znalazłam ślady opon, które nie mogły należeć do samochodu Nicole. Moim zdaniem tam było jeszcze jedno auto.

Evi odstawiła kubek na stół.

– Lauro, mówi pani za szybko. Jaka Jessica?

– Przykro mi, nigdzie nie wymieniono jej nazwiska. A co?

Evi zastanawiała się przez chwilę.

– Prawdopodobnie nic – odparła. – Jest jeszcze coś?

– Pięć lat temu młoda kobieta próbowała się powiesić i została sfilmowana. Filmik trafił na YouTube i miał prawie milion wejść, zanim został usunięty. Te rzeczy nie dzieją się same, Evi. Ktoś to aranżuje.

52

Evi nie odzywała się przez kilka sekund. Po jej twarzy przemknął wyraz, jakby miała ochotę kazać mi wyjść, powiedzieć, że to dla niej za wiele. Rzeczywiście nie byłam zbyt subtelna. Ale po czterech dniach w tym miejscu wiedziałam już, że nie mogę być obojętnym obserwatorem.

Zrozumiałam, że wszystkiemu winny był krzyk. Krzyk, który słyszałam na farmie Nicka. Nieważne, czy była to polująca płomykówka, czy lis patroszący królika. Wystarczająco przypominał ludzki krzyk, by uświadomić mi, że kobiety w tym mieście się boją. Coś przeraziło Danielle, Nicole i Bryony, coś przerażało Evi, a kobiety, które bały się w Cambridge, trochę za często kończyły martwe.

I nagle na moich oczach dokonała się przemiana. Widziałam, jak krucha, nerwowa Evi dochodzi do tego samego wniosku. Zacisnęła usta, otworzyła szeroko oczy i pochyliła się w moją stronę.

– Więc co robimy? – spytała.

Nie było czasu na westchnienie ulgi.

– Cieszę się, że pytasz – stwierdziłam. – Bo przede wszystkim musimy przestać działać po omacku. Muszę wiedzieć, kim były ofiary. Potrzebuję nazwisk.

Tak jak się spodziewałam, pokręciła głową.

– Lauro, to są poufne informacje – zaczęła. – Nie mogę...

Nie zamierzałam pozwolić jej się rozpędzić.

– Muszę znać nazwiska, wiek, kolegia, kursy, hobby i zainteresowania – ciągnęłam. – Muszę wiedzieć, jak wyglądały. Z kim się przyjaźniły. Jakie brały leki, kto był ich lekarzem domowym. Kiedy już zainteresuję tym mojego przełożonego, będę mogła wprowadzić te dane do głównego systemu dochodzeniowego policji, który w parę sekund wyłapie wszelkie powiązania i podobieństwa między ofiarami. O wiele szybciej niż my. Ale na razie same musimy zrobić co w naszej mocy.

Między brwiami Evi pojawiła się głęboka zmarszczka.

– Czy nie istnieje przypadkiem przepis – zaczęłam – że jeśli podejrzewa się zagrożenie dla życia ludzi, jeśli istnieje ryzyko, że zrobią krzywdę sobie lub innym, to nie tylko wolno wam złamać tajemnicę lekarską, ale wręcz tego się od was oczekuje? – Przewidując odpowiedź Evi, sama tego ranka pogrzebałam trochę w necie.

Nie odezwała się słowem; wiedziałam, że do niej trafiłam.

– Większość osób, które mnie interesują, już nie żyje – ciągnęłam. – Wiem, że tajemnica lekarska nie przestaje obowiązywać wraz ze zgonem, ale to będzie okoliczność łagodząca.

Evi wyglądała na mocno wytrąconą z równowagi. Pies przysunął się do niej i spojrzał na mnie gniewnie. W tej chwili usłyszałam pikanie telefonu – dostałam SMS. Przeprosiłam i wyszłam na korytarz. SMS był od Joesbury'ego.

„Przez dwa dni będę w Londynie. Dzwoń, jeśli to pilne, poza tym żadnej elektron. komunikacji. Dzień czy dwa obejdę się bez czytanki na dobranoc. Ważne: nie dzwoń i nie pisz do Evi Oliver, ogranicz kontakt do minimum. Jej komputer mógł zostać zhakowany. Żadnych telefonów, SMS-ów, maili do nikogo w oficjalnych sprawach. Czekaj, aż się odezwę".

Zamknęłam SMS. No cóż, nie dzwoniłam i nie mailowałam do Evi, i już wcześniej wpadłam na to, że ktoś się włamał do jej komputera. Co do ograniczania kontaktów do minimum, było już na to trochę za późno. Wreszcie udało mi się ją wciągnąć do współpracy i nigdzie się nie wybierałam. Schowałam telefon i wróciłam do salonu. Evi nie ruszyła się z miejsca.

– Nie żyje dziewiętnaścioro studentów – powiedziałam. – Jestem funkcjonariuszką policji prowadzącą oficjalne śledztwo. A ty jesteś odpowiedzialna za tych, którzy mogą być następni w kolejce. Musisz mi powiedzieć, co wiesz.

Chwila ciszy. Dałam jej czas. I w końcu:

– Powiedz jeszcze raz, co potrzebujesz wiedzieć.

53

Godzinę później gabinet Evi przypominał policyjne centrum operacyjne. Na jednej z żonkilowych ścian Laura poprzyklejała niezliczone karteczki: nazwiska studentów wypisane grubym mazakiem, nazwy kolegiów, kierunków studiów, wiek, historię psychiatryczną, zdjęcia pościągane z gazet, baz studentów, a nawet z Facebooka. Dołączyła do tego wszystkie artykuły prasowe na temat samobójstw, jakie udało się znaleźć. Dopiero teraz do Evi dotarła skala problemu.

Patrzyło na nią ze ściany dwadzieścioro dziewięcioro studentów Cambridge, którzy spróbowali odebrać sobie życie w ciągu ostatnich pięciu lat. Większości się udało. Tylko dziesięcioro z nich, począwszy od Danielle Brown sprzed pięciu lat, skończywszy na Bryony Carter pięć tygodni temu, jeszcze żyło. Pięć kobiet z listy podejrzewało, że były gwałcone, kilka innych mówiło o nocnych koszmarach o seksualnym charakterze.

– Za dużo kobiet – mruknęła Evi. – To się kłóci z wszelkimi statystykami.

Na ekranie laptopa Laury widniał arkusz kalkulacyjny z dokładnie tymi samymi informacjami, dzięki któremu próbowały odkryć powiązania między ofiarami.

– Nie ma żadnego ogniwa łączącego – stwierdziła Laura. – Kolegia, do których należały, kierunki studiów, to wszystko jest przypadkowe. Pochodziły z całego kraju, kilka nawet z zagranicy. Nie wszystkie należą do klubu żeglarskiego czy młodzieżówki torysów. Nic ich nie łączy.

– Siedemdziesiąt procent ma historię problemów psychiatrycznych – stwierdziła Evi. – Ale tego można się spodziewać w dowolnej grupie samobójców.

– HOLMES pewnie miałby więcej szczęścia – powiedziała Laura. – To ten policyjny system komputerowy, o którym ci mówiłam. Gdyby, na przykład, wszystkim przekłuto uszy w wieku dziewięciu lat, wyłapałby to.

– Hm, dość prawdopodobny przykład – odparła Evi. – Dużo tu ładnych dziewczyn. Taka szkoda.

Laura odsunęła się o krok, żeby mieć lepszy ogląd całej ściany.

– Oczywiście nie jest mniejsza, jeśli zabija się brzydka dziewczyna – dodała szybko Evi.

– Chwileczkę – mruknęła Laura.

– Co?

Laura znów zbliżyła się do ściany i chodziła od jednego zdjęcia do drugiego.

– Zdaje się, że znalazłaś nasze ogniwo łączące – powiedziała. – Popatrz. – Zdjęła ze ściany fotkę i pokazała ją Evi. – Olivia Cutler. Studentka drugiego roku chemii. Kolegium Churchilla.

Evi spojrzała na zdjęcie dziewczyny z nadwagą i mizernymi włosami. Laura zdjęła jeszcze dwa zdjęcia.

– Anita Hunt – przeczytała. – Pierwszy rok rusycystyki. Trochę końska twarz, nie sądzisz? I Helen Stott, lingwistyka. Przydałoby się zadbać o cerę.

– Lauro, co...?

– Rebecca Graham, filologia klasyczna, też nie była szczytem urody – ciągnęła Laura. – Mamy z głowy cztery brzydule. A teraz popatrz na resztę. Czekaj, pozbędę się jeszcze chłopaków. Popatrz na pozostałe dziewczyny.

Zostało dziewiętnaście zdjęć. Judith Creasey, piękna blondynka i studentka inżynierii z Kolegium Churchilla, samodzielnie zadzierzgnęła sobie garotę na szyi; Kate George z Peterhouse, z czarnymi, lśniącymi włosami i błyszczącymi oczami, która położyła się w wannie i wrzuciła do wody suszarkę do włosów; Sarah Treen z Magdaleny, piękna, czarna dziewczyna o lśniącej skórze i włosach zaplecionych w warkoczyki, która rzuciła się na tory kolejowe. Każde ze zdjęć pozostałych na ścianie przedstawiało szczupłą, atrakcyjną dziewczynę.

– Zdaje się, że on lubi ładne – powiedziała Laura.

54

On? – spytała Evi. – To jest jakiś „on"?

– Zastanów się – poprosiłam. – Jeśli twoja pierwsza teoria jest słuszna, to gdzieś tam są strony internetowe, na których niebezpieczni psychopaci nawiązują kontakt z ludźmi w głębokiej depresji i dla zabawy zachęcają ich do samobójstwa. Ale jakie są szanse, że prawie siedemdziesiąt procent ofiar będą stanowić bardzo ładne kobiety?

– Hm, niewielkie – przyznała Evi. – Uważasz, że ktoś specjalnie wybrał te dziewczyny?

– Nie są niewielkie – sprostowałam. – Są praktycznie zerowe. W tej chwili obchodzi mnie bardziej to, jak daleko ten ktoś się posuwa? Jeśli ofiara nie skoczy, to czy zostaje popchnięta?

– Lauro, zwolnij. Policja badała wszystkie te zgony – przypomniała Evi. – Gdyby były jakiekolwiek wskazówki, że to nie były samobójstwa, z pewnością by je znaleźli.

– Cóż, powinni – powiedziałam, mając przed oczami drugi ślad opon na miejscu zgonu Nicole.

– Twoi przełożeni – zaczęła Evi. – Ci, którzy cię tu przysłali. Sugerowali, że możemy nie mieć do czynienia z samobójstwami?

– Absolutnie nie – odparłam.

– Prawie dwieście osób widziało, jak Bryony się podpaliła – powiedziała Evi.

– Nie. Oni wszyscy widzieli, jak wpadła do sali już w płomieniach.

Jasna twarz Evi wyraźnie pobladła.

– Boże święty, Lauro. Chyba nie myślisz…

– W tej chwili nie wiem, co myślę. Ale nawet jeśli to ona potarła zapałkę, była pod wpływem jakiegoś potężnego halucynogenu.

Evi weszła za biurko, otworzyła szufladę i wyjęła teczkę.

– Rzeczywiście. Miała we krwi bardzo wysoki poziom dimetylotryptaminy – przeczytała po chwili szukania. – Przebadano jej krew i mocz zaraz po przyjęciu do szpitala. Standardowa procedura.

– Wiem bardzo niewiele o środkach halucynogennych – powiedziałam. – Mogą sprawić, że człowiek zrobi coś, czego normalnie by nie zrobił? – W trakcie szkolenia, jak wszyscy funkcjonariusze, miałam podstawowy kurs na temat popularnych ulicznych narkotyków, ale ponieważ nigdy nie pracowałam dla brygady antynarkotykowej, moja wiedza na temat dostępnych środków i efektów ich działania była dość mizerna.

Evi kiwała głową. Słuchała mnie jednym uchem. Wciąż czytała akta Bryony.

– W notatkach z jej terapii nie ma żadnej wzmianki o zażywaniu narkotyków – stwierdziła. – Zawsze pytamy studentów, czy mieli styczność z narkotykami.

– W jej sypialni znaleziono przybory do palenia tego czegoś – zauważyłam.

Evi spojrzała na mnie i zamrugała.

– Ona to paliła?

– Tak wynika z raportu dochodzeniówki – odparłam. – Z tego, co czytałam, to typowy sposób zażywania DMT.

– Nigdy nie pokazano mi tego raportu – powiedziała Evi, wracając oczami do notatek. – To dość dziwne.

– Co takiego?

– Właściwie dwie rzeczy. Pierwsza, że to bardzo wysoki poziom jak na zażycie wziewne. Przy takich wynikach spodziewałabym się raczej podania dożylnego.

– Policja znalazła cybuch i rurkę, nie strzykawkę – odparłam.

Obie zastanawiałyśmy się nad tym przez chwilę. Nie chciałam używać słowa „pozorowanie", ale miałam je na końcu języka. Może ktoś chciał, żeby to wyglądało tak, jakby Bryony z własnej woli zażywała narkotyki, tylko nie zadbał o szczegóły.

– Czy gdyby doszło do sekcji zwłok, ta nieścisłość zostałaby wychwycona? – spytałam.

Evi skinęła głową.

– Niemal z pewnością.

– Co jeszcze? – spytałam. – Powiedziałaś, że dziwne są dwie rzeczy.

– Bryony brała lek z grupy SSRI – odparła. – To są leki przeciwdepresyjne, w tej grupie jest na przykład prozac. Nick na pewno by jej tego nie przepisał, gdyby wiedział, że zażywa narkotyki. Więc musiała go okłamać, i to przekonująco.

Albo doskonale wiedział, co robi.

– Bo...? – chciałam wiedzieć.

– Halucynogeny wchodzą w paskudne interakcje z pewnymi antydepresantami – wyjaśniła. – Zdarzało się, że zażywane razem wywoływały stan fugi dysocjacyjnej.

– Co proszę?

Spojrzała na mnie.

– Stan chwilowej amnezji – tłumaczyła. – Chory kompletnie zapomina, kim jest, i zaczyna wędrować, czasami zagubiony i przerażony, a czasami wyobraża sobie, że jest kimś zupełnie innym. To może trwać od paru godzin do kilku tygodni.

– Nicole Holt zniknęła przed śmiercią na kilka dni – przypomniałam jej. – Odnalazła się w fatalnym stanie i nie pamiętała, gdzie była i co robiła.

Evi spojrzała na mnie. Kiedy Bryony próbowała się zabić, brała zestaw środków psychoaktywnych, który mógł wymazać ogromne porcje jej pamięci. Kilka tygodni później kolejna dziewczyna z utratą pamięci na koncie odebrała sobie życie.

– Jeśli we krwi Nicole też była DMT, to nie może być zbieg okoliczności – powiedziałam. – Jej autopsja odbyła się w tym tygodniu, zgadza się?

Evi skinęła głową.

– Zdaje się, że we wtorek – potwierdziła. – Mówisz, że Nicole zniknęła?

– Muszę dostać się do tego raportu. Masz do niego dostęp?

Zaprzeczyła ruchem głowy.

– Nie była moją pacjentką – wyjaśniła. – Jeśli Nicole zażywała narkotyki albo jeśli w jej krwi wykryto alkohol, wszystko wyjdzie w trakcie przewodu koronerskiego. Ale do tej pory...

Westchnęłam ciężko. Przeważnie wyglądało to tak, że przewód koronerski był otwierany i natychmiast odraczany. Nawet na sześć miesięcy.

– A znasz tutejszego koronera? – spytałam.

Evi lekceważąco machnęła ręką.

– Znam – odparła. – Poznałam go na jakiejś uczelnianej kolacji. Rozmawialiśmy przez chwilę.

– W jakim jest wieku?

Wzruszyła ramionami.

– Przed sześćdziesiątką.

– Żonaty?

– Odniosłam wrażenie, że kawaler. Co to ma...

– Gej czy hetero?

– Nie pytałam.

– Och, na pewno nie musiałaś. Gej czy hetero?

– Hetero – uznała Evi. – Niezły flirciarz, skoro już musisz wiedzieć.

– Idealnie – rzuciłam. – Musimy się z nim spotkać. Masz jego domowy numer?

Evi uniosła rękę.

– Czekaj chwilę. Wspomniałaś, że zniknęła jakaś dziewczyna. Ma na imię Jessica?

Skinęłam głową.

– Tak, a co?

Zamiast odpowiedzieć, Evi podniosła słuchawkę telefonu na biurku i wybrała numer.

– Halo – powiedziała po chwili. – Może mnie pani połączyć z pokojem Jessiki Calloway?

Czekałyśmy. Próbowałam sobie przypomnieć, co widziałam wczoraj w internecie na temat zaginionej dziewczyny.

– Dzień dobry, czy mogę prosić Jessicę? – powiedziała Evi po sekundzie. – Mówi doktor Oliver. – Zmarszczka na jej czole pogłębiła się. – Ach tak – mówiła dalej po chwili. – A rozmawiała pani z jej rodziną?

Spojrzała na mnie. Chyba po raz pierwszy wyglądała na przestraszoną.

– Okej, dziękuję. – Odłożyła słuchawkę. – Jessica Calloway – powiedziała do mnie. – Leczę ją od paru miesięcy. Ma depresję i zaburzenia odżywiania. Widziałam się z nią we wtorek i bardzo zaniepokoił mnie jej stan. Zaczęłam nawet myśleć o hospitalizacji. Nie widziano jej od wtorkowego wieczoru. Muszę porozmawiać z ludźmi z jej bursy, z jej opiekunem.

– Ja tam pójdę – zdecydowałam. – Ty zapraszasz koronera na lunch.

55

Z domu Evi do Kolegium Świętej Katarzyny nie było daleko. Kiedy dojechałam do placu targowego, zsiadłam z roweru i poprowadziłam go między straganami z kolorowymi, pasiastymi daszkami. Przedpołudniowe słońce niemal całkiem już zniknęło, niebo zaciągnęło się chmurami. Były żółtawe i ciężkie, jakby lada chwila miał zacząć padać śnieg. Kluczyłam między kupującymi, mijałam stoiska z chlebem, kwiatami, owocami i warzywami, i gdziekolwiek bym spojrzała, wyczuwałam nerwowy pośpiech. Ludzie chcieli jak najszybciej zrobić zakupy i wrócić do domu, zanim zacznie się śnieżyca. Po drugiej stronie znów wsiadłam na rower i po chwili byłam w kolegium.

Powoli wdrapywałam się na trzecie piętro, modląc się w duchu, by to choróbsko, które mnie rozkładało, nie było niczym poważnym. Jeszcze tego mi było trzeba, żebym teraz zaległa w łóżku na parę dni. Na górze zatrzymałam się, żeby odzyskać oddech, po czym odnalazłam pokój Jessiki. Był od strony Głównego Dziedzińca – musiała mieć ładny widok z okna.

Zapukałam i czekałam. Słysząc odgłos spłukiwanej ubikacji, odwróciłam się i zobaczyłam dziewczynę wychodzącą ze wspólnej łazienki.

– Cześć – przywitałam się, zanim zdążyła się odezwać. – Może mogłabyś mi pomóc. Przyszłam w sprawie Jessiki.

– Dziewiętnaście martwych kobiet – powiedziała Evi. – Do końca tygodnia może być dwadzieścia. Jednej z moich pacjentek nie widziano od wtorkowego wieczoru.

Doktor Francis Warrener, koroner miasta Cambridge, podniósł serwetkę i rożkiem otarł sobie usta. Dość chętnie umówił się z Evi na lunch i sprawiał wrażenie zaintrygowanego, kiedy przyznała, że chce go prosić o przysługę. Teraz najwyraźniej żałował, że zgodził się z nią spotkać. Trudno.

– To tylko kwestia czasu, zanim krajowe media zwęszą tę historię i zaczną zadawać bardzo trafne pytania, na co myśmy tu pozwolili. I zanim rodzice zaczną nas pozywać do sądu – powiedziała. – Nie wiem, jak ty, Francis, ale kiedy do tego dojdzie, ja wolałabym mieć czyste sumienie.

Francis Warrener był mały i gładki, wręcz oślizgły. Wszystkie jego ruchy były staranne i precyzyjne. Miał ciemnobrązowe oczy, rysy, które być może byłyby ładne u kobiety, i bardzo białe zęby. Mówił niewiele, ale każde słowo, które wypowiadał, było dokładne i celne. Parę minut wcześniej w ogóle przestał się odzywać.

– Wiesz, jakie pierwsze pytanie zawsze pada w takich przypadkach? – ciągnęła Evi. – Czy nie dało się zareagować wcześniej. Kiedy ktoś mi je zada, nie chcę odpowiedzieć: no tak, rzeczywiście, trochę się niepokoiłam, ale nie chciałam się wychylać.

Warrener wziął widelec, nadział groszek i ostrożnie włożył sobie do ust. Większość jego posiłku wciąż była na talerzu i szybko stygła.

– Skoro zgłosiłaś swoje obawy policji – zauważył – to chyba trudno wymagać od ciebie więcej.

– Tak, być może uratuje mi to karierę – odparła Evi. – A jeśli tamto nie wystarczy, z pewnością pomoże mi to, że spotkałam się z tobą, wyłożyłam kawę na ławę i poprosiłam o pomoc. Fakt, że i ty, i policja kazaliście mi pilnować własnego nosa, zdejmuje ze mnie wszelką odpowiedzialność.

– I zamiata ją pod mój dywan – stwierdził Warrener.

– Zdaje się, że nie najlepiej dobrałeś metaforę, ale zasadniczo tak – przyznała Evi, zmuszając mięśnie policzków do uśmiechu. Czekała. Warrener przesunął resztki piersi z kurczaka na bok talerza, po czym odłożył nóż i widelec idealnie w środku. – Może po prostu to sprawdź – zasugerowała Evi. Było jej go żal, ale nie na tyle, żeby mu odpuścić. – Jeśli przejrzysz raporty i nie znajdziesz w nich nic, co popierałoby moje słowa, powiesz mi, i tyle. Zadowolę się twoim słowem. W ten sposób nie złamiesz tajemnicy zawodowej i nie naruszysz żadnych zasad.

– A jeśli coś znajdę? – spytał.

– To będziesz bardzo szczęśliwy, że sprawdziłeś – odparła Evi, wiedząc, że on to zrobi. – Jeśli uznasz, że istnieje choćby taka możliwość, to nie powinniśmy tracić ani chwili.

Minęła niemal godzina, a ja nie dowiedziałam się niczego nowego. Może tylko tego, że można się poważnie niepokoić o kogoś, kogo nie widziało się na oczy. Kiedy wyjaśniłam, że pracuję dla psychoterapeutki Jessiki, jej koleżanki chętnie za mną rozmawiały. Po trzydziestu minutach czułam się tak, jakbym znała ją osobiście. Była dziewczyną z problemami, to było oczywiste od dnia, kiedy wstąpiła do kolegium. Przesadnie dbała o wygląd, a w szczególności o wagę. Zanim włożyła cokolwiek do ust, musiała starannie skalkulować liczbę kalorii. Wyczuwając jej bezbronność, niektórzy zaczęli jej dokuczać.

– Czyli konkretnie kto? – zapytałam.

Dziewczyny spojrzały po sobie, szukając natchnienia.

– Nigdy się nie dowiedziałyśmy – odparła jedna, z krótkimi, jasnymi włosami. – Większość ludzi w kolegium nie wygląda na takich. Wszyscy są raczej mili. Większość tego dokuczania działa się w necie, a wiesz, jak to wgląda. Tego typu akcje są całkowicie anonimowe.

– Ale w realu też padała ofiarą żartów – zauważyłam. Evi zdała mi pokrótce sprawę, zanim od niej wyszłam.

– Tak, ale nigdy nie widziałyśmy, kto to robi – powiedziała druga, z warkoczami zwiniętymi nad uszami w stylu księżniczki Lei. – W ciągu dnia piętro jest praktycznie puste. Każdy może wejść i wyjść niezauważony.

W miarę upływu semestru Jessica coraz bardziej odcinała się od ludzi, czasami nie wychodziła z pokoju przez całe dnie.

– Jak sądzicie, mogła brać narkotyki? – spytałam.

Oczy moich rozmówczyń zaczęły unikać moich.

– Jeśli ma kłopoty, wasze milczenie jej nie pomoże – powiedziałam.

– Jestem pewna, że brała – odparła ta krótkowłosa blondynka. – W niektóre ranki wystarczyło spojrzeć jej w oczy.

– Ale nie wiemy na pewno – dorzuciła dziewczyna z żółto-fioletową apaszką na szyi. – Tylko zgadujesz.

– Bywały dni, kiedy ledwie dawała radę wstać z łóżka, a nigdy nie widziałam, żeby piła dużo alkoholu – powiedziała blondynka. – Ćpała i tyle.

– A nie wiecie, skąd brała narkotyki? – dopytywałam się dalej. – Widywałyście, żeby kręcił się tu ktoś podejrzany? Może kogoś poznała? Chodziła gdzieś regularnie?

Popatrzyły po sobie, zastanowiły się jeszcze chwilę i pokręciły głowami.

– Miała problemy z pieniędzmi? – pytałam dalej. Prochy zawsze są drogie.

– Raczej nie – odparła księżniczka Leia. – Sporo wydawała na ciuchy i make-up.

– Zauważyłyście może blizny na jej rękach? Albo nieustanne pociąganie nosem? Czułyście w jej pokoju jakieś dziwne zapachy?

Znów zdezorientowane spojrzenia, znów kręcenie głowami. Jessica nie wyglądała na klasyczną narkomankę. Podobnie jak Bryony. Podziękowałam im za poświęcony czas, dałam numery swój i Evi na wszelki wypadek i zapewniłam je, że Jessice na pewno nic się nie stanie. Kłamałam. Byłam coraz głębiej przekonana, że Jessica nie dożyje przyszłego tygodnia.

Kiedy wychodziłam z budynku, dostałam SMS od Evi, że właśnie jedzie do biura koronera. Zgodził się przejrzeć swoje dokumenty. Poprosiła, żebym spotkała się z nią u niej w domu za dwie godziny.

Więc miałam trochę wolnego czasu. Najchętniej porozmawiałabym z Joesburym. A przynajmniej zawiadomiłabym go, czego się dowiedziałam. Jednak to wszystko dopiero zaczynało być czymś więcej niż teorią, a on zapowiedział bardzo jasno, że mam się z nim kontaktować tylko w najpilniejszych sprawach. Dwie godziny. Postanowiłam zajrzeć do Bryony.

Evi spojrzała na zegarek. Pies siedział sam już trzy godziny. Mógł zasikać dywan, pogryźć meble, postawić wyciem na nogi całą okolicę. A poza tym, czy Laura w ogóle go dzisiaj nakarmiła? Czy była z nim na spacerze?

– Evi.

Podniosła głowę i ujrzała w drzwiach Warrenera. Trzymał w dłoni pojedynczy arkusz papieru.

– Masz coś? – spytała.

Warrener spojrzał na kartkę.

– Przejrzałem jedenaście raportów z autopsji – powiedział. – Poczynając od najnowszego, Nicole Holt.

Evi skinęła głową. Kiedy ona i Laura odrzuciły chłopaków, mniej atrakcyjne dziewczęta i te, którym nie powiodła się próba samobójcza, na liście pozostało jedenaście nazwisk. Poprosiła Francisa o sprawdzenie, czy któraś z tych kobiet była w chwili śmierci pod wpływem narkotyków.

Podał jej kartkę.

– W poniedziałek rano wyślę to mailem do szefa policji – powiedział. – A co on z tym zrobi, to już jego sprawa.

Bryony wyglądała tak jak dwa dni temu. Leżała wpatrzona w sufit namiotu, który chronił ją przed infekcjami. Kiedy usłyszała trzask drzwi, jej głowa powoli odwróciła się w moją stronę.

Coraz bardziej przypominała żywego trupa. Skóra pokrywająca jej twarz była coraz bardziej woskowa, pojawiły się na niej ciemniejsze plamy. Wyglądało na to, że ciało Bryony zaczyna ją odrzucać.

– Cześć – powiedziałam.

Patrzyła, jak podchodzę do łóżka.

– Te same zasady – zaczęłam. – Jak tylko będziesz chciała, żebym sobie poszła, zamrugaj i już mnie nie ma.

Poczekałam chwilę na mruganie. Nie doczekałam się. Przysunęłam sobie krzesło i usiadłam.

– Przedwczoraj po odwiedzinach u ciebie miałam niezłą przygodę – ciągnęłam. – Zaatakował mnie myszołów. – Opowiedziałam jej, jak spłoszyłam ptaka, który przypuścił atak z powietrza, aż musiałam się schować w lesie. Chciałam zapytać ją o parę rzeczy, ale nie chciałam zdenerwować jej zbyt szybko, a poza tym odnosiłam wrażenie, że miała tu bardzo niewiele towarzystwa. Właśnie miałam opowiedzieć jej o lesie i przerażającym farmerze, kiedy do pokoju weszła pielęgniarka, żeby sprawdzić jej ciśnienie i poziom tlenu.

Zeszło jej z tym dość długo, a mnie zaczęło się spieszyć; przecież byłam umówiona z Evi. Historyjka o lesie z horroru musiała zaczekać do jutra.

– Bryony – powiedziałam, kiedy drzwi się zamknęły. – Chcę cię o coś zapytać. To nie będzie dla ciebie łatwe, ale to ważna sprawa. W porządku?

Patrzyłam, jak Bryony przechyla głowę do piersi i znów ją prostuje. Boże kochany, w głębi duszy miałam nadzieję, że się nie zgodzi, bo to, o co chciałam zapytać, wydawało mi się szczytem okrucieństwa, ale słowa Evi – że dwieście osób widziało, jak Bryony się podpaliła – dały mi do myślenia. Bo tak naprawdę nikt tego nie widział. Dwieście osób widziało, jak się pali.

Kiedy Nicole zdekapitowała się w niedzielę, był przy tym ktoś jeszcze. Danielle nie była sama, kiedy powiesiła się na drzewie. Może i Bryony nie działała sama.

– Bryony, muszę cię zapytać, czy ktoś był z tobą, kiedy się podpaliłaś.

Może wszystkim trzem ktoś ułatwił sprawę.

– Muszę wiedzieć, czy ktoś ci pomagał.

Może to wcale nie były samobójstwa.

– Czy ktoś ci to zrobił?

Dłoń Bryony wędrowała po łóżku, aż chwyciła pisak. Powoli zaczęła wodzić nim po tabliczce. W tej chwili otworzyły się drzwi i do pokoju wszedł salowy. Kiwnął mi głową i podszedł do kosza na śmieci.

– No więc, stoję tak, półnaga, zlana wodą, przykuta łańcuchem za nogę, i nagle ktoś podtyka mi kamerę pod twarz – powiedziałam tak wesołym głosem, na jaki potrafiłam się zdobyć. – Talaith mówiła, że w zeszłym semestrze bez przerwy to robili.

Paplając tak, pochyliłam się nad łóżkiem, żeby zobaczyć, co napisała Bryony. Salowy wysypywał zawartość kosza do dużego, plastikowego wora, który ze sobą przyniósł.

„Ja", napisała. „Ja to zrobiłam".

Ledwie dostrzegalnie skinęłam jej głową, by pokazać, że zrozumiałam, i posłałam półuśmiech, żeby podziękować. Salowy pożegnał mnie ponurym spojrzeniem i wyszedł z pokoju.

– Dam ci już spokój – mówiłam dalej. – Szczerze mówiąc, sama jestem wykończona. Miałam w nocy dziwaczne sny. To pewnie ten pokój tak działa.

Bryony szeroko otworzyła przestraszone oczy.

– Przepraszam – powiedziałam. – Po prostu Talaith wspomniała, że kiedy z nią mieszkałaś, też miewałaś złe sny.

Znów zaczęła pisać.

„Nie", napisała. „Nie sny".

Nie sny? Co to mogło znaczyć?

Mazak wciąż poruszał się po tabliczce. „Bell", napisała znów.

– Wiem, już mówiłaś – powiedziałam jej. – Bryony, masz na myśli Nicka Bella, swojego lekarza?

Natychmiast się ożywiła. Zaczęła pukać mazakiem o plastik. Najpierw w słowo „Bell", potem „Nie sny". Mazak wyślizgnął jej się z palców, ale Bryony nie przestawała stukać, jakby było niezmiernie ważne, żebym zrozumiała. „Bell". I „Nie sny".

Za moimi plecami otworzyły się drzwi i w progu stanęła pielęgniarka.

– Bryony potrzebuje się teraz przespać – oznajmiła głosem nieznoszącym sprzeciwu.

Evi spojrzała na kartkę. W przypadku samobójstw badania toksykologiczne były przeprowadzane rutynowo i wszelkie nietypowe substancje wykryte we krwi, ślinie i moczu były odnotowywane w raporcie z autopsji. Warrener wyjął z archiwum wyniki toksykologiczne wszystkich jedenastu ofiar. Nina Hatton, studentka zoologii, która zabiła się pięć lat wcześniej, przecinając sobie tętnicę udową, miała we krwi temazepam, dość popularny środek uspokajający, i psylocybinę, narkotyk halucynogenny. Jayne Pearson, studentka filologii francuskiej, która siedem miesięcy po Ninie ukradła z domu pistolet i zastrzeliła się, miała we krwi ślady innego leku uspokajającego, flunitrazepamu, sprzedawanego pod handlową nazwą rohypnol. W tym samym roku akademickim autopsje Kate George i Donny Leather wykazały ślady odpowiednio LSD i meskaliny. Obie dziewczyny zażywały też benzodiazepiny, jeszcze inną grupę leków uspokajających. W kolejnym roku Bella Hardy i Freya Robin brały tuż przed śmiercią ibogainę i DMT. Evi dotarła do końca listy, do wyników autopsji Nicole Holt. Dziewczyna zażyła przed śmiercią LSD.

– Pomijając kombinację halucynogenów i środków uspokajających, nie ma tu właściwie żadnego schematu – stwierdziła Evi, spoglądając na koronera.

– To prawda – przyznał Francis. – A ślady środków psychoaktywnych w ciałach samobójców to nic niezwykłego.

– Nie. – Claire McGann, która zmarła czternaście miesięcy wcześniej, zażyła mandragorę, rzadki narkotyk halucynogenny pochodzenia ziołowego. Niedługo po niej Miranda Harman umarła po zażyciu benadrylu.

– Zgłaszam to szefowi policji – ciągnął Francis – i pokazuję ci to wbrew zdrowemu rozsądkowi z dwóch powodów.

– Niektóre z tych narkotyków są bardzo nietypowe – zauważyła Evi.

– To prawda – zgodził się. – Nie są to środki, jakie z łatwością może zdobyć przeciętny student. Druga rzecz, która mnie uderzyła, to to, że w organizmach samobójców najczęściej znajdujemy alkohol.

Evi jeszcze raz spojrzała na listę.

– Nie ma go u żadnej – oznajmiła. – U Kate i Freyi są ślady, ale takie stężenie oznacza najwyżej kieliszek wina sporo wcześniej. Żadna z nich się nie upiła.

– Właśnie. I może to tylko moje wymysły – ciągnął Francis – ale przyszło mi do głowy, że ze wszystkich obezwładniających środków znaczna ilość alkoholu byłaby najtrudniejsza do podania wbrew woli drugiej osobie.

Evi jeszcze raz spojrzała na listę.

– A mnie uderzyło, że jeśli naprawdę doszło tu do przestępstwa, to ktoś świetnie zna się na narkotykach.

– Czy to już wszystko, Evi? – spytał Warrener, i jego mina mówiła wyraźnie, jaką chciałby usłyszeć odpowiedź.

– Niezupełnie – odparła Evi.

56

Czyli działają same – stwierdziła Evi. – Cokolwiek je do tego popycha, ostateczna decyzja, by umrzeć, należy do nich.

– Na to wygląda w przypadku Bryony – zgodziłam się. – Danielle bardzo mętnie pamiętała szczegóły, ale z pewnością zapamiętałaby, gdyby została zlinczowana. Pozostałe trudno zapytać, z oczywistych względów.

– A „nie sny"? – spytała Evi. – Jesteś pewna, że to miała na myśli?

– Nie mam stuprocentowej pewności, ale wszystko pasuje – odparłam. – Pamiętaj, że sama Bryony nigdy nie mówiła o złych snach. Twierdziła, że ktoś wchodzi nocą do pokoju i dotyka jej. To jej współlokatorka, Talaith, wspominała, że Bryony krzyczała przez sen.

– Jessica mówiła bardzo jasno – powiedziała Evi. – Miewała straszne koszmary, choć nie pamiętała szczegółów.

– W przypadku Nicole też mówiły o tym koleżanki. Słyszały jej krzyki w nocy.

Siedziałyśmy w kuchni Evi – pięknym, dużym pomieszczeniu w tylnej części domu, z oknami wychodzącymi na ogród. Pośrodku trawnika rósł wielki cedr, klomby na obrzeżach otaczały mniejsze drzewa i krzewy. Niski ceglany murek z żelazną furtką w połowie stanowił dolną granicę ogrodu. Za nim widziałam mocno ogłowione wierzby. Miałam wrażenie, że niebo zsunęło się jakby niżej i przybrało kolor skisłej śmietany.

– Jeśli te tak zwane sny są naprawdę niewyraźnymi wspomnieniami prawdziwego napastowania, to dlaczego dziewczyny nie budzą się z wrzaskiem w chwili, kiedy otwierają się drzwi sypialni?

– Obstawiałabym, że są pod wpływem środków uspokajających – powiedziała Evi, wskazując listę koronera. – Ktokolwiek to robi, dobrze zna się na substancjach psychoaktywnych. Mamy tu rohypnol, mamy ketaminę. Przy odpowiedniej
dawce człowiek robi się dość uległy, a następnego dnia pamięta niewiele albo nic.

– Na razie wszystko się zgadza – stwierdziłam. – Jednak
czasami budzą się z krzykiem. Czy to, co się z nimi dzieje,
jest tak straszne, że znosi efekty działania środków uspokajających?

– Jeśli w grę nie wchodzi fizyczny ból, to mało prawdopodobne – odparła Evi. – A pamiętaj, że te dziewczyny nie
miały obrażeń fizycznych. Musiało tu wchodzić w grę jeszcze
coś.

Jakby nie dość było tego, co już miałyśmy.

– Jeszcze coś? – spytałam.

– Na tej liście jest mnóstwo halucynogenów – wyjaśniła. –
Kilka ofiar miało we krwi ślady środków psychodelicznych.

Musiałam mieć głupią minę, bo Evi westchnęła ciężko.

– Okej – rzuciła. – Orientujesz się, że narkotyki halucynogenne wywołują doświadczenia różniące się od stanu zwy-
czajnej świadomości?

– Chcesz powiedzieć nierzeczywiste?

Skinęła głową.

– Tak, można powiedzieć, że to doświadczenia nierzeczywiste. Ale w tym worku mieści się szeroka gama możliwości,
zależnie od zażytego narkotyku, okoliczności i predyspozycji
samego zażywającego.

Pies przyszedł za nami z salonu, ale teraz obchodziła go
już tylko Evi. Leżał u jej stóp na twardych kafelkach podłogi
i wpatrywał się w nią z uwielbieniem. Co, moim zdaniem, sporo mówi na temat słynnej lojalności psów. Ja uratowałam go

przed kulą, nakarmiłam, dałam schronienie, a on zakochał się w ładniejszej twarzy.

– Mów dalej – poprosiłam.

– Narkotyki halucynogenne dzielą się na trzy zasadnicze typy – powiedziała Evi. – Przede wszystkim mamy substancje psychodeliczne. Te nie wywołują halucynacji *sensu stricto*, one tylko zmieniają percepcję rzeczywistości. Człowiek pod ich wpływem może widzieć wyjątkowo żywe kolory czy jakieś ruchy przedmiotów nieożywionych. Często wrażenia zmysłowe ulegają przemieszaniu, ludzie mówią o słyszeniu kolorów i widzeniu dźwięków.

– Niezły odlot – stwierdziłam.

Evi się nie uśmiechnęła.

– Tak przy okazji, słowo psychodeliczny nie jest wymysłem hipisów, pochodzi ze starożytnej greki – wyjaśniła. – *Psyche* to umysł czy też dusza, a *delos* oznacza ujawnienie się, manifestację. Narkotykiem psychodelicznym jest LSD, podobnie DMT i meskalina. Działają w ten sposób, że wydobywają na światło dzienne jakąś ukrytą część ciebie.

– Ukrytą, ale prawdziwą? – spytałam.

– Dokładnie. Pod koniec lat sześćdziesiątych prowadzono eksperymenty medyczne. Próbowano potwierdzić teorię, że środki psychodeliczne wydobywały na powierzchnię umysłu to wszystko, co pacjent ukrywał. Dość ryzykowne, oczywiście, bo jeśli ludzie spychają w głąb jakieś wspomnienia, zwykle mają dobry powód. Wydobywanie ich siłą na jaw może być bardzo niebezpieczne.

– Jeśli ktoś ma mroczny sekret, środki psychodeliczne mogą go ujawnić? – spytałam. Po skórze przebiegł mi dreszcz, który nie miał nic wspólnego z temperaturą. Sama miałam parę sekretów, które wolałabym bezpiecznie trzymać w zamknięciu.

– Tak. Druga grupa to dysocjanty – ciągnęła Evi. – Powodują, że odbierasz świat zewnętrzny jako wyśniony czy nieprawdziwy. Zdajesz sobie sprawę, co się dzieje dookoła, ale czujesz się od tego oderwana. Ludzie mówili o poczuciu, że obserwują samych siebie z oddali, a nawet że widzą świat jak wielki ekran kinowy. Nadążasz?

– Tak, oczywiście – odparłam. – A typowy dysocjant to na przykład?

– Fencyklidyna i właśnie ketamina. Obie zostały wynalezione jako anestetyki używane przy operacjach. I obie są na tej liście.

– A trzecia grupa? – ponagliłam ją.

– Chyba najbardziej niebezpieczna, delirianty – tłumaczyła Evi. – Te mogą wywoływać halucynacje w prawdziwym tego słowa znaczeniu. Zażywający prowadzą rozmowy z ludźmi, których nie ma, widzą rzeczy, które nie mają poparcia w rzeczywistości.

– Te rzeczy, które widzą, bywają przerażające? – spytałam.

– To zależy. Ktoś w dobrym nastroju, w sytuacji, w ktorej czuje się bezpiecznie, ma duże szanse na dobrą jazdę.

– A ktoś zdołowany, niespokojny, w okolicznościach, w których czuje się bezbronny i przestraszony, będzie miał złą?

– Ktoś taki w ogóle nie powinien brać narkotyków – odparła Evi. – Bo skutki będą opłakane.

– Okej – zgodziłam się. – Więc załóżmy na potrzeby tej rozmowy, że jesteś w depresji, bezbronna i przestraszona, dostajesz środek uspokajający i padasz ofiarą napaści seksualnej, a potem na dokładkę dostajesz jeszcze potężny halucynogen. Jaki byłby efekt?

Nigdy nie widziałam Evi tak bladej.

– Wolę nawet o tym nie myśleć – odparła.

Spojrzałam na listę narkotyków, którą Evi przyniosła z biura koronera. Niektórych nawet nie rozpoznawałam.

– Więc jak, one biorą to gówno świadomie, czy są faszerowane bez swojej wiedzy? – spytałam.

– Bryony podczas terapii twierdziła stanowczo, że niczego nie bierze – powiedziała Evi. – Nicka też musiała przekonać, skoro przepisał jej taki antydepresant.

– Koleżanki Jessiki były przekonane, że coś brała. Ale sądząc po tym, jak opisywały jej zachowanie, nie była typową narkomanką.

– Nie sądzę, żeby Jessica ćpała – stwierdziła Evi. – Zauważyłabym objawy. Kiedy do mnie przychodziła, nie widziałam żadnych.

– A jakie są objawy? – spytałam.

– Rozszerzenie źrenic, nietypowa bladość, przyspieszony oddech, pocenie, drżenie kończyn – wymieniła Evi. – I w zasadzie miałaś je wszystkie dzisiaj rano.

Okej, to było dość zaskakujące.

– I przedwczoraj – ciągnęła, zanim zdążyłam wymyślić odpowiedź. – Kiedy przyszłaś do mnie do kolegium. Zauważyłam, że nie wyglądałaś najlepiej.

– Nigdy w życiu nie zażyłam narkotyku – odpowiedziałam zgodnie z prawdą. – Rozkłada mnie przeziębienie, i tyle.

– Miałaś jakieś koszmary? – spytała mnie Evi.

Wstałam i podeszłam do dywanika przed kuchenką, na którym pies położył się spać. Nogi sterczały mu na wszystkie strony, a podbrzusze było całkiem odsłonięte.

– Ten pies to suka – powiedziałam.

– Jest strasznie kochana – odparła Evi.

– Cały dzień mówiłam o niej jak o facecie. – Odwróciłam się, żeby spojrzeć na Evi. – Ty wiedziałaś?

– Oczywiście – potwierdziła. – Po prostu założyłam, że nie jesteś orłem z biologii. A zamieszanie z tożsamością seksualną psa to nasze najmniejsze zmartwienie. Więc jak, opowiesz mi o tych złych snach?

Evi myślała, że ja... Pokręciłam głową.

– To niemożliwe.

Nie ruszyła się, nie odezwała.

– Śniło mi się, że ktoś próbuje się włamać do mojego pokoju – przyznałam. – Że słyszę, jak wchodzi, i nie mogę się ruszyć. To było dość przerażające. Obudziłam się w saloniku, przytulona do psa. Drzwi zamknięte na klucz, okno całe, żadnych śladów włamania, kilka wkurzonych dziewczyn na korytarzu.

– Kiedy wyszłaś wczoraj z przyjęcia, dokąd pojechałaś? – spytała Evi.

– Do baru z hamburgerami, żeby kupić Sniffy'emu coś do jedzenia, a potem do kolegium. Mojej współlokatorki nie było. Zaparzyłam sobie herbatę, popracowałam i poszłam spać.

– Więc to musiało być na przyjęciu – stwierdziła Evi. – Co, przyznaję, wydaje się mało prawdopodobne.

– Bo jest – odparłam. – Czy te środki nie działają praktycznie od razu?

Evi wzruszyła ramionami.

– Niektóre tak, niektóre nie – odpowiedziała niezbyt użytecznie.

– W drodze do domu nic mi nie było. Po powrocie pracowałam jeszcze jakąś godzinę. Kiedy kładłam się spać, czułam się absolutnie normalnie.

– Mówisz, że piłaś herbatę?

– Narkotyki w torebce ekspresówki? – spytałam z powątpiewaniem. – Nie, naprawdę, moje złe sny i poranne samopoczucie to kombinacja stresu, zmęczenia, niepokojącej wieczornej rozmowy z tobą i być może początków grypy. Teraz czuję się już o wiele lepiej, naprawdę.

Evi przyglądała mi się przez chwilę, aż w końcu wstała i przyniosła swoją lekarską torbę z szafy w korytarzu.

– Może wyślemy próbki do analizy? – zapytała od progu. – Tak dla świętego spokoju.

Otworzyłam usta, żeby odmówić, ale nagle pomyślałam, że to przecież nikomu nie zaszkodzi. Na pewno wiedziałabym, gdybym została znarkotyzowana, ale jeśli to miało uspokoić Evi...

– Załóżmy na chwilę, że zgadzam się z twoją teorią – powiedziałam. – W jaki sposób można podać komuś narkotyk, żeby o tym nie wiedział? – Patrzyłam, jak wyjmuje z torby igłę, strzykawkę, probówki i słoiczek na próbkę moczu. Rozdarła opakowanie igły.

– Lewa ręka, podwiń rękaw – poprosiła mnie, zakładając igłę na strzykawkę. – No cóż, jest mnóstwo środków, które można dodać do napojów – ciągnęła, kiedy ja wypełniałam polecenie. – W ten sposób działają narkotyki gwałtu. Ale ostatnio studenci są dość czujni, jeśli o nie chodzi.

– Auć – dorzuciłam inteligentnie. Evi włożyła moją krew do woreczka, wypisała etykietkę i odsunęła go na bok.

– Wyślę to z samego rana w poniedziałek – powiedziała.

Jeszcze ze mną nie skończyła. Kiedy wróciłam z toalety i wręczyłam jej próbkę moczu, znów wygrzebała parę rzeczy z torby. Poświeciła mi w oczy, zmierzyła puls i ciśnienie i osłuchała mnie stetoskopem.

– Przeżyjesz – oznajmiła w końcu.

– Miejmy nadzieję, że Jessica też – rzuciłam. Kiedy Evi nie odpowiedziała, pożałowałam, że zachciało mi się dowcipkować. Evi troszczyła się o swoich pacjentów. I szczerze martwiła się o Jessicę. Ja też, prawdę mówiąc.

– Może przez kilka nocy powinnaś spać gdzie indziej – zasugerowała. – Mam tu parę wolnych pokoi.

Pokręciłam głową.

– Bez pozwolenia mojego oficera prowadzącego nie mogę wprowadzać żadnych poważnych zmian – odparłam. – A dopóki nie przyjdą wyniki, nie wiemy niczego na pewno. Nie martw się. Będę uważać.

Evi miała zatroskana minę, ale nie nalegała.

– Koroner zamierza w poniedziałek wysłać tę listę szefowi policji – powiedziała, podnosząc zadrukowaną kartkę, którą dał jej Francis Warrener. – Jak myślisz, co zrobi policja?

– Na pewno z niczym się nie pospieszy. Co nie pomoże Jessice. Szef policji najprawdopodobniej prześle to do wydziału śledczego, poleci jeszcze raz przyjrzeć się poszczególnym przypadkom i zdać sobie raport. Jako że dziewczyny i tak już nie żyją, wątpię, by sprawa została potraktowana priorytetowo. Będą się z tym guzdrać przez parę tygodni.

Zabytkowy zegar w korytarzu wybił kwadrans do pełnej godziny. Wyglądało na to, że dzisiaj już niewiele możemy zrobić.

– Muszę lecieć – oznajmiłam, wstając. Wzięłam torebkę. – Zajrzę jutro.

– Laura! – zawołała za mną Evi, kiedy miałam już dłoń na klamce. – Nie zapomniałaś o czymś?

Odwróciłam się i zobaczyłam, że trzyma moją prowizoryczną smycz.

– Otóż, widzisz – zaczęłam – na razie jeszcze nikt nie zgłosił jej zaginięcia, ale to tylko kwestia czasu. A na razie, pomyślałam, że powinna zostać u ciebie.

Brwi Evi zniknęły pod grzywką.

– A skąd pomysł, że to będzie...

– No cóż, najwyraźniej cię lubi – odparłam. – I z tego, co widzę, z wzajemnością.

– Nie mogę mieć psa, Lauro. Jak mam ją wyprowadzać?

– Wpadnę rano, żeby to zrobić – stwierdziłam. – Spróbuj ją przechować przez noc. Wiem, że jest za słodka na psa obronnego, ale jest całkiem spora, a kiedy szczeka, brzmi jak doberman. A jeśli atrakcje ostatnich godzin wymazały ci to z pamięci, przypomnę ci, że masz stalkera. Gdyby ktokolwiek chciał się tu włamywać, teraz zastanowi się dwa razy.

– Na litość boską, czym mam ją karmić?

– Psim żarciem – odparłam. – Przed drzwiami stoją dwadzieścia cztery puszki. Przyniosłam je wcześniej. Zaraz ci je wniosę. Legowiska nie potrzebuje. Będzie spała na dywaniku przy łóżku.

– Nie przeje dwudziestu czterech puszek w jedną noc – burczała Evi, kiedy mijałam ją, idąc do kuchni z dwiema paletami psiej karmy w ramionach. Sniffy nawet się nie obudziła, kiedy wychodziłam. Ona już zdecydowała, gdzie nocuje.

57

Pedałując z powrotem do Świętego Jana, próbowałam sobie przypomnieć, kiedy ostatnio byłam na randce. Już w bramie doszłam do wniosku, że nigdy. Jako nastolatka miewałam chłopaków, i to pewnie więcej niż większość dziewczyn – nie byłam aniołem – ale spotykałam się z nimi na rogach ulic, na ławkach w parku, na placach zabaw, na które przełaziło się po ciemku przez płot. Spotykało się, siedziało razem, piło tani alkohol, paliło. Przytulanie i pieszczoty szły coraz dalej i dalej, aż w wieku szesnastu lat wiedziałam o seksie właściwie wszystko.

W wieku siedemnastu lat uciekłam z domu i jakiś czas żyłam na ulicach. Sięgnęłam dna, a potem odkryłam, że są jeszcze gorsze miejsca. Ale stopniowo podźwignęłam się z tego i doprowadziłam do porządku. Wstąpiłam do rezerwy RAF-u, potem do policji, zaczęłam studiować prawo, wyrobiłam sobie pozycję w pracy. Nie zostawiało mi to wiele czasu na życie towarzyskie, a poza tym już dawno postanowiłam, że nie mogę nikogo dopuścić zbyt blisko. Co w zasadzie wykluczało chłopaków.

Na pewno nie bałam się mężczyzn. Do niedawna miałam dość aktywne życie seksualne – po prostu nie próbowałam sobie wmawiać, że mężczyznom, którzy przewijają się przez moje łóżko, chodzi o coś więcej niż seks. Teraz dobiegałam trzydziestki i właśnie miałam pójść na pierwszą randkę. Z mężczyzną, który mógł się okazać potworem w ludzkiej skórze. No cóż, jak to mówią, każda randka to pole minowe.

Z drugiego końca korytarza słyszałam ostry rock. Kiedy otworzyłam drzwi, przywitała mnie ściana dźwięku i widok Tox siedzącej na środku dywanu. Śliwkowe włosy miała zwinięte w kok na czubku głowy. Wyglądały, jakby nie czesała ich od tygodni i spięte były czymś, co wyglądało na chińskie pałeczki. Miała na sobie różowe rajtuzy z dziurą na tyłku. Jedną nogę – prawą – miała wygiętą do góry i założoną za głowę. Pięta znajdowała się na karku. Druga noga spoczywała zgięta przed nią. Rękami dla równowagi podpierała się po bokach. Miała zamknięte oczy. Nie otworzyła ich, kiedy weszłam.

Kręcąc głową – ech, dzieciaki! – minęłam ją i weszłam do swojego pokoju. Choć powiedziałam Evi coś innego, wciąż nie czułam się najlepiej. Miałam dwie godziny na doprowadzenie się do porządku za pomocą magii w postaci paracetamolu, mocnej kawy i gorącej wody.

Muzyka ucichła.

– Cześć, kotku! – usłyszałam wołanie Tox z saloniku, kiedy już przestało mi łomotać w uszach. – Mogłabyś mi tu pomóc?

Wróciłam. Tox nie zmieniła pozycji; przesunęła się tylko trochę na tyłku, żeby być przodem do mnie.

– Utknęłam – oznajmiła. – Mogłabyś mnie, no wiesz, odhaczyć?

Wkręcała mnie.

– Niemożliwe – odparłam. – Po prostu pochyl głowę do przodu.

– Nic z tego – stwierdziła, i muszę uczciwie przyznać, że była trochę czerwona na twarzy. – Rajtki zaczepiły mi się o naszyjnik. Nie mogę go rozpiąć. Kombinuję i kombinuję, i tylko pogorszyłam sprawę. W górnej szufladzie mam nożyczki.

Schyliłam się, żeby spojrzeć. Rzeczywiście kilka włókien wełny zahaczyło się o zapięcie czegoś, co miała na szyi. Spróbowałam uwolnić naszyjnik, ale wełna była zaplątana po obu stronach zapięcia.

– To się nie odepnie – powiedziałam.

– Nożyczki – rzuciła Tox. – Na litość boską, siedzę tak od godziny.

Kiedy wreszcie ją uwolniłam, musiała użyć obu rąk, by wyjąć nogę zza głowy i powoli opuścić ją na podłogę. Potem wyciągnęła się i przeturlała na brzuch z twarzą przyciśniętą do dywanu.

– Joga? – spytałam, kiedy już przestała jęczeć.

– Tantryczna – mruknęła w dywan. – Cudownie wpływa na życie seksualne.

– Nie będę sprawdzać osobiście – odparłam, zerkając na iPod, leżący na dywanie obok niej. – A Killersi mieli zagłuszyć twoje krzyki?

Podniosła odtwarzacz.

– Killersi mieli przyciągnąć uwagę – wyjaśniła. – Wiedziałam, że wcześniej czy później ktoś przyjdzie mnie opieprzyć. – Sięgnęła za siebie i zaczęła masować prawy pośladek. – Chryste, ależ boli. Chyba sobie coś naciągnęłam.

– Napuszczę ci wody na kąpiel – zaproponowałam.

– Wiem, że się ze mnie śmiejesz, ty nieczuła krowo! – zawołała za mną, kiedy szłam korytarzem do łazienki.

Prawie dwie godziny później poszłam w ślady Tox i moczyłam się, aż skóra mi się pomarszczyła. Potem łyknęłam kodeinę i paracetamol. Wypiłam kolejne pół litra wody i dwie filiżanki bardzo mocnej kawy. Czułam się już nieźle i pewnie lepiej już być nie mogło, chyba że zafundowałabym sobie dziesięć godzin snu.

Tox, która zdążyła pokuśtykać do Bufetu na kolację i z powrotem, klęczała na fotelu, bo tyłek pewnie wciąż miała zbyt obolały, żeby usiąść jak należy.

– Miastowy czy uczelniany?! – zawołała do mnie.

– Słucham?

– Ten facet, z którym idziesz na randkę. Miastowy czy uczelniany?

– Sześciu starych dziadów i dwie wąsate lesby – odpowiedziałam, wyciągając dżinsy z szafy. Mówiłam jej, że zostałam zaproszona na oficjalną wydziałową kolację, ale widać mi nie uwierzyła.

– Pieprzysz – powiedziała, patrząc, jak wciskam się w spodnie. – To są dżinsy marki „przeleć mnie". Mają nawet dziurę w kroku.

– Nie mają – warknęłam, choć rzeczywiście, można by się kłócić. Kupiłam te dżinsy dwa lata temu na Camden Market. Stary, wytarty materiał byłby obcisły jak druga skóra, gdyby nie składał się głównie z dziur. Obie nogawki na całej długości były poszatkowane serią poziomych rozdarć. To były dżinsy Lacey, Laura nie włożyłaby czegoś takiego, ale jeśli miałam przetrwać ten wieczór, musiałam na chwilę wypuścić Lacey z pudełka.

– Nabawisz się odmrożeń – ciągnęła moja samozwańcza matka zastępcza. – Zdajesz sobie sprawę, że pada śnieg?

Miała trochę racji. W ciągu ostatnich dwóch godzin miękki biały puch zaczął się zbierać w kątach okien. Niestety, nie miałam już czasu, żeby przemyśleć zmianę koncepcji i przebrać się. Wciągnęłam sweter przez głowę. Zostało mi dziesięć minut. Czy była jakaś szansa na pozbycie się Tox, zanim przyjdzie Nick?

– Ty dzisiaj zostajesz w domu? – spytałam ją.

– Nie no, co ty. O dziesiątej gryzłabym meble z nudów. Ale drużyna Barneya grała dzisiaj na wyjeździe. Wróci dopiero za godzinę. Świetnie ci w tym kolorze.

– Dzięki – powiedziałam. Sweter był jasnobłękitny, z podróbki kaszmiru. Nigdy nie byłam do końca pewna, czy mi w nim dobrze, zawsze się zastanawiałam, czy nie jest trochę za...

– I strasznie mi się podoba to zderzenie stylów. No wiesz, rockowa zdzira i babcia kierowniczki poczty.

– Właśnie o to mi chodziło – odparłam, zastanawiając się, czy nie znaleźć jednak czasu na zmianę koncepcji.

– Wiesz co? Mam idealne kolczyki do tej kreacji. – Tox zlazła z fotela i pokuśtykała do siebie.

– Właściwie nie noszę kolczyków! – zawołałam za nią. – Trochę się marnują przy długich włosach.

Wróciła, wymachując parą ogromnych, dyndających kolczyków, i zaprezentowała mi je, jakby to był święty Graal.

– Absolutnie doskonałe – oznajmiła, przykładając je do mojego swetra. – Tylko potrzebujesz czegoś, żeby spiąć włosy. Znów zniknęła. Każdy z kolczyków składał się z kilku błękitnych piórek zwisających z miniaturowej lustrzanej kuli. Wyglądały jak coś, co dziecko wybrałoby na odpustowym straganie. W tej sekundzie rozległo się pukanie do drzwi. Kiedy je otworzyłam, ujrzałam po drugiej stronie mężczyznę z płatkami śniegu w miedzianych włosach. Na moje oko metr osiemdziesiąt, idealny wzrost dla faceta.

– Cześć – przywitał się.

– Siemka – odpowiedziała Tox zza moich pleców.

– To jest Talaith – przedstawiłam ją bez odwracania się. – Ale jeśli nie zamierzasz składać ślubów kapłańskich, lepiej nazywaj ją Tox.

– Możesz mnie nazywać, jak tylko zechcesz – powiedziała Tox, kiedy cofnęłam się o krok, żeby wpuścić Nicka do środka. Kątem oka zobaczyłam, że przestała kuśtykać i sunęła po pokoju jak kotka udzielająca lekcji prawidłowej postawy. Wyciągnęła do niego rękę gestem Królowej Matki.

– Nick Bell – przedstawił się. Po sekundzie spojrzał w dół. Wciąż trzymała go za rękę.

– To jak, nie chcesz zmienić zdania? – spytała, spoglądając na mnie, a potem w dół na własne ciało. – Bo w Bursie Crippsa oferujemy wybór.

– Wynoś się stąd, ladacznico – powiedziałam do niej. – I puść jego rękę. Napędziłaś mu stracha.

Tox podeszła jeszcze bliżej Nicka, wciąż uczepiona jego dłoni.

– Nazwała cię starym dziadem – oznajmiła. – Nie jest miła.

– Jesteś przezabawna – powiedział z odrobinę niepewnym uśmiechem.

– Raczej przerażająca – dorzuciłam, mordując ją wzrokiem. – Lepiej już idźmy. Ona się nie uspokoi.

Odwróciłam się po kurtkę, a Tox wreszcie puściła dłoń Nicka.

– Kolczyki! – wrzasnęła.

Zabrała mi je i wetknęła w uszy, nie oszczędzając paru bolesnych dziabnięć. Na szczęście były przekłute, bo nawet nie sprawdziła.

– Nie widać ich! – zawyła i pognała do siebie. Spojrzałam na Nicka. Wzruszył ramionami. Tox wróciła i zaczęła chwytać garście moich włosów. Pięć sekund później pchnęła mnie przed lustro. – No – oznajmiła. – Rockowa laska plus kierowniczka poczty plus...

– Oszalała hodowczyni drobiu – dokończyłam za nią. Z uszy zwisały mi błękitne pióra. Połowa moich włosów była zwinięta w kok i przytrzymana grzebieniami ozdobionymi kolejną garścią błękitnych piór. – Dzięki – powiedziałam. – Kiedyś się odwdzięczę.

Tox pomachała nam na pożegnanie, świergoląc jak prawdziwa matka wysyłająca córeczkę na pierwszą randkę, życząc nam uroczego wieczoru i nalegając, żeby Nick nie trzymał mnie za długo poza domem.

– Zdejmę je za chwilę – powiedziałam, kiedy szliśmy na dół po schodach. Świadomość, że z mojej głowy sterczą na wszystkie strony kawałki martwego ptaka, nie dawała mi spokoju.

– Nawet mi się podobają – odparł Nick. – Wyglądasz w nich mniej poważnie.

– Znasz ten lokal? – spytał, kiedy kelnerka posadziła nas przy stoliku na antresoli, nad główną salą restauracji o nazwie Galleria. Szliśmy dziesięć minut w gęstniejącym śniegu, aż dotarliśmy na Bridge Street, do ceglanego budynku stojącego już niemal na samym moście. Rzeka za oknami lśniła jak wstęga ropy naftowej między brzegami białymi od śniegu.

Byłam w Cambridge niecały tydzień. Nie miałam czasu na zwiedzanie restauracji. Pokręciłam głową.

– Nie, ale jest uroczy – powiedziałam, uznając, że to odpowiedź w stylu Laury.

Sala była duża i jasna, obrus i serwetki białe, sztućce i kieliszki bardzo proste. Goście, którzy wchodzili po nas, zostawiali na drewnianej podłodze ślady roztopionego śniegu.

Nick odłożył kartę win.

– No więc, gdzie trafił pies? – spytał.

– Mieszka u mojej przyjaciółki, dopóki nie znajdzie się właściciel – odparłam. – A właśnie, przypomniało mi się. Na twojej farmie słyszałam przedziwny odgłos. Tuż zanim pojawiła się Sniffy.

– Jaki odgłos? No i Sniffy?

– Bo ciągle węszy – wyjaśniłam. – A odgłos był przerażający – ciągnęłam, przypominając sobie, jaka zgroza mnie ogarnęła. – Trochę jak krzyk, trochę jak coś duszonego. I trochę jak dzikie zwierzę, które zaraz zaatakuje.

Nick marszczył czoło, ale nagle twarz mu się wygładziła.

– Mundżak – stwierdził. – Prawie na pewno. Za pierwszym razem napędza stracha większości ludzi.

– A mundżak to…

– Mały, krępy jelonek – wyjaśnił. – Zasadniczo uważany w tych stronach za szkodnika.

– Strzelasz do nich?

– Jeśli nie uciekają dość szybko. Co zjesz?

Wzięłam menu.

– A podają tu mundżaki? – zapytałam.

– Powinnaś się ze mną wybrać na polowanie – oznajmił. – Jutro po południu, tuż zanim zacznie się ściemniać. A co do kolacji, kaczka po chińsku jest doskonała.

Dwie randki w dwa dni? Facet nie tracił czasu. Chyba że miał inne powody, by chcieć mnie lepiej poznać.

– Czyli kaczka – powiedziałam, zamykając menu. – A ty nie chcesz się najpierw przekonać, jak się uda dzisiejszy wieczór?

– Och, już jestem zadurzony – odparł. – Jak się dogadujesz z Evi?

– Doskonale – powiedziałam. – To twoja stara przyjaciółka?

– Studiowaliśmy tu razem medycynę, tyle że ona parę lat później. Dałem jej cynk, kiedy zwolniła się jej obecna posada.

– Martwi ją liczba samobójstw na uczelni w ciągu ostatnich paru lat. – Zdecydowałam się zaryzykować i pokierować rozmowę w trochę bardziej niebezpieczne rejony.

Nick kiwał głową.

– Tak – przyznał. – Już od jakiegoś czasu nie daje jej to spokoju.

– Myślisz, że niepotrzebnie się przejmuje? – Gdyby próbował dyskredytować obawy Evi, mogłoby to sugerować, że nie chce, by ktokolwiek traktował je poważnie.

Zaprzeczył ruchem głowy.

– Niestety nie – odparł. – Chyba rzeczywiście ma podstawy do niepokoju. Teraz to już tylko kwestia czasu, zanim dziennikarze zwietrzą, co się dzieje, i medialne zainteresowanie jeszcze bardziej pogorszy sprawę.

– Ona uważa, że działa tu jakaś wpływowa subkultura, gloryfikująca autodestruktywne zachowania – powiedziałam, zadowolona z siebie. Z jaką łatwością nauczyłam się używać psychobełkotu.

Przyniesiono nasze przekąski: wielkie krewetki w cytrusowym maśle dla Nicka, a dla mnie sałatkę z pomidorów i bazylii.

– I że ktoś to wszystko podsyca – ciągnęłam.

Zrobił zdziwioną minę, więc opowiedziałam mu o znalezionych przeze mnie portalach, na których nie tylko gloryfikowano samobójstwa, ale wręcz do nich zachęcano. O miejscach, gdzie zrozpaczeni ludzie drwiną, pochlebstwem i namową byli skłaniani do aktów samobójczych. Przez cały czas obserwowałam jego oczy, wypatrując w nich choćby jednego błysku, który powiedziałby mi, że jest w to bardziej zaangażowany, niż powinien być. Nic. Albo naprawdę był niewinny, albo wyjątkowo opanowany. Uznałam, że mogę go nacisnąć trochę mocniej.

– Teoretycznie powinnam mieć jakieś pojęcie o psychologii – powiedziałam. – Ale prawda jest taka, że tego nie rozumiem. Nie rozumiem, dlaczego ludzie chcą krzywdzić innych, których nawet nie znają. – Urwałam i wzruszyłam ramionami. Na jego prawym policzku była maleńka plamka zarostu, którą przegapił przy goleniu. I miał parę siwych włosów jakieś dwa, trzy centymetry nad skroniami, tak niewiele, że pewnie mogłabym je policzyć.

– Cóż, jest całe mnóstwo książek traktujących o psychologii zła – powiedział. – Ale w sumie wszystko sprowadza się chyba do poczucia mocy. Robimy to, bo możemy. – Przerwał, by podnieść bułkę z talerza. – Kiedy tutaj studiowałem, jeden z kolegów opowiedział nam historyjkę o dzieciaku, którego ojciec popełnił samobójstwo, kiedy ten chłopak był jeszcze bardzo młody. Strzelił sobie w głowę. Ciało znalazła trzyletnia siostra tego chłopca. Oboje byli straumatyzowani przez lata.

– Nie dziwię się – stwierdziłam, kiedy kelnerka zabrała nasze talerze po przekąskach. – I co się z nim stało?

– O ile pamiętam, w szkole spiknął się z bandą łobuzów. Zatruli życie młodszemu koledze. Zmienili jego egzystencję w piekło, aż któregoś dnia powiesił się w internacie na podartym prześcieradle.

– Paskudna historia – powiedziałam. – To już jej koniec?

– Gdzie tam. Przywódcy bandy bardzo się to spodobało. Nigdy w życiu nie doświadczył takiego poczucia władzy. To sprawiło, że zapragnął zrobić to jeszcze raz.

Historyjka sprzed piętnastu lat, opowiedziana dziwnie szczegółowo. Zaczęłam się zastanawiać, czy Nick ma siostrę.

– I to był ktoś, z kim studiowałeś? Ktoś, kto był na uczelni?

Pokręcił głową.

– Kolega ze studiów tylko opowiedział nam tę historię – wyjaśnił. – Rzekomo o kimś, kogo kiedyś znał.

– Rzekomo?

Nick wzruszył ramionami.

– Prawdę mówiąc, to był dziwny gość. Taki chudy kujon. Zdaje się, że odpadł po trzecim roku.

– Pamiętasz jego nazwisko?

Nick odchylił się na krześle.

– A po co ci ono? – spytał i przyjrzał mi się uważnie spod zmrużonych powiek.

Cholera, o mało się nie zdradziłam. Na litość boską, po co Laurze nazwisko kujona z Cambridge, który wyleciał po trzecim roku i opowiadał kiedyś niezłą historyjkę o samobójstwie?

– Evi opowiedziała mi coś podobnego – skłamałam, zapisując sobie w pamięci, żeby jutro uzgodnić z nią wersję. – Ale ona była przekonana, że ten gość mówił o sobie. Wymieniła jakieś szkockie nazwisko, McLean czy McLinnie, czy jakoś tak.

– Całkiem możliwe – odparł Nick, kręcąc głową. – Przykro mi, nie pamiętam.

Pod koniec kolacji wciąż nie miałam pojęcia, czy mój towarzysz jest wyjątkowo miłym i przystojnym facetem, czy wyrachowanym mordercą bawiącym się ze mną w kotka i myszkę. A biorąc pod uwagę moje szczęście do facetów, szanse były mniej więcej pół na pół.

Kiedy wyszliśmy z restauracji, okazało się, że śnieg całkowicie przysypał ziemię i Nick zaproponował, żebyśmy poszli do domu dłuższą drogą, by nacieszyć się, jak to nazwał, wybielonym miastem. Mimo dżinsów, które miały więcej dziur niż całego materiału, zgodziłam się, bo ciągle jeszcze nie rozpracowałam tego gościa. Poza tym w śniegu jest coś fajnego, prawda? To, jak zmiękcza ostre dźwięki i rozjaśnia ciemność, przykrywa wszystko, co brzydkie, i sprawia, że świat wygląda czysto. Kiedy szliśmy przez miasto, studenci wylegali z burs, a nawet z pubów i kawiarń, żeby powygłupiać się na dworze. Wszędzie dookoła słychać było odgłosy zabawy: tupoty biegnących nóg, piski dziewcząt i dobroduszne drwiny.

Przez kilka minut szliśmy wzdłuż rzeki, patrząc, jak płatki śniegu topnieją na powierzchni leniwej wody, a potem skręciliśmy, by przeciąć spory park, który, jak powiedział mi Nick, nazywał się Błonie Jezusa. Rozgrywała się na nim epicka bitwa na śnieżki.

– Ci są z Kolegium Jezusa, tamci z Królowej – wyjaśnił Nick, po rycersku osłaniając mnie własnym ciałem. – Nie podnoś głowy i idź szybko, może nas nie zauważą.

– Po czym poznałeś? – spytałam.

– Kolegium Jezusa przyciąga niespotykaną liczbę rudo-włosych kobiet – wyjaśnił – a mężczyźni z Królowej są znani z noszenia dżinsów bardzo nisko na biodrach.

Spojrzałam w stronę potyczki. Jakaś dziewczyna w pe-ruwiańskiej czapce została właśnie obalona na ziemię przez chłopaka, któremu chyba było dość ciepło, bo miał na sobie tylko kamizelkę od garnituru. Dziewczyna nie broniła się zbyt zaciekle. Nigdzie nie dostrzegłam rudych włosów ani obwi-słych dżinsów. Posłałam Nickowi zdziwione spojrzenie.

– Szaliki – wyjaśnił. – Ci z Jezusa czerwono-czarne, ci z Królowej zielono-białe.

Zbłąkana śnieżka trafiła go w skroń.

– Dobrze ci tak – powiedziałam.

– Auć – rzucił. – Strasznie zimne. Wpadło mi za kołnierz.

Ruszyliśmy dalej, zostawiając za sobą krzyki i piski, i znów zbliżyliśmy się do miasta. Gdy wychodziliśmy z par-ku, po chwili zastanowienia wzięłam Nicka pod rękę. Przed nami był długi, niski dom z kamienia barwy miodu, z oknami z maleńkich szybek i parapetami pobielonymi śniegiem. Nad naszymi głowami przefrunęła śnieżka i rozbiła się o ścianę. Skręciliśmy za róg i wokół nas wyrosły piękne budowle, pa-łające bielą i złotem w świetle latarń. Czułam się, jakbym we-szła w bajkę.

– Nigdy mi się to nie nudzi – powiedział Nick. Szliśmy chodnikiem, a śnieg niemal natychmiast zasypywał nasze śla-dy. – Oboje moi rodzice pracowali na uniwersytecie. Kiedy dorastałem, ich najgorsze kłótnie dotyczyły tego, do którego kolegium mam wstąpić. Mój młodzieńczy bunt polegał na gro-żeniu, że złożę papiery do Oksfordu.

Mój młodzieńczy bunt polegał na podpalaniu samocho-dów w dokach Cardiff. Ale to nie był najlepszy moment, żeby o tym wspominać.

– Więc gdzie w końcu wylądowałeś?

– W Trójcy – odparł. – Dawnym kolegium taty. On nie żył już wtedy i mama uznała, że to będzie coś w rodzaju hołdu dla niego.

Jego ojciec nie żył. Jak umarł? Naturalną śmiercią, czy... Byliśmy już pośród budynków. Nad głowami wyrastały nam wieże i wieżyczki.

– Właśnie w takich chwilach – powiedział Nick, rozglądając się po dachach – mam nadzieję, że zobaczę nocnego wspinacza.

Na spodniej stronie podbródka miał małą bliznę. Z tak bliska bardzo ładnie pachniał. Czymś ciepłym i aromatycznym.

– To brzmi jak tytuł niskobudżetowego horroru.

– Nie mów, że nie słyszałaś o nocnych wspinaczach.

Ostrożnie. To mogło być coś, co powinien wiedzieć każdy prawdziwy student Cambridge.

– Coś mi się obiło o uszy – powiedziałam. – Ale zakładałam, że to legenda.

– O nie, są jak najbardziej prawdziwi – odparł. – Jest na to całe mnóstwo dowodów fotograficznych. Niemal co roku w grudniu na szczycie którejś z wież Kolegium Królewskiego pojawia się czapka Mikołaja. W lepszych latach nawet na wszystkich wieżach.

– Więc kim oni są?

Nick uśmiechnął się do mnie.

– Nikt nie wie, i właśnie o to chodzi. Nie można wstąpić do żadnego klubu czy stowarzyszenia, bo to absolutnie wbrew przepisom. Jeśli przyłapią cię na wspinaniu, wylatujesz bez dyskusji.

– A na co się wspinają?

Nick uniósł rękę i wskazał niebo wokół nas.

– Na wszystko. Dachy, kominy, rynny, iglice, wieżyczki. To się zaczęło dawno temu, kiedy kolegia zamykano o dziesiątej. Studenci, którzy za długo bawili się w mieście, musieli się wspinać do swoich pokojów. Niektórym się spodobało.

Spojrzałam na iglicę najbliższego kościoła. Jak dla mnie, była dość daleko od ziemi.

– Zdarza im się spadać? – zapytałam.

– Oczywiście. Parę lat temu jeden gość nadział się na ogrodzenie. Ponoć był tak pijany, że operowali go bez znieczulenia.

Dotarliśmy do głównej bramy Świętego Jana. Cambridge to małe miasto. Kiedy przechodziliśmy przez małe wewnętrzne drzwi na Pierwszy Dziedziniec, Nick przywitał po imieniu dyżurnego pedela. Na dziedzińcu grupka studentów trzeciego roku lepiła bałwana.

– To jak, też się wspinałeś?

– Widzisz, właśnie w tym rzecz – odparł. – Nigdy się tym nie chwalimy.

Kot obserwował nas z parapetu pierwszego piętra, kiedy podchodziliśmy do głównego wejścia Gmachu Crippsa. Zaczęłam się robić nerwowa. Nick pewnie się spodziewał, że zaproszę go na górę.

Dotarliśmy pod drzwi. Odwrócił się przodem do mnie, chwycił za poły kurtki, by przyciągnąć do siebie, a ja przyłapałam się na myśleniu: czemu nie. Dawno nie spotkałam tak przystojnego faceta, a poza tym zdarzało się, że tajniacy nawiązywali seksualne relacje z obiektami swojego śledztwa. To był element infiltracji, zdobywania zaufania.

Z drugiej strony, kiedy następnym razem będę się z kimś kochać, chciałabym patrzeć w turkusowe oczy, nie rdzawobrązowe.

– To jak z jutrem? – spytał. – O trzeciej. U mnie. Pójdziesz ze mną polować z sokołami?

Nie mogłam mieć Joesbury'ego. Nigdy. To był jedyny mężczyzna na świecie, którego nie byłabym w stanie trzymać na dystans.

– Okej – zgodziłam się, odchylając głowę do tyłu, by jego usta miały łatwy dostęp do moich. Musiałby tylko schylić głowę. Uśmiechnął się do mnie.

– Więc do zobaczenia. – Puścił moją kurtkę, odwrócił się i odszedł.

58

Od wypadku, który zrobił z niej kalekę, Evi wiele razy śniła, że może biegać. Czasem też, że może latać. Tylko raz śniło jej się, że jeździ na nartach, i wtedy obudziła się nad ranem, drżąca i przerażona. Nigdy nie śniło jej się, że tańczy.

Aż do dziś.

Rockowy kawałek. *Dancing in the Dark* Springsteena. Pulsujący, natarczywy rytm, puszczony głośno, by słychać go było mimo wiatru. Włosy fruwały jej wokół głowy, na szyi czuła zimne, listopadowe powietrze, resztę ciała rozgrzewało ciało mężczyzny, przyciśnięte do niej. Harry. Pastor, który grał w zespole rockowym. Teraz podtrzymywał ją prosto i tańczył za oboje na nagim, skalistym szczycie góry Lancashire Tor. Tamtej nocy, kiedy się w sobie zakochali.

Znów Harry. Harry w jej ramionach. Czuła jego oddech na czole, czuła cudowne, niecierpliwe oczekiwanie na pierwszy pocałunek. Tańczyli coraz bliżej i bliżej krawędzi Tor. Przyłożył prawą dłoń Evi do swojej piersi, uwolnił własną, by delikatnie przechylić jej podbródek do góry. Zobaczyła brązowe oczy, uśmiechające się do niej. To był ten moment.

– Evi spada – powiedział. I zrzucił ją z Tor.

Leżała obok łóżka i ból przeszywający całe jej ciało był jedyną rzeczą, o której była w stanie myśleć. Zmusiła się do kilku głębokich oddechów. To tylko sen. Nie spadła. Co najwyżej z łóżka, i może to spowodowało ten nagły, kłujący ból, ale nic jej nie było. Znalazła włącznik lampy. Sniffy spojrzała na nią, mrugając, ze swojego miejsca na dywaniku. Leniwie machnęła ogonem. Nie było się czym przejmować. Evi pomyślała, że weźmie więcej pigułek przeciwbólowych, może napije się czegoś gorącego i wróci do łóżka. Wszystko było w porządku.

Tyle że Springsteen wciąż śpiewał.

Gdzieś w domu grała muzyka. I to nie byle jaka muzyka. To był kawałek, który znaczył dla niej więcej niż jakikolwiek inny. Piosenka, której nie mogła słuchać, przez którą wyłączała radio, ilekroć ją puszczali, bo zwyczajnie nie była w stanie słuchać jej bez płaczu.

Przygryzając wargę, obeszła łóżko i ruszyła do drzwi. Po chwili odwróciła się i zawołała psa. Sniffy wstała z ociąganiem, ani trochę nieprzejęta ani widmową muzyką, ani intruzem, który musiał się tu włamać i włożyć płytę do odtwarzacza.

Sprzęt grający był w salonie. Korytarz tonął w ciemności. Evi puściła obrożę Sniffy, ale pies pozostał u jej boku. Drzwi do salonu były zamknięte. Evi przekręciła gałkę i sięgnęła za drzwi, do włącznika światła.

Muzyka umilkła. Pokój był pusty.

– Idź, sprawdź – szepnęła do psa. Sniffy spojrzała na nią. Jedyną możliwą kryjówkę w pokoju stanowiły zasłony na wielkich frontowych oknach. Przecież pies wiedziałby, gdyby ktoś się tam chował. Na wieży nie paliły się żadne lampki. Przy wyłączaniu wydawała ciche brzdęknięcie, Evi na pewno by je usłyszała.

Teraz, kiedy się zastanowiła, wiedziała już, że nie ma nawet płyty Springsteena.

Mocno ściskając obrożę Sniffy, przekuśtykała przez pokój i rozsunęła zasłony. Nikogo tu nie było. Sniffy przekrzywiła głowę, jakby pytała: teraz możemy już wracać do łóżka?

– To był sen, prawda? – spytała Evi. – Nie było żadnej muzyki, tak?

Ogon Sniffy machnął w lewo i prawo. Jedno ucho opadło, drugie pozostało czujne.

Evi wyruszyła z powrotem. Kiedy była już w połowie sypialni, zatrzymała się nagle. Wiedziała bez cienia wątpliwości, że ktoś ją obserwuje. Obróciła się na miejscu. Zasłony zaciągnięte, drzwi zamknięte. Była sama. Dotarła już do łóżka, kiedy usłyszała głos za plecami.

– Evi spada – powiedział.

59

Niedziela, 20 stycznia (dwa dni wcześniej)

Następnego ranka czułam się o niebo lepiej. Po kilku godzinach spania bez żadnych marzeń sennych wirus, z którym walczył mój organizm, poddał się nareszcie. Z całą pewnością nikt nie podał mi skrycie żadnych narkotyków. Evi miała rację, że dmuchała na zimne, ale na szczęście się myliła.

Wpadłam też na pewien pomysł. Bryony może i sama podpaliła zapałkę, która o mało nie pozbawiła jej życia, ale wyraźny dowód, że sama kupiła benzynę, potwierdzałby też zamiar popełnienia samobójstwa. Zapalić zapałkę, będąc pod wpływem narkotyków, to jedno, ale pójść na stację, napełnić kanister benzyną i zapłacić za nią to już zupełnie inna para kaloszy. Jeszcze raz sprawdziłam raport dochodzeniówki ze śledztwa przeprowadzonego po jej próbie samobójczej. Pamiętałam, że paragon za kanister benzyny znaleziono w biurku Bryony. Odszukałam nazwę stacji benzynowej i datę zakupu kanistra. W końcu ubrałam się i wyszłam.

Śnieg zniechęcił wielu kierowców do wyjazdu z domu i sklep przy stacji na Station Road był pustawy. Leniwy strumyk klientów wpadających po mleko i gazety był dokładnie tym, czego potrzebowałam. Dość ruchu, by odwrócić uwagę, ale nie na tyle, by personel czuł się pod presją. Młody Azjata za ladą obserwował mnie, kiedy szłam do niego od drzwi. Obrzuciłam go spojrzeniem pełnym aprobaty, obstawiając, że bywa podrywany – był na to wystarczająco przystojny. Wyszczerzyłam się do niego w uśmiechu. Odpowiedział tym samym.

– Cześć – przywitałam się, kiedy byłam już przy ladzie. Oparłam się o nią i odęłam usta. – Jestem Laura. Przyszłam obejrzeć nagrania z waszych kamer.

Jego uśmiech przygasł odrobinę.

– Słucham?

Pogrzebałam w torebce i wyjęłam legitymację studencką.

– Oj, przepraszam – powiedziałam. – Już pokazuję dokumenty. Żebyś wiedział, że nie jestem jakąś przestępczynią. Prowadzę badania na temat tego, jak stacje benzynowe przejmują klientów prywatnych sklepików. Umówiłam się z panem Watsonem, że wpadnę dzisiaj na dziesięć minut. Żeby przejrzeć wyrywkowe fragmenty nagrań z waszych kamer.

– Pierwsze słyszę – powiedział, teraz już najeżony.

– Naprawdę? – zdziwiłam się. – Właściwie nie jestem zaskoczona. W tym tygodniu byłam już w dziesięciu placówkach i w połowie z nich pracownicy nie zostali uprzedzeni. Problem w tym, że muszę jutro oddać wyniki. Tak czy inaczej, nie twoja wina. Nara.

Byłam już prawie przy drzwiach, przekonana, że się nie udało, kiedy zawołał za mną.

– Chcesz tylko przejrzeć stare nagrania? – spytał.

Kiwnęłam głową.

– Mam tu przypadkowe daty i godziny wygenerowane przez nasz program komputerowy. To nie powinno potrwać dłużej niż godzinę.

Wyszłam czterdzieści minut później. Dla pewności obejrzałam nagranie dwa razy. Bryony nie było na tej stacji koło godziny, kiedy kupiono kanister. Jedynym prawdopodobnym kandydatem był wysoki facet, który przez cały czas pobytu w sklepie chował twarz pod kapturem bluzy. Chował też to, co kupił, trzymając ten przedmiot tuż przy piersi, ale kiedy odwrócił się do drzwi, kamera całkiem nieźle uchwyciła to, co ściskał. I z całą pewnością wyglądało to jak kanister.

O trzeciej po południu znów byłam u Nicka. Stałam przed szopą sokołów, a gospodarz nakładał mi na barki coś w rodzaju uprzęży.

– Na pewno się na to piszesz? – spytał mnie po raz trzeci. – Mogę sam później wyjść z drugim stadem, kiedy ty będziesz sobie oglądać omnibusa *East Enders*.

– A masz w ogóle prąd w tym swoim domiszczu?

Nick opuścił mi na barki kwadratową, drewnianą ramę i przypiął ją do uprzęży. Na tejże ramie, jak wyjaśnił, miałam nieść trzy sokoły. On miał mieć taką samą. Wszedł do szopy i wyniósł ptaka ze skórzanym kapturkiem zakrywającym głowę; wyglądało to bardzo średniowiecznie. Ptak usadowił się na ramie przede mną, ze szponami związanymi skórzanymi paskami. Nastroszył pióra, reagując na zimno, ale poza tym wydawał się zupełnie wyluzowany.

Dziesięć minut później w towarzystwie dwóch pointerów szliśmy zaśnieżoną wiejską drogą, zapuszczając się w pola Cambridgeshire.

– Dlaczego mają kaptury? – spytałam. Kolejno wspięliśmy się na przełaz prowadzący na zaorane pole. Nick przeskoczył na drugą stronę, jakby nie miał uwieszonej w pasie ramy z żywym ładunkiem. Ja przeszłam powoli, bojąc się, że wpadnę w zaspę i zrobię krzywdę któremuś z ptaków.

– Dzięki temu się nie rozpraszają – wyjaśnił. – Gdyby nie miały zasłoniętych oczu, wszystkie chciałyby wystartować, kiedy tylko zobaczylibyśmy jakąś zwierzynę. Byłoby zamieszanie.

– Więc polują kolejno? – zapytałam. – Jak to się odbywa? Puszczamy je i czekamy, aż coś znajdą? Jak długo mają latać, zanim zrezygnujemy i puścimy następnego? I co je powstrzymuje, żeby nie odlecieć, gdzie je oczy poniosą?

– Mnóstwo pytań na raz – odparł. – Zdarza się, że ptaki się gubią. Trzeba je skutecznie zachęcić do powrotu. Te od małego uczyły się kojarzyć mnie z pożywieniem. Dlatego zwykle wracają. A co do polowania, one nie znajdują zwierzyny, one ją tylko chwytają.

– Więc kto ją znajduje? – Tym razem przeszliśmy przez bramę. Nick zamknął ją za mną.

– Jesteśmy na ziemi Jima Notleya, który nie ma nic przeciwko moim polowaniom. Możemy zacząć – powiedział. – Okej, więc to idzie tak. Psy szukają zwierzyny. Obserwuj je.

Na sygnał Nicka Merry i Pippin pobiegły naprzód i zaczęły węszyć. Pippin zniknął w zaspie, od czasu do czasu widzieliśmy tylko fontanny śniegu. Merry został na widoku i wtykał nos w królicze nory, pod krzaki jeżyn, zwalone pnie.

– Najpierw poleci Arwena – oznajmił Nick, zdejmując kaptur ptakowi po swojej prawej. Sokół, odzyskawszy wzrok, zatrzepotał skrzydłami i podskoczył na ramie. Pozostałe sokoły chyba wyczuwały, że coś się dzieje. Całe stado przeszył jakby zbiorowy dreszcz, przekazywany z ptaka na ptaka. Obydwa psy zniknęły nam z oczu.

– Czego one szukają? – spytałam. – Królików?

– Sokoły wędrowne nie podejmują zwierzyny z ziemi – odparł Nick. – Niektóre ptaki to robią, sowy na przykład, i myszołowy, ale sokoły mają za dużą prędkość. Gdyby uderzyły w ziemię, lecąc ponad sto sześćdziesiąt kilometrów na godzinę, nie przeżyłyby. Muszą chwytać zdobycz w powietrzu. Spokojnie, skarbie.

Arwena chciała już lecieć. Napinała uwięź, dziobała Nicka. Mocno trzymając skórzane paski, uniósł ją z ramy i posadził na swoim przedramieniu. Szliśmy dalej. Nick trzymał rękę zgiętą pod kątem prostym, jak średniowieczny myśliwy, a mnie ogarnęło idiotyczne podniecenie. Gdyby ktoś powiedział mi dwa tygodnie temu, że będę polować z sokołami, kazałabym mu się puknąć w głowę.

Nagle stało się wszystko na raz. Jeden z psów zaczął szczekać i w powietrze wzbiła się chmurka trzepoczących, szarych piór. W następnej sekundzie Arwena mknęła już w niebo jak pocisk; skrzydła, które na grzędzie wydawały się tak lekkie i delikatne, pchały ją w górę z niewiarygodną siłą.

– Zobaczyła je – powiedział Nick. – Obserwuj ją.

Próbowałam, ale za szybko było po wszystkim. Kuropatwa – dopiero później dowiedziałam się, że była to kuropatwa – nie miała szans. Sokół dostrzegł ją, przyspieszył i parę sekund później, kilka metrów nad nami, nastąpiła powietrzna kolizja. Wydawało mi się, że słyszę krzyk schwytanego ptaka, a może triumfalne wołanie Arweny, i oba ptaki zaczęły spadać. Przez chwilę myślałam, że coś poszło nie tak, ale nagle Arwena rozłożyła skrzydła, żeby wyhamować. Wylądowała z kuropatwą, a Nick przyspieszył kroku, żeby do nich dotrzeć. Psy były przy sokole przed nami, ale grzecznie czekały. Nick opuścił na ziemię ramę z ptakami, podniósł Arwenę z martwej kuropatwy i uwiązał ją z powrotem do ramy. W końcu wyjął nóż, odciął kuropatwie głowę i wręczył ją Arwenie, która, czujna i żądna krwi, siedziała na jego dłoni odzianej w rękawicę.

– Brzydzisz się krwawych widoków? – spytał, kiedy sokół w parę sekund rozdarł głowę i śnieg splamiły małe, czerwone plamki. Wyczuwając krew, pozostałe ptaki zaczęły burczeć i szarpać postronki.

– Zdarza mi się – odparłam.

Wypuszczaliśmy ptaki jednego po drugim. Kiedy wszystkie sokoły Nicka zaliczyły już swoją kolejkę i jego torba zaczęła się zapełniać, pozwolił spróbować i mnie. Wic polegał na tym, by utrzymać ptaka w spokoju, dopóki nie nadszedł odpowiedni moment, a potem wypuścić go szybko i sprawnie. Najwyraźniej był w tym jakiś haczyk, bo moje ptaki nie odnosiły takich sukcesów jak te wypuszczane przez Nicka. Kiedy przeleciał się ostatni, niebo znaczyły już wstęgi różu i złota, a mnie zaczynały boleć nogi, pracujące ciężej niż zwykle z powodu śniegu. Nagły krzyk nad głową kazał mi spojrzeć w górę; ujrzałam trzy łabędzie lecące nad nami.

– Chyba skończyliśmy – oznajmił Nick. – Jeśli pójdziemy wzdłuż tego ogrodzenia, skrócimy sobie drogę.

Nie miałam nic przeciwko. Obeszliśmy brzegiem mały zagajnik. Kiedy odwróciliśmy się plecami do zachodu słońca, przed nami znów rozpostarł się widok. Jakieś półtora kilometra od nas dostrzegłam grupę dużych, niskich budynków.

– Co to jest? – spytałam.

– Kompleks przemysłowy – odparł Nick. – Jakieś trzy kilometry za Cambridge. Przeszliśmy kawał drogi.

Między nami a kompleksem rósł długi, wąski las bukowy. Widziałam też linię drżących wierzb, świadczących, że niedaleko jest rzeka.

– Zdaje się, że to tu miałam przygodę z myszołowem – powiedziałam. – A twój przyjaciel Jim Notley wyrzucił mnie ze swojej ziemi.

Nick spojrzał na mnie ze zdziwieniem.

– Nie wspominał mi.

– Chyba mnie nie poznał. Byłam w ciuchach do biegania.

– Tam na dole jest ogólnodostępna ścieżka – zauważył Nick. – Nie powinien był cię z niej wyrzucać.

– Nie byłam na ścieżce – przyznałam. – Schowałam się w lesie przed tą krwiożerczą, pierzastą wścieklizną.

– A, to wszystko wyjaśnia. Jim jest bardzo drażliwy na punkcie tego zagajnika. Ma tam całe mnóstwo gniazdujących bażantów.

– W styczniu? – Nie miałam pojęcia, kiedy przypada sezon lęgowy bażantów, ale środek zimy wydawał mi się trochę nieprawdopodobny.

– Może to siła przyzwyczajenia – stwierdził Nick. – Pełno tu króliczych nor. Patrz pod nogi.

– W tym lesie było coś dziwnego – powiedziałam. – Były tam kukły.

Nick zatrzymał się w miejscu.

– Co takiego? – spytał.

– Wypchane kukły wiszące na drzewach. To było dość koszmarne.

Popatrzył na mnie ze zmarszczonymi brwiami.

– Jesteś pewna?

– Nie – odpowiedziałam. – Możliwe, że to było coś całkiem innego. Kępki mchu torfowca zwisające z drzewa, które wzięłam za ludzkie postacie. A powieszone martwe zwierzęta to mogły być, bo ja wiem, śmieci z tych przemysłowych budynków. Na przykład baloniki. Może twój kumpel Jim planuje imprezę.

– Martwe zwierzęta?

Wzruszyłam ramionami.

– Jim jest trochę dziwny, ale nigdy o czymś takim nie słyszałem – powiedział. – Chyba że jakieś dzieciaki tu grasowały. Może dlatego tak nerwowo cię potraktował.

To wyglądało na rozsądne wyjaśnienie, ale i tak nie miałam ochoty zaprzyjaźniać się z Jimem. W tym facecie było jakieś szaleństwo.

– Co to było? – zapytałam, zatrzymując się jak wryta, aż Nick musiał odskoczyć na bok, żeby nie wpaść na mnie. Dźwięk był niski, metaliczny, niemal żałobny.

– Nie pytaj, komu bije dzwon – rzucił Nick, podchodząc do mnie bliżej. Wiatr, wyjątkowo łagodny jak na tak zimny dzień, wiał nam w twarze.

– Tu gdzieś jest kościół? – Od pierwszej sekundy wiedziałam, że to dzwon, ale dźwięk wydawał się kompletnie nieprawdopodobny w szczerym polu pod Cambridge.

– To dzwon odlewni – odparł Nick.

„Bell", napisała Bryony. Dzwon.

– Odlewnie nie mają dzwonów.

– Cały ten kompleks jest zbudowany na miejscu dawnej wiktoriańskiej odlewni dzwonów. Niby dlaczego nazywa się Stara Ludwisarnia?

– Nie wiedziałam, że się tak nazywa. – Zakładałam, że Bell to osoba i że Bryony boi się najprawdopodobniej

Nicka Bella. Nigdy nie sądziłam, że chodziło jej o prawdziwy dzwon.

– To co słyszysz, to stary żeliwny dzwon wiszący na murze dawnego budynku fabryki – wyjaśnił Nick. Wziął mnie za rękę i pokierował w stronę domu. – Słychać go, tylko kiedy wiatr wieje w odpowiednim kierunku.

I właśnie wiał. Kiedy maszerowaliśmy do domu, długo słyszałam niskie, donośne dzwonienie, niesamowite, jak sygnał statku widma, który lada chwila wyłoni się z mgły.

60

O trzeciej po południu, kiedy słońce było już nisko na niebie, Evi i suczka, która reagowała już na imię Sniffy, wyszły na dwór. W śniegu były ślady po wcześniejszych psich wędrówkach. I dwa niezbyt pachnące prezenciki po fizjologicznych potrzebach. Kiedy Sniffy truchtała dookoła, wtykając nos pod krzaki i kucając od czasu do czasu, by zostawić w śniegu żółtą kałużę, Evi przeszła całą długość alejki przysypanej śniegiem.

W dolnej części ogrodu znajdował się niski, ceglany mur z żelazną furtką, która wychodziła na brzeg rzeki, i pomościk dla łódek. Uwiązany do słupka i przykryty plandeką stał niewielki kajak. Evi planowała skorzystać z niego, kiedy poczuje się lepiej. Ręce miała równie mocne jak każdy i nie było żadnego powodu, dla którego miałaby nie być dobrą kajakarką.

Jeśli jeszcze kiedykolwiek poczuje się lepiej.

Większość nocy spędziła skulona pod kołdrą w oczekiwaniu, aż leki przeciwbólowe zaczną działać albo aż uśpi ją amitryptylina. Psica wlazła do niej na łóżko i Evi nie miała serca jej wyrzucić. Obecność Sniffy jakimś cudem działała na nią uspokajająco, choć to właśnie zachowanie psa, bardziej niż cokolwiek innego, utwierdzało Evi w przekonaniu, że pierwsze podejrzenie Laury mogło być słuszne. Że jest wariatką. Bo Sniffy absolutnie nie przejęła się ani muzyką, ani głosem. W domu nie mogło być nikogo, kto puszczałby muzykę i mówił do niej, bo pies na pewno by go usłyszał, wyczuł czy wywąchał. Konkluzja była tylko jedna: muzyka i głos były w głowie Evi.

Sniffy, ucieszona ze śniegu, brykała po ogrodzie, kopała dziury i wyrzucała nosem w powietrze białe fontanny. Popędziła do muru, zawróciła i pognała z powrotem. Była bardzo szybka.

Kilka godzin przed świtem znużona Evi zdrzemnęła się wreszcie, ale o siódmej obudził ją pies, który potrzebował wyjść. Laura wpadła późnym rankiem, jak obiecała, żeby zabrać suczkę na spacer. Biegała przez godzinę i wróciła zlana potem, trzęsąc się ze zmęczenia.

Pomijając zmęczenie ćwiczeniami, Laura wyglądała tego ranka o wiele lepiej. Spała dobrze i była pewna, że pokonała wirusa, z którym zmagał się jej organizm. Odpoczynku nie zakłócił jej żaden koszmar.

Evi nie skomentowała ani słowem własnej nocy.

Po wyjściu Laury Evi zadzwoniła do koleżanek Jessiki w Świętej Katarzynie, by spytać, czy miały jakieś wieści. Nie miały. Powiedziały, że o szóstej wieczorem opiekun naukowy Jessiki zawiadomi policję. Evi wysłała krótki mail do opiekuna z wyjaśnieniem, że jej zdaniem Jessica jest osobą o bardzo kruchej psychice i należy ją odnaleźć jak najszybciej.

„Evi spada".

Przed wyjściem Evi opatuliła się swoim najcieplejszym płaszczem. Założyła rękawiczki i szalik. To wszystko nie zapobiegło dreszczom. Już dwa razy – raz w austriackich górach, raz w swoim nowym domu w Lancashire – o mało nie zginęła w wyniku upadku. Czasami śniło jej się, że spada. W snach nigdy nie uderzała o ziemię, ale przez tych kilka sekund zawsze ogarniało ją przekonanie, że właśnie tak ma być. Że Evi pisane jest zginąć od upadku.

Tego nikt nie mógł się dowiedzieć z internetu. Nikt, wpisując Evi Oliver w Google, nie mógł odkryć, że piosenka, która potrafi złamać jej serce, to *Dancing in the Dark* Springsteena. Nikt nie mógł się dowiedzieć, że nienawidzi jodłowych szyszek. Laura się myliła. Tego nie robił ktoś żądny zemsty ani nawet ktoś stąd, próbujący ją powstrzymać przed wtykaniem nosa w nieswoje sprawy. Traciła kontakt z rzeczywistością. Wariowała. Po prostu.

61

Jesteś bardzo milcząca – powiedział Nick, dolewając mi wina do kieliszka.

– Doświadczyłam dzisiaj czegoś nowego – odparłam, zmuszając się do uśmiechu. – To zwykle daje mi do myślenia.

„Daje do myślenia" to było za mało powiedziane. Bryony wymieniła dzwon jako coś, czego się bała. Scott Thornton, człowiek o nietypowym hobby polegającym na upokarzaniu kobiet, bywał w kompleksie przemysłowym nazwanym Starą Ludwisarnią. Czyżbym na coś trafiła? I czy to było na tyle znaczące, by łamać zakaz kontaktów wydany przez Joesbury'ego?

Siedzieliśmy w wielkiej, staroświeckiej kuchni w domu Nicka. Pomogłam mu odstawić ptaki do szopy i nakarmić je;

było to interesujące, aczkolwiek dosyć krwawe doświadczenie, biorąc pod uwagę, że jadły martwe kurczątka i kawałki upolowanej zdobyczy, które nie nadawały się na ludzkie pożywienie. Kiedy sokoły były już obsłużone, Nick zmieszał trzy wiadra końskiego obroku i nakarmił siwego wałacha, Cienistogrzywego. Zwykle jeździł na nim wcześnie rano, jak powiedział, i zabierał psy, żeby i one potrenowały. Zaczynałam się czuć, jakbym znalazła się na stronicach czasopisma dla wiejskich dziedziców.

Kiedy skończyliśmy kolację, była najwyższa pora się zbierać. Powinnam zadzwonić do Evi, sprawdzić, czy są jakieś wiadomości o Jessice i spróbować nawiązać kontakt z nieuchwytnym Markiem Joesburym.

– Zechcesz się podzielić refleksją? – zapytał mnie Nick.

Z drugiej strony, oni wszyscy mieli numer mojej komórki. A ja naprawdę musiałam wykreślić Nicka z listy podejrzanych, jeśli tylko było to możliwe.

– Tak sobie myślę o tych samobójstwach, które martwią Evi – zaczęłam.

Nick westchnął teatralnie, ale odstawił kieliszek i usiadł wygodniej na krześle.

– Słucham cię – powiedział.

– Wiesz, że mówiła o portalach dla samobójców i nagabywaniu przez internet.

Skinął głową.

– No więc, powiedzmy, że to jest trochę bardziej zorganizowane. Bo jeśli ktoś wprost bierze na celownik co wrażliwsze osoby i potem uprzykrza im życie na wszelkie możliwe sposoby?

– Z zamiarem doprowadzenia ich do granic wytrzymałości? – spytał Nick z cieniem uśmiechu, który powiedział mi, że jego zdaniem fantazjuję.

– Tak. Czy możliwe jest wytypowanie potencjalnych samobójców?

– To raczej pytanie do Evi – odparł.

– Masz rację. – Oparłam obie dłonie o stół, jakbym zamierzała wstać. – Pójdę ją zapytać.

Pod stołem najpierw jedna długa noga, potem druga zahaczyły o moją łydkę. Nigdzie się nie wybierałam.

– Każdy, kto z jakiegokolwiek powodu cierpi emocjonalnie, zapewne jest potencjalnym samobójcą – powiedział Nick. – Ale tak ma mnóstwo ludzi, z których, na szczęście, bardzo niewielu decyduje się na ostateczność.

– Ale jak ich znaleźć? Nie noszą specjalnych odznak.

– Nietrudno zauważyć osobę z problemami. Każdy głupi to potrafi. Weźmy na przykład ciebie.

– Mnie?

Jego dłoń przykryła moją.

– Skrywasz jakiś mroczny sekret – powiedział. – Zdradzisz mi go?

Od czego miałabym zacząć?

– Więc tak naprawdę wystarczy znaleźć kogoś z problemami i poznać go lepiej? – spytałam. – Dowiedzieć się, za które sznurki pociągnąć? – Myślałam o tym, co Evi powiedziała mi o Jessice, dziewczynie z zaburzeniami odżywiania, z której publicznie drwiono, wytykając jej nadwagę. Nicole bała się szczurów i padała ofiarą „szczurzych" dowcipów.

– To by było minimum, moim zdaniem. Większość ludzi ma dość silny instynkt samozachowawczy.

– Więc co jeszcze? Gdybyś chciał doprowadzić kogoś do samobójstwa, jak byś to zrobił?

– Zmuszenie go do mieszkania w tym domu przez grudzień i styczeń byłoby niezłym początkiem – odparł.

– Ja pytam serio.

– Czy niedługo będziemy mogli porozmawiać o czymś miłym? Na przykład o tym, że skóra tuż pod twoim obojczykiem wydaje się idealnym miejscem, gdzie mógłbym ogrzać nos?

– Za dużo czasu spędzasz z psami. No już. Jak?

– Tak serio? Zaatakowałbym jednocześnie ciało i umysł. Dowiedziałbym się, czego ten ktoś się boi, a potem zacząłbym podsycać jego lęki.

– W jaki sposób?

Zabawnie potrząsnął głową, trochę ją przekrzywiając, jakby ktoś go uderzył.

– Do licha, nie wiem – odparł. – Daj mi chwilę na zastanowienie. Okej, powiedzmy, że ten ktoś boi się pająków. Więc wypełniałbym jego dom pająkami każdej nocy. Żeby bez przerwy się bał.

– A ciało?

– Pozbawienie snu i jedzenia zadziałałoby najszybciej, ale nie wiem, jak można by to zrobić niepostrzeżenie. Ból też byłby dość skuteczny. Znoszenie długotrwałego, silnego bólu to dla wielu osób za ciężkie brzemię. Wielu samobójców cierpi fizycznie.

– Gdyby ktoś znalazł sposób, jak to zrobić, nie ujawniając się...

Nick odsunął się od stołu.

– Lauro, w co ty się pakujesz? – spytał mnie. – Jesteś tu dopiero tydzień. Masz mnóstwo nauki do nadrobienia. Jeśli zmarnujesz swoją szansę, bo Evi wciągnęła cię w jakąś zwariowaną intrygę...

– Evi nie jest idiotką – rzuciłam, sama trochę wkurzona, że Nick nie traktuje mnie serio.

– Wiem, że nie jest. I jeśli musisz wiedzieć, zamierzam poruszyć ten temat jutro rano na zebraniu wspólników. Jeśli uzyskam ich wsparcie, będziemy mogli jako gremium zwrócić się do władz uczelni i policji. I wiem, bo Evi dzwoniła do mnie dziś po południu, że koroner też się zaniepokoił. Ci wszyscy ludzie znajdą to, co jest do znalezienia, i uporają się z tym. To nie jest twój problem.

Teraz zaczynał gadać jak Joesbury. Co przekonało mnie o jego szczerości chyba skuteczniej niż wszystko, co mówił do tej pory.

– Masz rację – powiedziałam. – Przepraszam, czasem trochę mnie ponosi.

– A wiesz, że Laura Farrow to chyba najładniej brzmiące nazwisko, jakie zdarzyło mi się słyszeć?

Oj, zaczynaliśmy przekraczać granicę mojej strefy komfortu. Jeśli ten facet nie podpuszczał mnie, żeby się dowiedzieć, co wiem, to zaczynało wyglądać na to, że naprawdę mu się podobałam. A ja się na to godziłam, pozwalałam mu myśleć, że mamy szansę na coś więcej. Najładniej brzmiące nazwisko, jakie... Laura Farrow nawet nie była prawdziwą osobą.

– Zdajesz sobie sprawę, że jeśli wypijesz więcej tego wina, nie będziesz mogła pojechać do domu? – powiedział. – A ja nie mogę zostawić psów po zmroku, żeby cię odwieźć. Panikują.

Spojrzałam w dół. Kieliszek był duży, i był to już mój trzeci tego wieczoru. Nick nie wiedział tylko, że zawartość dwóch poprzednich w większości została wylana do zlewu, kiedy wychodził z kuchni. Może i zdarza mi się przypadkowy seks, ale nigdy nie robię tego po pijanemu. Patrzyłam, jak moja dłoń – zupełnie jakby była cudza – sięga do kieliszka i podnosi go do ust.

62

Poniedziałek, 21 stycznia (dzień wcześniej)

Obudziłam się w ciemności, nie mając pojęcia, gdzie jestem. Niebieska bawełniana pościel. Męskie łóżko.

– Laura – odezwał się głos za mną. Odwróciłam się. Nick stał w drzwiach z parującymi kubkami w dłoniach. Miał na sobie koszulę z krawatem i czarne spodnie ze starannie zaprasowanym kantem. Był gotów do pracy.

– Zapomniałem spytać, czy rano pijesz herbatę, czy kawę. Więc przyniosłem jedno i drugie.

Postawił oba kubki na nocnej szafce, która kiwnęła się niebezpiecznie pod ich ciężarem.

– Już prawie ósma – powiedział. – O dziewiątej muszę być w przychodni, a ty pewnie masz wykłady.

Był poniedziałek rano.

– Dobra wiadomość jest taka, że w łazience jest mnóstwo gorącej wody – ciągnął. – Zła, że reszta domu jest lodowata. Do zobaczenia na dole. – Wyprostował się i ruszył do drzwi, ale nagle zatrzymał się, wrócił i kucnął przy łóżku. Wychylił się do przodu, żeby mnie pocałować.

– Dzień dobry – powiedział.

– Dzień dobry – odpowiedziałam, w pełni świadoma swojego rozmazanego makijażu i paskudnego oddechu.

– A tak na przyszłość. Co pijesz? Kawę czy herbatę?

– Jedno i drugie. – Uśmiechnął się szeroko i wyszedł z pokoju.

Usiadłam. O rany, nie żartował. Lodowate powietrze w pokoju zaatakowało mi twarz i ramiona jak cios. Wzięłam głęboki oddech, odrzuciłam kołdrę i zwiesiłam nogi z łóżka, nie dając sobie czasu na zmianę zdania.

Moje ubranie było porozrzucane przed kominkiem, na grubym dywanie z owczych skór. Uklękłam w nadziei, że choć odrobina ciepła przetrwała noc w palenisku. Pozbierałam bieliznę, skarpetki i sweter.

Wczoraj ogień buzował w kominku, a Nick mnie całował. Kiedy powoli rozpinał mi bluzkę, patrzyłam, jak bezczelne, uparte płomienie liżą polana. On też zdjął koszulę; i jego, i moja skóra pałały blaskiem w świetle ognia. Iskry strzelały jak fajerwerki, kiedy żar natrafiał na wilgotny kawałek drewna. A ja zrozumiałam, że nie dam rady.

– Przepraszam – powiedziałam, odsuwając się od niego i przygotowując do walki, choćby tylko słownej. – Chyba nie jestem gotowa. Pójdę już.

Teraz, rano, rozejrzałam się i znalazłam dżinsy przewieszone przez stary odtwarzacz CD. Wczoraj Nick nie pozwolił mi jechać do domu. Wciąż uważał, że wypiłam więcej, niż powinnam, a przecież nie mogłam wyprowadzić go z błędu. Po rycersku oddał mi własny pokój, a sam wyniósł się do sypialni dla gości.

Kiedy płomienie zgasły i głownie zaczęły mienić się jak ogniste opale, zasnęłam. Śniły mi się delikatne, pieszczące ręce, ciekawskie palce, miękkie pocałunki na plecach. A kiedy we śnie uniosłam powieki, spojrzałam w oczy, które nie były rdzawobrązowe.

Buty pewnie były na dole.

Wygładziłam pościel i wyszłam na korytarz. Pierwsze drzwi, za których klamkę chwyciłam, były zamknięte na klucz. Za drugimi była łazienka. W lustrze zobaczyłam, że makijaż owszem, rozmazał się, ale nie koszmarnie. Włosy miałam rozczochrane, ale powiedziałam sobie, że wygląda to na-

wet seksownie. Woda rzeczywiście była gorąca, nie miałam
jednak zamiaru rozbierać się jeszcze raz w tej chłodni, którą
Nick nazywał domem, więc tylko ochlapałam twarz i skorzystałam z toalety. Stwierdziłam, że doprowadzę się do porządku po powrocie do Świętego Jana.

Popijając herbatę, z kubkiem kawy w drugiej ręce, zeszłam na dół. Nigdy do tej pory nie obudziłam się w sypialni mężczyzny. Bardziej w moim stylu było pójść z facetem do
domu, przespać się z nim, pożegnać i wyjść. Nie miałam pojęcia, co się robi następnego ranka. Czy mogłam tak po prostu
sobie pójść? Odstawić kubki byle gdzie, wymknąć się za drzwi
i odjechać bez pożegnania?

Raczej nie. Bo żeby to zrobić, musiałabym przejść przez
kuchnię, a on właśnie tam był i kroił chleb, który pachniał,
jakby został upieczony tego ranka. Słyszałam gulgotanie eks-
presu do kawy. W tym pomieszczeniu, Bogu dzięki, panowała przyjemna temperatura; ciepło buchało głównie od staroświeckiej, żeliwnej kuchni pod ścianą. Obydwa pointery
leżały zwinięte na dywaniku przed paleniskiem. Uniosły głowy, kiedy weszłam. Jeden przywitał się wesołym merdaniem.
Drugi westchnął ciężko i ułożył się z powrotem, niezaintere-
sowany. Kobieta w domu z samego rana nie była dla niego niczym dziwnym.

Nick zastawił stół dla dwóch osób. Przy nakryciu dla mnie
stała szklanka soku pomarańczowego. Kiedy usiadłam, jeszcze raz przeciągnął nożem przez miąższ brązowego bochen-
ka na stole. Drożdżowy zapach przybrał na sile. Podobnie jak
moje poczucie, że obudziłam się na Marsie.

– Wstałeś o piątej, żeby upiec chleb? – spytałam.

– Wstałem o piątej, żeby wyrzucić gnój spod konia, wyprowadzić psy i zajrzeć do ptaków – odparł. – Chleb upiekła
maszyna. Nastawiłem timer, zanim poszliśmy na górę.

Masło nieomal skwierczało w kontakcie z ciepłą kromką, którą mi podał. Nie musiałam go rozsmarowywać, po prostu rozlało się po powierzchni.

– Żywopłotowy dżem Liz Notley – powiedział, podsuwając mi słoik z czerwoną mazią. – Doskonały.

– Chcę wiedzieć, z czego się składa? – Nałożyłam sobie na próbę, ugryzłam, i rzeczywiście, był doskonały.

– Głównie z jeżyn – odparł. – Do tego trochę dzikich jabłek, tarniny, dzikiej róży i głogu.

Czyli żadnych trucizn.

– No więc, jesteś bosko przystojny, jesteś lekarzem i pieczesz chleb – powiedziałam. – Zakładam, że twoją wadą musi być żenujący gust muzyczny. Czy myśmy wczoraj słuchali Billy'ego Joela?

Nick zrobił zawstydzoną minę.

– Przyłapałaś mnie. Kiedy byłem mały, często słuchaliśmy tego w domu. Chyba przypomina mi mamę. Jeszcze kromkę?

I na dodatek kochał matkę! Pozwoliłam ukroić sobie jeszcze jedną kromkę. Zjadłabym cały bochenek, gdyby zaproponował. Jeśli tak wyglądały ranki po – do licha, były całkiem miłe.

– Na moje szczęście chrapałaś już, zanim przyszła pora na Neila Diamonda – powiedział.

Załapałam dopiero po sekundzie.

– Ja nie chrapię.

– Chrapiesz. Słyszałem cię na korytarzu. Ale to było urocze, sapiące, susłowate chrapanie. – Uniósł nadgarstek i spojrzał na zgrabny, elegancki zegarek. – Musimy się pospieszyć – rzucił. – Mogę zadzwonić wieczorem?

Odszukał moją kurtkę i buty i odprowadził mnie aż do samochodu. Psy wyszły z nim i wskoczyły na tylne siedzenie jego range rovera. Ruszył dziurawą drogą, a ja pojechałam za nim, wolniej, nie wiedząc, ile jeszcze zniesie moje zawieszenie ani jak mam poradzić sobie z takim obrotem sprawy. Zaczęłam to śledztwo, nie mając pojęcia, co z niego wyniknie, ale absolutnie nie spodziewałam się, że znajdę sobie chłopaka.

A na dodatek w wieku dwudziestu ośmiu lat dowiedziałam się, że chrapię.

63

Pojechałam do Kolegium Świętego Jana, zaparkowałam i wyskoczyłam z kabiny; musiałam się spieszyć, jeśli chciałam zdążyć na pierwszy wykład. Ludzie wokół mnie najwyraźniej myśleli to samo. Rowerzyści mijali mnie pędem, piesi wlewali się przez tylną bramę. Tylko jedna, jedyna postać się nie poruszała. Wysoki mężczyzna w puchowej kurtce, która ukrywała jego muskularną budowę, w wełnianej czapce naciągniętej na uszy, stał oparty o jeden z filarów bramy.

Przed wyjściem na wykłady musiałam jeszcze skontaktować się z Evi i dowiedzieć się, co z Jessicą. Chciałam też sprawdzić pocztę.

Mężczyzna w puchowej kurtce wyprostował się na mój widok i zastąpił mi drogę. Zwolniłam kroku.

Turkusowe oczy patrzyły wprost w moje. Nie daj mu szansy, powiedziałam sobie. Zacznij pierwsza. Spytaj, gdzie się podziewał, do diabła, jak mógł cię tak porzucić na pastwę losu. Ale nie byłam w stanie wypowiedzieć słowa. Mogłam tylko patrzeć mu w oczy i modlić się w duchu, żeby coś dużego i twardego spadło ze starego budynku i dało mi w łeb, pozbawiając przytomności. Zatrzymałam się trzy kroki przed nim i czekałam, aż zacznie. Wiedziałam, że będzie źle. Że powie rzeczy, których nigdy nie zapomnę.

– Dzień dobry – powiedział Joesbury. – Jak się miewasz?

– Świetnie – odparłam, wciąż spięta, czekając na cios. – A ty?

Jak słowo daję, uśmiechnął się.

– Doskonale. Mam dla ciebie nowe rozkazy, Flint. Idź do swojego pokoju, spakuj walizki i wracaj do Londynu. Zgłoś się do Yardu na odprawę jutro o dziewiątej.

Potrzebowałam sekundy, żeby do mnie dotarło.

– Nie wiem, czy...

– Nie kontaktuj się ze swoją współlokatorką, doktor Oliver ani z nikim z kolegium. A przede wszystkim nie próbuj się kontaktować z Nickiem Bellem. Jeśli to zrobisz, będziemy wiedzieli.

Spodziewałam się, że będzie źle. Ale nie spodziewałam się tego.

– Co się dzieje?

Westchnął i spojrzał na zegarek.

– Odsuwamy cię od sprawy – odparł. – Masz się zmyć z Cambridge w ciągu godziny.

– Och, pieprz się, Joesbury.

Okej, to nie było mądre, wiem, ale nie zamierzałam mu pozwolić, żeby świecił mi w oczy stopniem, kiedy oboje wiedzieliśmy, o co chodzi. Nawet nie mrugnął.

– Słucham?

– Nie możesz mnie wykopać tylko dlatego, że spędziłam z kimś noc.

W tej chwili się roześmiał.

– Przestań się uważać za pępek świata, Flint. Twój chłopak obchodzi mnie tylko dlatego, że oderwał cię od zadania i naraził na szwank twój kamuflaż. Decyzja już zapadła.

– Muszę ci coś powiedzieć – zaczęłam.

Uniósł rękę.

– Zostaw to na odprawę w Yardzie, Flint. To już niedługo.

Wiedziałam, że nie wygram tej kłótni. Musiałam odwrócić się i odejść, i to w tej chwili, jeśli miałam ocalić choć odrobinę godności. Ale zrobiłam krok do przodu. Poczułam kawę w jego oddechu.

– Wróć na ziemię, Joesbury – powiedziałam. – Studenci uprawiają seks. Są z tego znani. Moja współlokatorka nigdy nie śpi we własnym łóżku.

Odchylił się do tyłu, jakby ciągle zalatywało mi z ust. I pewnie tak było.

– Nie, to ty wróć na ziemię – oznajmił. – Przysłanie cię tutaj było gigantyczną pomyłką. Nie słuchałaś poleceń od chwili przyjazdu. Upierasz się ganiać po okolicy jak jakaś walnięta Nancy Drew, wtykasz wszędzie nos i narażasz na szwank miesiące pracy. Twoje wczorajsze wybryki to była ostatnia kropla.

Trzy przechodzące obok dziewczyny spojrzały na nas z ciekawością. Dla wszystkich dookoła musiało być jasne, że się kłócimy. Nie obchodziło mnie to. Coś, co powiedział, sprawiło, że postawiłam uszy jak pies gończy.

– Jak to, miesiące pracy?

Nagle zaczął uciekać wzrokiem.

– Do takiej operacji potrzebna jest koncentracja, której ty nie masz – powiedział do śniegu u naszych stóp. – Masz być spakowana za pół godziny.

– Co to znaczy miesiące pracy? Co tu się dzieje, do cholery?

Odwrócił się, próbował odejść. Nie zamierzałam mu pozwolić. Chwyciłam go za przedramię i pociągnęłam z powrotem.

Wziął głęboki oddech.

– Zabieraj ręce – powiedział – albo cię zakabluję.

Miał na myśli to, że złoży na mnie oficjalną skargę. W tej chwili miałam to już gdzieś. Podeszłam bliżej.

– Od jakiego to zadania się oderwałam? – rzuciłam z uporem. – Na czym polega to moje zadanie, Joesbury? Za każdym razem, kiedy przysyłam ci informacje, zabraniasz mi się wtrącać, podkreślasz, że nie prowadzę śledztwa, bo nie ma czego śledzić, że mam tylko trzymać oczy otwarte i nie wychylać się. Teraz mi mówisz, że spieprzyłam miesiące pracy.

Podchodząc tak blisko, dałam mu doskonałą okazję do spojrzenia na mnie z góry z szyderczym uśmiechem.

– Jak to możliwe, że za każdym razem, kiedy się do ciebie zbliżam, cuchniesz innym facetem?

Zamierzałam złamać mu za to nos w odpowiedniej chwili. Ale teraz...

– Ktoś tutaj faszeruje narkotykami, molestuje i gwałci kobiety – powiedziałam. – Znikają z kolegiów, a kiedy wracają, mają napieprzone w głowie. A potem umierają. Ktoś to robi, i ty o tym wiesz, prawda? Ale za każdym razem, kiedy próbuję pomóc, mówisz to samo. Nie mieszaj się, nie zadawaj pytań, udawaj tylko ładną wariatkę... Zaraz...

Kiedy go puściłam, Joesbury cofnął się o krok. Spojrzał w ziemię i przeciągnął dłonią po twarzy.

– Wystawiliście mnie na wabia – powiedziałam.

– Lacey...

– Jestem przynętą – ciągnęłam, modląc się w duchu, żeby zaprzeczył. – To o to chodzi, zgadza się? Nie wierzę, że znowu mi to zrobiłeś.

Miałam wystarczające pojęcie o pracy tajniaków, by wiedzieć, że ludzie nigdy nie byli posyłani na akcje bez pełnej znajomości wszystkich faktów. Trzymając mnie w niewiedzy,

Joesbury złamał jedną z najważniejszych zasad. Teraz odwrócił się tyłem do mnie i spojrzał w niebo. Patrzyłam, jak jego barki unoszą się i opadają, i wiedziałam, że i tak bym to zrobiła, gdyby poprosił. Ale świadomość, że naraził mnie na niebezpieczeństwo i nawet nie...

– Umieściłeś mnie w pokoju Bryony, postarałeś się, żebym od razu rzucała się w oczy – powiedziałam. – Ty wiesz, co się tutaj dzieje. Wiesz, dlaczego kobiety kończą martwe. Kiedy zamierzałeś interweniować? Dopiero kiedy wyłowiliby mnie z Cam?

Odwrócił się. Skóra wokół jego oczu była czerwona.

– Lacey, ja chciałem ci powiedzieć. Ale ja też muszę słuchać rozkazów.

Nigdy wcześniej nie słyszałam u Joesbury'ego tak żałosnego tonu.

– Jestem następna na liście, zgadza się? – spytałam. – Jessica znajdzie się martwa w ciągu najbliższych paru dni, a potem przyjdzie moja kolej. Mam już za sobą uczelniane otrzęsiny i dziwne halucynacje we śnie. Evi twierdziła, że dwa dni temu ktoś mi podał narkotyki. Upierałam się, że jest w błędzie. Ale wygląda na to, że się nie myliła.

Jego twarz stężała.

– Jak to, ktoś ci podał narkotyki?

– Och, jakbyś nie wiedział. Podobno miałam wszelkie objawy wskazujące na zażycie dragów. Podobnie jak Bryony, jak Nicole i Jessica. Nie mam pojęcia, jak oni to robią, ale ty wiesz, prawda? Ty wiesz!

Joesbury wziął się w garść. Podszedł bliżej, chwycił mnie za ramię i zaczął maszerować ze mną chodnikiem.

– Okej, Flint, musisz przestać krzyczeć. Niemożliwe, żeby wytypowali cię tak szybko. Jeśli naprawdę cię znarkotyzowali, to znaczy, że wiedzą, kim jesteś. Komu powiedziałaś?

Więc teraz to wszystko była moja wina.

– Nikomu, ty palancie. Wie Evi i nikt poza nią.

– A twój chłopak?

– Myśli, że jestem Laurą Farrow.

– To jest poważna sprawa. Wyjeżdżasz w tej chwili. – Niemal zaciągnął mnie do mojego samochodu i odczekał, aż go otworzyłam. – Jedź do Yardu – rozkazał. – Zgłoś się do nadinspektora Phillipsa. Ja tam do ciebie dojadę.

– A mój pokój? – spytałam. – Moje rzeczy?

– Ja to załatwię. Jedź.

Wsiadłam do samochodu, zapaliłam silnik i spojrzałam na Joesbury'ego. Może chciałam sprawdzić, czy mówi poważnie. Uniósł rękę i wskazał mi kierunek na M11. Był śmiertelnie poważny. Był aroganckim dupkiem, z którym nie dało się rozsądnie rozmawiać, ale był też starszy stopniem. Wrzuciłam bieg i pojechałam, nie oglądając się. Kiedy skręciłam za róg, zadzwoniła mi komórka. Evi.

– Możesz się ze mną spotkać w szpitalu? – rzuciła. – Ja tam właśnie jadę. Jessica się znalazła.

64

O mało nie minęłam kobiety w wózku inwalidzkim na korytarzu drugiego piętra; w ostatniej chwili zorientowałam się, że to Evi. Obie zatrzymałyśmy się i spojrzałyśmy sobie w twarze.

– Ona nie żyje, tak? – spytałam głuchym głosem.

Evi zamrugała, żeby rozpędzić łzy. Widziałam, że szuka właściwych słów. Kucnęłam, by znaleźć się na jej poziomie. Jej śliczna, kremowa skóra wyglądała jak papier, a oczy straciły barwę. Zmarszczka między brwiami się pogłębiła.

– Żyje – odparła. – Fizycznie jest w nie najgorszym stanie. Co do psychiki, to już zupełnie inna historia.

Żyje? No tak, można było się spodziewać. Nicole też wróciła po swoim zniknięciu. Na chwilę.

– Co powiedziała? – spytałam. – Gdzie była?

Evi pokręciła głową.

– Porozmawiamy, kiedy się z nią zobaczymy. Mogłabyś
mnie popchnąć? Nie czuję się najlepiej.

Sądząc po jej wyglądzie, było to grube niedopowiedzenie.
Ledwie miała siłę utrzymać się w pionie na wózku. Wstałam,
chwyciłam rączki wózka i ruszyłyśmy.

– Znaleziono ją w jej pokoju w Świętej Katarzynie,
wcześnie rano – odezwała się Evi po kilku sekundach. – Drzwi
były uchylone, jedna z sąsiadek zajrzała do środka i zobaczyła
Jessicę na łóżku, kompletnie ubraną. Najpierw zadzwoniła po
mnie. Ja wezwałam pogotowie.

Evi trochę się zadyszała, więc dała sobie chwilę na odpo-
czynek.

– Przez pół godziny do przyjazdu karetki była przytomna,
ale nie powiedziała nic użytecznego – zaczęła znów po chwili,
kiedy skręciłyśmy za róg i o mało nie wpadłyśmy na salowego
wiozącego na łóżku starszą kobietę. – Twierdzi, że nie ma pojęcia, gdzie była i co robiła przez te pięć dni. Nie wiedziała nawet, jaki jest dzień tygodnia.

Dotarłyśmy do dyżurki pielęgniarek, które skierowały nas
do drzwi na końcu korytarza. Kiedy puściłam rączki wózka,
by otworzyć drzwi, dostrzegłam osoby w środku. Jasnowło-
są dziewczynę śpiącą na łóżku i Nicka Bella stojącego u jego
stóp. Patrzył na nią z ponurą miną. Kiedy nas zobaczył, twarz
mu się wygładziła.

– Cześć – rzucił bezgłośnie pod moim adresem. Spojrzał
na Evi. – Wszystkie parametry stabilne – powiedział. – Nie ma

powodów do niepokoju. Pobrali próbki krwi i śliny, jak prosiłaś. I zamówili wyniki jeszcze na dzisiaj, jeśli się uda. A policyjny obducent już tu jedzie, żeby zbadać ją ginekologicznie.

– Mówiła coś? – zapytała Evi.

– Podobno kiedy tu przyjechała, była bardzo pobudzona – odparł. – Plotła o jakichś leśnych klaunach, czy czymś takim.

– Ona się boi klaunów – wyjaśniła Evi. – Dali jej coś na uspokojenie?

Skinął głową.

– Dziesięć miligramów diazepamu dożylnie. Będzie spać przez parę godzin.

Musiałam ugryźć się w język. Potrzebowałyśmy porozmawiać z Jessicą, i to natychmiast.

– Każę ją przenieść na psychiatrię, jak tylko zwolni się pokój – zdecydowała Evi.

– Przyjmujesz ją do siebie? – Nick był wyraźnie zaskoczony.

Evi skinęła głową.

– I to na obserwację do monitorowanego pokoju. Zachodzi ryzyko samobójstwa. Moim zdaniem była na najlepszej drodze jeszcze przed tym zniknięciem. Nie będę ryzykować.

Nick spojrzał na dziewczynę na łóżku, a potem znów na Evi.

– Jej rodzice mają się tu później zjawić – powiedział. – Mogą nie być zachwyceni tym pomysłem.

Otworzyłam usta i znów je zamknęłam. Studentka nie mieszałaby się w zawodową dyskusję między dwójką lekarzy.

– Trudno – stwierdziła Evi. – Tę zamierzam utrzymać przy życiu.

Nick spojrzał na mnie.

– Lauro, możesz zostawić nas na chwilę samych? – poprosił.

Posłałam Evi spojrzenie mówiące „nie poddawaj się" i wyszłam z pokoju. Kiedy oparłam się o ścianę korytarza, przez okienko w drzwiach widziałam, jak Nick kłóci się z Evi, kucając przed nią. Ale robił to delikatnie, a w pewnej chwili położył z troską dłoń na jej ramieniu. Miałam wrażenie, że ona o czymś go zapewnia, uspokaja. Spojrzałam na zegarek. Powinnam już być na M11 i gnać do Londynu.

Nick wstał, poklepał Evi po ramieniu i otworzył drzwi.

– Już jestem spóźniony do przychodni – powiedział do mnie; drzwi pokoju Jessiki zamknęły się za nim. – Jest jakaś szansa, że się dzisiaj zobaczymy?

Trudno byłoby mi wymyślić coś mniej prawdopodobnego. Wiedziałam, że wieczorem będę albo wykłócać się w Scotland Yardzie o swoją posadę, albo przeglądać ogłoszenia o pracy we własnym londyńskim mieszkaniu.

– Marzenia ściętej głowy – powiedziałam. – Mam strasznie dużo nauki do nadrobienia.

– Zadzwonię o dziewiątej – obiecał. – Może namówię cię na późną kolację. – Dał mi całusa w policzek i po chwili zniknął mi z oczu za zakrętem korytarza. Odpychając dręczącą myśl, że mogę go już nigdy nie zobaczyć, wróciłam do pokoju. Evi podjechała wózkiem do łóżka Jessiki.

– Musimy z nią porozmawiać – powiedziałam. – Mogę przy niej siedzieć, dopóki się nie obudzi.

Co ja wyprawiałam? Jeśli nie będę przed południem w Londynie, moją karierę prawdopodobnie trafi szlag.

– Lepiej ja posiedzę – odparła Evi. – Ona mnie zna. Ale jeśli nie będzie żadnej poprawy, niczego nam nie powie.

Podeszłam bliżej i wreszcie porządnie przyjrzałam się Jessice. Jej tlenionym, sprężynującym lokom, skórze jak kawa z mlekiem, szczupłemu ciału jakieś metr siedemdziesiąt wzrostu.

– Jak oni to robią? – spytałam. – Jak wynajdują ładne, wrażliwe dziewczyny i skąd wiedzą, jak nimi sterować?

Evi pokręciła głową. Miałam wrażenie, że zbyt szybko.

– Znają się na medycynie, prawda? Sama o tym pomyślałaś, tylko nie chcesz głośno mówić. Leki, narkotyki, historia psychiatryczna, wszystko pasuje.

Evi westchnęła.

– Pomyślałam – przyznała. – I o czymś ci nie powiedziałam.

Rozejrzałam się, zobaczyłam krzesło dla odwiedzających i usiadłam. Nawet kiedy nasze twarze znalazły się na tym samym poziomie, trudno jej było patrzeć mi w oczy.

– Piętnaście lat temu, kiedy tu studiowałam, pięcioro studentów zabiło się w ciągu jednego roku – zaczęła. – To był jedyny raz, nie licząc ostatnich lat, kiedy statystyka skoczyła tak wysoko. Wspomniałam o tym w sobotę Francisowi Warrenerowi i okazało się, że pamięta te samobójstwa. Zajrzał też w stare akta. Wtedy policja była przekonana, że chodziło o celowe gnębienie, ale nie zdołali niczego udowodnić.

Czekałam, nie bardzo wiedząc, do czego zmierza. Piętnaście lat to bardzo długo.

– Trójka z tej piątki to byli studenci medycyny – ciągnęła Evi. – Z trzech różnych kolegiów, więc wspólnym czynnikiem był kierunek studiów.

Odczekałam jeszcze chwilę.

– Wiem o czwórce studentów z tamtych czasów, którzy ciągle pracują na uniwersytecie – ciągnęła Evi. – Ja jestem jedną z nich. Drugą jest moja przyjaciółka Megan Prince, praktykujący psychiatra jak ja. Trzeci jest Nick Bell. Rozumiesz teraz, dlaczego nie chciałam nic mówić?

– Mówiłaś o czwórce. Czy czwarty jest Scott Thornton?

– Jak na to… – Evi westchnęła i skinęła głową.

– To też przyjaciel?

– Nie. Te piętnaście lat temu w ogóle go nie znałam. Mówimy sobie cześć, kiedy na siebie wpadamy, ale to wszystko. Wiem, że to źle wygląda, ale jakoś tego nie widzę, Lauro. Nicka i Meg znam i ufam im. A Scott Thornton uratował Bryony. To on zgasił ogień i wezwał pomoc, kiedy wszyscy inni byli w szoku.

Oczywiście, no tak. Wiedziałam, że gdzieś już natknęłam się na to nazwisko. Było w raporcie policyjnym, który czytałam tamtego wieczoru, kiedy Joesbury wprowadził mnie w sprawę.

– Okej – powiedziałam. – Zanim zaczniemy czepiać się konkretnych osób, przyjrzyjmy się bliżej ogólnemu założeniu, że robi to ktoś związany z medycyną. Czy to może być ktoś stąd, ze szpitala?

– Te dziewczyny znalazłyby się w szpitalnych bazach danych tylko wtedy, gdyby tu leżały – odparła Evi. – Ja nie pamiętam wielu przypadków hospitalizacji, a ty?

– Nie. Więc może któryś lekarz domowy?

– W Cambridge jest dwadzieścia przychodni – powiedziała Evi. – Każda chroni dane swoich pacjentów. Możemy jeszcze sprawdzić, czy do którejś z przychodni zapisanych było więcej ofiar niż do innej, ale sądzę, że już byśmy to zauważyły.

Miała rację, zauważyłybyśmy.

– On jakimś cudem dostaje się do głów tych dziewczyn – powiedziałam. – Czy to może być ktoś z twojej poradni? Psychiatra czy psycholog miałby najlepszy dostęp do informacji, co kogo przeraża, nie sądzisz?

– O tym też pomyślałam – przyznała Evi. – Ale tylko połowa z tych dziewczyn przyszła do nas po pomoc. Nawet jeśli ktoś z poradni włamywał się do poufnych danych kolegów, nie znalazłby niczego na temat reszty.

Zastanawiałam się nad tym przez chwilę.

– Sądziłam, że w waszej bazie są dane wszystkich studentów.

– Dlaczego tak myślałaś? – zdziwiła się Evi.

– Pewnie przez ten kwestionariusz, który rozsyła twój wydział – odparłam. – Tam było napisane, zdaje się, że dostają go do wypełnienia wszyscy nowi studenci.

– Jaki kwestionariusz?

Spojrzałam na nią i chyba zobaczyłam w jej twarzy odbicie własnej miny. Sięgnęłam do torby po laptop.

– Daj mi sekundę – poprosiłam. Odszukałam mail z załącznikiem, który dostałam i wypełniłam tydzień temu. – Spójrz. – Podałam laptop Evi.

Popatrzyła na ekran. Zmarszczki na jej czole pogłębiły się; kilka razy stuknęła środkowym palcem w pasek przewijania.

– W życiu nie widziałam tego na oczy – powiedziała w końcu. – To nie ma nic wspólnego z naszą poradnią. Tu jest cała sekcja na temat fobii i irracjonalnych lęków.

– Chryste. – Odwróciłam się i podeszłam do okna, żeby chwilę pomyśleć. – Nie możemy wykluczyć Megan, Nicka i Thorntona – powiedziałam. – Wszyscy razem mieliby wystarczającą wiedzę medyczną i psychiatryczną.

– Scott Thornton jakieś pół roku temu przeprojektował cały system komputerowy wydziału medycyny – powiedziała Evi. – Zna się na informatyce.

Niebo za oknem miało kolor niepolerowanego srebra i zdawało się coraz mocniej napierać na ziemię. Ja czułam w głowie coś podobnego: jakbym miała w niej za mało miejsca na informacje, które usiłowały się do niej wcisnąć. O rany, wybrałam sobie świetny dzień na kłótnię z moim oficerem prowadzącym.

Nagły ruch kazał mi się obejrzeć. Siedzącą w fotelu Evi jakby szarpały skurcze, na jej twarzy malował się wyraz ogromnego bólu.

– Laura, możesz mi podać moją torbę? – wysapała.

Jej torba stała na podłodze dwa kroki od niej. Podniosłam ją, a potem patrzyłam, jak Evi gorączkowo szuka czegoś w środku i wrzuca do ust dwie owalne pigułki. Drugą się zakrztusiła. Kaszlała i rzęziła przez chwilę, zanim zdążyłam jej przynieść szklankę wody z umywalki w kącie. Podałam jej wodę; Evi piła przez kilka sekund. Kiedy trochę się uspokoiła, spojrzała na mnie ze łzami w oczach.

– Na litość boską, co możemy zrobić? – spytała mnie i jej bezradność pomogła mi podjąć decyzję.

– Ty możesz zadbać o to, żeby Jessice nic się nie stało – powiedziałam. – Przyjmiesz ją na oddział, tak? Czy to oznacza, że będzie bezpieczna? Że nikt jej tu nie dopadnie?

Evi patrzyła na mnie przestraszona.

– Tak, oczywiście – odparła. – Oddziały psychiatryczne są zabezpieczone. Drzwi cały czas są zamknięte, a pacjenci są obserwowani.

– W takim razie powinnaś pojechać do domu i odpocząć. Później, jeśli będziesz się czuła na siłach, możesz spróbować ustalić nazwiska osób, które studiowały tu medycynę piętnaście lat temu – ciągnęłam. – Potem razem przejrzymy listę, może coś nam się rzuci w oczy. I chcę, żebyś podała mi adres Megan Prince, jeśli go znasz. Mam już adres Thorntona. I Nicka – dodałam po sekundzie.

– Dlaczego? Co zamierzasz…

Pokręciłam głową.

– Już i tak za bardzo cię w to zaangażowałam. A widzę, że nie czujesz się dobrze.

Evi pokręciła głową.

– Nic mi nie jest – powiedziała.

– Nieprawda. Jesteś chora. Posłuchaj, muszę już iść, ale wpadnę później, żeby wyprowadzić psa i sprawdzić, jak się czujesz. A gdyby tymczasem Jessica coś powiedziała, zadzwoń do mnie.

Evi obiecała, że tak zrobi, a ja wyszłam ze szpitala. Wsiadłam do samochodu i wybrałam numer Joesbury'ego, wstrzymując oddech. Po dwóch sekundach odezwała się poczta głosowa.

– To ja – powiedziałam. – Ciągle jestem w mieście. Mam ważny powód. Zadzwoń.

Ruszyłam dalej, zastanawiając się, czy moje plany włamania z wtargnięciem zakończą ostatecznie moją znajomość z Joesburym.

65

Scott Thornton mieszkał na St Clement's Road, w rzędzie ceglanych szeregowców, jakieś półtora kilometra od centrum miasta. Czerwonego saaba nie było nigdzie widać.

Z całej tej pokręconej historii zaczynał się wreszcie wyłaniać spójny obraz. Psychologiczne tortury i molestowanie młodych kobiet tuż przed ich śmiercią. Z pewnością właśnie w tej sprawie prowadził tu śledztwo OS10. Wciąż nie miałam pojęcia, jak to wszystko jest zorganizowane. Nie potrafiłam sobie też wyobrazić po co. Chwała Bogu, miałam przynajmniej trop prowadzący do sprawcy.

Po trzydziestu minutach obserwacji uznałam, że dom raczej jest pusty. Postanowiłam przyjrzeć mu się nieco. Wysiadłam z samochodu i podeszłam bliżej. Dom miał trzy kondygnacje, wliczając w to suterenę. Po prawej stronie drzwi wejściowych były trzy wysokie, prostokątne okna, dokładnie jedno nad drugim. W żadnym nie było widać światła. Nigdzie żadnego ruchu.

Od tyłu znajdowały się wąskie, otoczone murami ogrody, do których wchodziło się przez wysokie drewniane furtki z brukowanego zaułka. Kiedy dotarłam do numeru 108, rozejrzałam się szybko, po czym wskoczyłam na furtkę i przelazłam na drugą stronę.

Śnieg w niewielkim ogródku był niemal nietknięty, ale udało mi się pójść po śladach kogoś, kto przeszedł się do kubłów na śmieci i z powrotem. Przy tylnych drzwiach stały przypięte dwa wyczynowe rowery. Obejrzałam się na furtkę, przez którą przeskoczyłam. Trzy zasuwy – jedna u góry, druga w połowie wysokości, trzecia na dole – to była chyba lekka przesada jak na ogródek.

Przez szybę w drzwiach widziałam kuchnię. Nie była szczególnie porządna ani czysta, ale poza tym całkiem zwyczajna. Drzwi były zamknięte na dwa zamki antywłamaniowe. Schyliłam się, żeby zajrzeć przez okno.

Nie było mowy, żeby udało mi się włamać do tego domu. Okno miało bardzo profesjonalny zamek, a z tego, co zobaczyłam, wyciągając szyję, z drzwiami było podobnie. Oprócz zamków na górze i na dole były dodatkowe zasuwy. Scott bardzo poważnie traktował kwestię domowych zabezpieczeń. Co samo w sobie było dość interesujące.

– Jakieś zmiany? – spytałam Evi.

Znów byłam w szpitalu i stałam pod drzwiami pokoju Jessiki. Z St Clement's Road pojechałam do domku na przedmieściach, gdzie mieszkała Megan Prince. I znów imponujące zabezpieczenia, ale poza tym nie zauważyłam niczego niezwykłego. Kiedy obserwowałam dom z daleka, wyszedł z niego wysoki, ciemnowłosy mężczyzna i odjechał. Wyglądało na to, że Megan nie mieszka sama. Kilka minut później ruszyłam do Evi; kiedy przekonałam się, że nie ma jej w domu, przyjechałam prosto do szpitala.

Jeszcze dwa razy próbowałam się dodzwonić do Joesbury'ego i zostawiłam mu kolejne dwie wiadomości. Jeśli był w kontakcie ze Scotland Yardem, musiał już wiedzieć, że się nie zjawiłam. Ale się nie odezwał.

Tymczasem Jessica została przeniesiona na oddział zamknięty i umieszczona pod całodobową obserwacją. Większego bezpieczeństwa nie mogłyśmy jej już zapewnić. Policjantka z miejscowej dochodzeniówki przesłuchiwała ją przez chwilę, ale nie dowiedziała się niczego poza tym, że Jessica nie pamiętała, gdzie była przez pięć dni.

– Jej rodzice przyjechali jakąś godzinę temu – powiedziała Evi. Wciąż siedziała w wózku. Podjechała nim do rzędu krzeseł, żebym mogła usiąść przy niej. – Chcą ją zabrać do domu, ale przekonałam ich, że w tej chwili to nie jest dobry pomysł. W jej krwi wykryto DMT, o której podobno nigdy nie słyszała, nie mówiąc już o zażywaniu. Zgodziła się na badanie ginekologiczne, ale nic nie wykazało. Prawdę mówiąc, była bardzo czysta, co jest trochę dziwne, biorąc pod uwagę, że była zaginiona przez pięć dni.

– Umyli ją, żeby zlikwidować dowody – powiedziałam ściszonym głosem, bo mijała nas akurat jakaś starsza para.

Evi miała zatroskaną minę, ale chyba zgadzała się ze mną.

– Jaką ostatnią rzecz pamięta sprzed zaginięcia? – spytałam.

– Najwyraźniejsze wspomnienie to wizyta u mnie – odparła Evi. – Pamięta jak przez mgłę, że miała się z kimś spotkać w sprawie wspólnego uczenia się, ale nie potrafi mi podać żadnych szczegółów. Beznadziejna sprawa, obawiam się.

– Jeszcze coś?

– Jest nerwowa, boi się wszystkiego. Szczególnie w obecności mężczyzn. Wiedziała, kim jestem, ale spytała mnie o coś dziwnego: czy jestem prawdziwa. I nie była przekonana, dopóki nie dałam jej się dotknąć. Potem znów zaczęła mówić o tych swoich strasznych snach. Strasznych snach, których nie pamięta.

Obie zastanawiałyśmy się nad tym przez parę sekund. Sny czy nie sny?

Evi wzięła głęboki wdech, jakby zbierała się do jakiegoś wysiłku, ale tylko pokręciła głową.

– Jutro, jeśli będzie się czuła na siłach i rodzice się zgodzą, możemy spróbować hipnozy. Przekonamy się, czy nie uda się przywołać jakichś wspomnień. Ale to mało wiarygodna metoda, a poza tym nie stosowałabym jej tak szybko w normalnych okolicznościach. Dałabym jej więcej czasu na dojście do siebie.

– A jak ty się miewasz? Miałam nadzieję, że pójdziesz do domu.

Zdołała się do mnie uśmiechnąć. Była o wiele twardsza, niż wyglądała.

– O wiele lepiej, dzięki – odparła, zerkając na prawo i lewo, by się upewnić, że jesteśmy same w korytarzu. – Pożyczyłam laptop i trochę poszperałam. Kiedy Nick, Meg i Scott tutaj studiowali, należeli do Kolegium Świętej Trójcy, więc uznałam, że od niego trzeba zacząć. W Świętej Trójcy było w tamtym roku dwadzieścioro studentów medycyny i udało mi się namierzyć większość z nich.

– Rany, nieźle ci poszło.

– To nie było trudne. Organizacje absolwenckie co roku publikują listy członków, ci ludzie należą też do stowarzyszeń zawodowych. Tak czy inaczej, cztery osoby pracują obecnie za granicą, dwie się przebranżowiły, a jedna zmarła parę lat temu. Reszta jest lekarzami domowymi, pracuje w szpitalach albo wykłada na innych uniwersytetach. Są rozproszeni po całej Wielkiej Brytanii. Najbliższy mieszka w Stevenage.

– Więc prawdopodobnie można ich wykluczyć – zauważyłam.

Zza rogu wyłoniła się grupka młodych lekarzy w zielonych strojach ochronnych. Poczekałyśmy, aż nas miną.

– Nie udało mi się znaleźć tylko jednego gościa, Iestyna Thomasa. Odszedł z uczelni przed zrobieniem dyplomu i jakby zapadł się pod ziemię. Powinien mieć teraz trzydzieści sześć lat, tak jak Nick i Meg.

– Chudy, kujonowaty chłopak – powiedziałam. – Wszyscy uważali, że jest trochę dziwny.

Evi zmrużyła oczy.

– Szczerze mówiąc, nie pamiętam, czy go w ogóle poznałam. Skąd wzięłaś ten opis?

– Nick wspominał o kimś takim – odparłam i szybko powtórzyłam Evi historię nastolatka, który znalazł martwego ojca, a potem, dosłownie, zadręczył szkolnego kolegę na śmierć.

– Ale ten Thomas, jeśli to rzeczywiście on, twierdził, że opowiadał o jakimś znajomym – przypomniała mi Evi, kiedy skończyłam. – Nie o sobie.

– Rzekomo.

– Warto to sprawdzić?

– Absolutnie.

Nie zajęło nam to wiele czasu. Poszłyśmy do kafejki dla odwiedzających, zamówiłyśmy kawę i kanapki i znalazłyśmy sobie zaciszny stolik, żeby zalogować się do szpitalnego wi-fi na pożyczonym laptopie Evi.

Jedna z ogólnokrajowych gazet skrótowo opisywała tę historię, potwierdzając to, co już wcześniej podejrzewałam: że rodzina pochodziła z Walii. Potem była to już kwestia przeszukania walijskich dzienników. W końcu ich namierzyłyśmy. Internetowe wydanie jednej z gazet, AberystwythOnline, miało w archiwum artykuł na ten temat i sprawa została opisana dość szczegółowo. Thomasowie byli profesorską rodziną, mieszkającą w starym dworku pod Aberystwyth na zachodniowalijskim wybrzeżu. Obydwoje rodzice pracowali na uniwersytecie, dopóki stan zdrowia nie zmusił ojca do przejścia na wcześniejszą emeryturę jeszcze przed pięćdziesiątką.

– Co to jest fibromialgia? – spytałam Evi.

– Degeneracyjna choroba mięśni – odparła. – Częściej występuje u kobiet, ale mężczyźni też na nią zapadają. Miałam kiedyś pacjentkę, która na to cierpiała. Leczyłam u niej depresję. Choroba bywa bardzo bolesna i prowadzi do niepełnosprawności.

Pewnego wczesnego, środowego ranka, kiedy żony nie było w domu (artykuł sugerował, że miała romans z kolegą z pracy), Bryn Thomas zabrał do gabinetu naładowaną strzelbę i pociągnął za spust. Jego trzyletnia córka, która zwykle wstawała pierwsza z domowników, znalazła go niedługo potem. Dwie godziny później na dół zszedł nastoletni syn.

– To zdjęcie niewiele nam pomoże, co? – powiedziałam, patrząc na ziarnistą, robioną z daleka fotografię matki i dwójki dzieci, wychodzących z sądu koronerskiego. Syn niósł trzylatkę na rękach i widać było tylko fragment jego profilu.

– Nie wiem, czy fotka dobrej jakości cokolwiek by zmieniła – stwierdziła Evi. – W Cambridge każdego roku jest prawie dziewięciuset studentów medycyny. Pewne rozpoznałabym większość z tych, którzy byli na moim roku, ale ci starsi...

– Poza tym zrobiono je ponad dwadzieścia lat temu, facet może wyglądać zupełnie inaczej – zauważyłam.

– Więc on może być tutaj?

– Miasto liczy ponad sto tysięcy ludzi – odparłam. – Jest tu mnóstwo miejsc, gdzie można się ukryć. A z drugiej strony, może po prostu nie chcę, żeby to był Nick.

Evi przesunęła dłoń po stole i delikatnie położyła ją na mojej.

– Ja też nie chcę. Ale nawet jeśli Iestyn Thomas jest tutaj i organizuje to wszystko, to nie może działać sam.

Ku własnemu zdumieniu przekręciłam dłoń i uścisnęłam palce Evi. W tej samej chwili zakończenia nerwowe wokół oczu i nosa zaczęły mnie łaskotać. Nie podniosłam wzroku w nadziei, że Evi nie zauważy.

– Takie historie nigdy nie kończą się dobrze, Lauro – powiedziała. – Nawet jeśli ostatecznie wygramy, rany będą się goić bardzo długo.

Z przerażeniem patrzyłam na łzę spadającą na klawiaturę. Wylądowała i rozprysnęła się na samym środku J.

Evi uścisnęła moją dłoń.

– Głębokie wdechy, zamrugaj mocno, a potem wydmuchaj nos – powiedziała rzeczowym tonem. – Będzie mnóstwo czasu na terapię, kiedy pozamykamy już wszystkich bandziorów.

Zrobiłam, jak doradziła, ale kiedy znów na nią spojrzałam, jej oczy też błyszczały.

– Jeszcze się od tego nie uwolniłaś, prawda? – spytałam ją. – Od tej zeszłorocznej historii z Lancashire?

Łza zawisła na czarnych rzęsach Evi.

– Nie wiem, czy kiedykolwiek się uwolnię – przyznała. – Doświadczyć czegoś takiego, to jak doświadczyć śmierci bardzo bliskiej osoby. Nie uwalniasz się od tego, co najwyżej uczysz się z tym żyć.

– Co się stało z tym pastorem? – zaryzykowałam pytanie.

Uśmiechnęła się, puściła moją dłoń i lekko ją poklepała. Nie odpowiedziała od razu, ale chyba nie pogniewała się, że o nim wspomniałam.

– W wiadomościach puszczali materiał, na którym pomagał ci wsiadać do samochodu – powiedziałam. – Wyglądało na to, że jesteście razem.

Krótki, smutny, przeczący ruch głowy.

– Nigdy nie dotarliśmy do tego etapu. Harry i ja przyczyniliśmy się do śmierci pewnej kobiety. Była moją pacjentką.

– W jaki sposób się przyczyniliście?

– Długa historia, i to nie była wina Harry'ego. Wyłącznie moja. Przez chwilę myślałam nawet, że stracę przez to prawo wykonywania zawodu. Ostatecznie dostałam tylko reprymendę za złą ocenę sytuacji, ale...

– Nie potrafisz sobie wybaczyć?

Westchnęła.

– Strata pacjenta pozostającego pod twoją opieką to ciężkie doświadczenie, Lauro. Jeśli przyczyną jest twoje samolubstwo, to jest niemal nie do zniesienia. Nie mogłam być z Harrym, nie potrafiłam sobie z tym poradzić. On też nie potrafił.

Spojrzała na zegarek i wcisnęła guzik wyłączający laptop. Czas uciekał i każda z nas powinna być gdzie indziej.

– Dawno temu popełniłam ogromny błąd – przyznałam się. – Jego reperkusje będą żyć, dopóki ja żyję. Doskonale wiem, jak to jest czuć coś potężnego do kogoś, z kim nie możesz być. Wiem, jak to jest, kiedy masz świadomość, że przeszkody nie znikną, choćbyś nie wiadomo jak tego chciała.

– Przechlapane, co? – powiedziała Evi.

– Och, na całego. Ale z całym szacunkiem, to, co powiedziałaś mi o sobie i Harrym, to po prostu nie ta liga.

Brwi podjechały do góry, w niebieskich oczach pojawił się błysk.

– Tak sądzisz?

– Uwierz mi, jeśli chodzi o bariery nie do pokonania, to twoje nie sięgają moim do pięt – powiedziałam. – Skoro on tyle dla ciebie znaczy, poradzisz sobie z tym. Na twoim miejscu zadzwoniłabym do niego. – Sięgnęłam do kieszeni i wyjęłam telefon. No co, Joesbury nie mówił, że nie wolno mi dzwonić do duchownych. – Bateria naładowana do pełna – kusiłam, kiwając komórką.

– Zwariowałaś. – Nie ruszyła się, żeby wziąć telefon, ale widziałam, że niewiele jej brakuje do uśmiechu.

– Mówiłaś, zdaje się, że ten termin jest źle widziany w profesjonalnych kręgach. – Schowałam telefon do torebki. – Ale kiedy to się już skończy i wszystkie bandziory będą w więzieniu, to albo sama do niego zadzwonisz, albo ja zrobię to za ciebie.

Pożyczyłam klucze od Evi i poszłam do jej domu, żeby zabrać Sniffy na przedwieczorny jogging. Odstawiłam psa z powrotem, odniosłam klucze Evi do szpitala, po czym wbiegłam na piętro Bryony i ruszyłam do jej pokoju.

– Cześć – powiedziałam. Niebieskie oczy Bryony złagodniały i pomyślałam, że być może się do mnie uśmiecha. Nagle, zanim zdążyłam cokolwiek powiedzieć, drzwi otworzyły się i stanęło w nich dwóch mężczyzn. Pierwszym był George, pedel ze Świętego Jana, który pierwszego dnia zaprowadził mnie do pokoju. Drugim był Nick.

– Dzień dobry, panno Farrow – powiedział George. – Jak tam nasza pacjentka?

– Ja też dopiero przyszłam – odparłam. – Ale pielęgniarka w dyżurce powiedziała mi, że całkiem nieźle.

George i Nick weszli głębiej do pokoju. Zauważyłam, że obydwaj zerknęli na tabliczkę do pisania w namiocie Bryony.

– To bardzo dobra wiadomość – powiedział George, przyciągając sobie krzesło. Usadowił się koło Bryony. – Cześć, kochana. Jak się dzisiaj miewasz?

Nick kiwnął głową w stronę korytarza; wyszłam za nim z pokoju. Kiedy drzwi się zamknęły, usłyszeliśmy, że George mówi do Bryony łagodnym, cichym głosem.

– Dobrze się znali? – spytałam. Wiedziałam, że zaczynam już podejrzewać wszystkich, ale zdziwiło mnie, że uniwersytecki pedel odwiedza studentkę.

– Wpada tu bardzo często – odparł Nick. – Niektórzy pedele zaprzyjaźniają się ze studentami. Dla wielu te dzieciaki są jak namiastka synów i córek.

– Ty też spędzasz tu sporo czasu jak na lekarza domowego – zauważyłam, zanim zdążyłam się zastanowić, czy to rozsądne.

– Bryony jest moją pacjentką – odpowiedział. – Jessica była zapisana do jednego z moich wspólników. Zresztą, to samo można powiedzieć o tobie. Jaki ty masz pretekst?

– Przyszłam się tylko pożegnać z Evi – wyjaśniłam.

– A jak tam twoje plany na wieczór?

– Wciąż niepewne – odparłam, myśląc, że zanim zapadnie noc, może się okazać, że potrzebuję noclegu. Tak czy inaczej, nie zamierzałam się zbliżać do domu Nicka. Na pewno nie dziś.

66

Mój pokój wyglądał dokładnie tak, jak go zostawiłam. Tyle że tym razem była w nim Tox.

– No proszę, wraca nasz czarny koń – przywitała mnie. – Dlaczego mi nie powiedziałaś, że masz takiego boskiego brata? Jest wolny? Jest hetero? Boże, błagam, powiedz mi, że nie jest gejem.

– Hę? – rzuciłam i przyznaję, że nie była to wybitnie inteligentna odpowiedź, ale miałam za sobą ciężki dzień.

Z korytarza dobiegł nas dźwięk spuszczanej wody. Tox zakręciła tyłeczkiem, obróciła się, żeby obejrzeć go w lustrze, i założyła kosmyk włosów za ucho.

– No i przyszła – rzuciła śpiewnie do wysokiego ciemnowłosego mężczyzny, idącego w naszą stronę korytarzem. – Mówiłam ci, że niedługo wróci.

– Hej, siusiumajtko – powiedział Joesbury, schylając się, żeby cmoknąć mnie w policzek i poklepać po tyłku. Gdyby naprawdę był bratem, pewnie zarobiłby za coś takiego w zęby.

– Siema, brachu – odparłam i wiem, że to było słabe, ale, jak mówię, miałam ciężki dzień.

Joesbury miał na sobie kremowe spodnie i koszulę w różowe i liliowe prążki; na ramiona zarzucił liliowy sweter. Nigdy nie widziałam, żeby wyglądał tak szacownie. Istny laluś z dobrego domu.

– Mama mnie prosiła, żebym zajrzał. Babcia znowu miała atak.

– To już trzeci w tym roku – odparłam, zanim przypomniałam sobie, że mamy ledwie styczeń. – Akademickim – dodałam, zwracając się do Tox, która nie mogła oderwać oczu od Joesbury'ego.

– Zostajesz tu na cały wieczór? – spytała go. – Możemy, cię gdzieś zabrać, prawda, Laura? Chyba że jesteś umówiona z tym twoim smakowitym doktorkiem, bo jeśli tak, to ja się zaopiekuję Mickiem.

Miło poznać imię własnego brata.

– Niestety, muszę już zmykać – odpowiedział Joesbury i uśmiechnął się do niej; przysięgam, że do mnie nigdy nie uśmiechał się w taki sposób. Bezczelnie, flirciarsko i... – Wpadłem tylko po laptop mojej małej siostrzyczki. Znowu go zepsuła. Odprowadzisz mnie do samochodu, siusiumajtko? – dokończył.

– Dam ci jego numer – obiecałam Tox, kiedy Joesbury wziął ciężką płócienną torbę zawierającą mój komputer i popchnął mnie do drzwi. – Jeśli jakiś facet na ciebie zasługuje, to tylko mój starszy brat.

– Siusiumajtko? – spytałam, kiedy szliśmy przez kryty most. Rzeka pod nami przybrała niebieskoszary odcień mokrego łupka. Brzegi wciąż były pobielone śniegiem, a białe plamy błoni i ogrodów za Cam rozciągały się tak daleko, jak sięgały światła kolegiów.

– Pomyślałem, że to takie braterskie – odparł. Weszliśmy na Trzeci Dziedziniec. Z jednego z parapetów posypała się na nas kaskada śniegu. Wskazałam mu, że musimy skręcić w lewo i pójść na północ, żeby dotrzeć na parking.

Było już całkiem ciemno i gdziekolwiek spojrzeć, średniowieczne okna lśniły ciepłym, żółtym światłem. Kiedy wyszliśmy na Dziedziniec Kapliczny, uznałam, że jeśli mam wylecieć z roboty, to wolałabym mieć to już z głowy.

– Jeśli chcesz wiedzieć, dlaczego ciągle tu jestem... – zaczęłam.

– Wiem, dlaczego ciągle tu jesteś – przerwał mi. – Wiem o Jessice.

Męski głos, czysty i jasny, popłynął ku nam od strony kaplicy. Prosił Boga o zmiłowanie. Rozległa się odpowiedź chóru i kongregacji. Odbywało się nabożeństwo wieczorne, jak niemal codziennie.

– „Chryste, zmiłuj się nad nami" – zaśpiewał solista chóru.

– Nagrałam ci kilka wiadomości – zaczęłam na nowo.

– Nie odsłuchałem ich – odparł Joesbury. – Rano odłączyliśmy ci telefon. – Sięgnął do kieszeni i wyjął inną komórkę.

Blask świec z wnętrza kaplicy przesączał się przez witraże. W kilku miejscach, gdzie śnieg był nienaruszony, święte obrazki z okien odbijały się ze wszystkimi szczegółami.

– Weź na razie ten – zaproponował Joesbury, podając mi telefon. – Kupiłem go dzisiaj w sklepie. Masz go używać tylko w nagłych wypadkach. Nie próbuj dzwonić z niego ani do mnie, ani do doktor Oliver, ani do nikogo z policji. Zakaz obejmuje też posterunkowego Stenninga. Czy to jasne?

– Jak słońce.

– Daj mi stary – poprosił.

Pogrzebałam w torebce i wręczyłam mu komórkę.

– Skoro jest odłączony, nie mam po co go trzymać. – Joesbury już na mnie nie patrzył. Gapił się na kaplicę z cieniem uśmiechu na twarzy.

– To jest Haydn – powiedział. – *Niebiosa głoszą*.

– Myślałby kto, że byłeś kiedyś w kościele – burknęłam. W tej muzyce było coś, co sprawiało, że czułam się smutna i potrzebująca. Niemal miałam ochotę wejść do kaplicy i zatonąć w tych dźwiękach, a jednocześnie chciałam uciekać gdzie pieprz rośnie.

– „Na firmamencie dzieła Jego ręki" – zaśpiewał Joesbury idealnie z chórem i zaskakująco dobrym głosem.

Muzyka przybrała na sile, uderzyła w radosny ton.

– Laptop też ci zabieram. – Wskazał torbę, którą wziął z pokoju.

– Jak ty tam w ogóle wszedłeś? – spytałam. – Nie można sobie tak po prostu przyjechać do kolegium w Cambridge, twierdząc, że jest się krewnym.

Joesbury spojrzał na mnie z góry.

– Myślisz, że jesteś naszą jedyną tajniaczką w tym mieście?

– Właśnie odkryłam, że śpiewałeś w chórze. Nic mnie już nie zdziwi.

W kaplicy zapanowała cisza. Joesbury dostrzegł wyraz mojej twarzy i podszedł bliżej.

– Przepraszam za dzisiejszy ranek – powiedział.

– Reprymenda została przyjęta do wiadomości – warknęłam, patrząc na niego ze złością.

Ledwie dostrzegalne drgnienie kącika ust.

– Pomijając fakt, że jesteś absolutnie nieprzewidywalną wariatką, która prędzej się przekręci, niż zacznie przestrzegać zasad, w sumie spisałaś się całkiem nieźle – powiedział.

Poczułam nagle, że muszę usiąść.

– To wszystko, co pisałaś o Nicole i innych dziewczynach, było bardzo pomocne – ciągnął. – Nie wtajemniczaliśmy cię w sprawę i zabranialiśmy ci się w nią angażować tylko i wyłącznie dla twojego bezpieczeństwa.

W kaplicy piękny, kojący głos czytał modlitwę. Spojrzałam w turkusowe oczy, które nigdy nie mogły mi się znudzić.

– Tego jest więcej – powiedziałam.

Znów drgnienie ust. Jeszcze chwila i zacznie się uśmiechać.

– Mów.

Wysłuchał teorii, którą wysmażyłyśmy z Evi. Chwilami musiałam niemal krzyczeć mu do ucha, konkurując z chórem i wiernymi, chwilami zniżałam głos, kiedy zapadała cisza. Powiedziałam mu o fałszywym kwestionariuszu. O tym, że ktoś, uzbrojony w wiedzę na temat najskrytszych sekretów dziewczyn, planował całą kampanię gnębienia i zastraszania, bazującą na ich najgłębszych lękach. Że kiedy dziewczyny były już emocjonalnymi wrakami, dręczenie przechodziło na poziom fizyczny, a sprawca pomagał sobie potężnym i niezwykle niebezpiecznym koktajlem narkotyków i leków psychotropowych.

W końcu dodałam, że bardzo boję się o Evi, bo wyglądało na to, że i ona padła ofiarą zastraszania. Nie dlatego, że pasowała do schematu bezbronnej młodej kobiety, ale dlatego, że wtykała nos tam, gdzie nie powinna.

Przy wtórze muzyki niemal zbyt dobrej na ten padół powiedziałam Joesbury'emu o swoich podejrzeniach, że dziewczyny są porywane – nie potrafiłam sobie nawet wyobrazić, w jakim celu, ale nie miałam na ten temat dobrych przeczuć – i że krótko po uwolnieniu były popychane, znów za pomocą narkotyków, do samobójstwa. Powiedziałam mu też, że Bryony nie kupiła benzyny, która o mało jej nie zabiła.

– Jesteś tego pewna? – przerwał mi.

– Całkowicie. I mam ci powtórzyć, że samochód Nicole nie był jedynym pojazdem na drodze tamtej nocy, kiedy zginęła?

– Nie, to już zdążyłem załapać. Mów dalej.

Zaledwie metry od nas ludzie śpiewali o boskich cudach i chwale. Ja w prawdziwym świecie opowiadałam swojemu prowadzącemu, że szukamy grupy ludzi dysponujących wiedzą medyczną i informatyczną i że trójka takich ludzi studiowała w Cambridge piętnaście lat temu, w czasach, kiedy ostatni raz wystąpił wysyp samobójstw. Jego twarz nawet nie drgnęła, kiedy wymieniłam Nicka Bella, Scotta Thorntona

i Megan Prince jako podejrzanych. Powiedziałam mu też o Ie-
stynie Thomasie.

– Bell zawsze interesował się Bryony bardziej, niż wska-
zywałaby na to relacja lekarz–pacjent. A Megan Prince jest
psychiatrą i doskonale zna Evi. Thomas wygląda na pokręconego osobnika, który bardzo sprytnie zniknął z radarów. Ale
jedyny konkretny trop prowadzi do Scotta Thorntona.

Joesbury zmarszczył brwi.

– Co?

Opowiedziałam mu, jak i dlaczego odkryłam tożsamość
Thorntona i że widziałam, jak wchodził do pobliskiego kompleksu przemysłowego. Kiedy zaczęłam mówić o swoich czatach tamtego popołudnia, uniósł brew i pokręcił głową.

– Każę ich wszystkich śledzić – powiedział. – I namierzyć
tego Iestyna Thomasa. Poślę też kogoś, żeby miał oko na tę
ludwisarnię. To może być ważne.

– Mogłabym tam pojechać i...

Tym razem uniósł obie brwi.

– Nawet się tam nie zbliżaj. Ja mówię poważnie, Flint.
Obiecaj mi.

Obiecałabym mu wszystko.

– Czy jest jakaś możliwość, żebyś mi powiedział, co się tu
dzieje? – spytałam.

– Tak. – Zerwał kontakt wzrokowy, żeby spojrzeć na zegarek. – Ale nie teraz. Muszę zawieźć twój telefon i laptop do
Yardu.

– Bo...?

W kaplicy znów rozbrzmiały organy. W mojej głowie in-
strument zaczynał mieć własną osobowość, był bezczelny
i hałaśliwy jak wkurzający chłopak na szkolnym boisku.

– Jesteś spalona, niemal na pewno – powiedział Joesbury. – Sądząc z tego, co mi powiedziałaś o kwestionariuszu,

prawdopodobnie rozpracowali cię informatycznie. Ktoś mógł
włamać się do twojego komputera, może nawet czytał maile,
które wysyłałaś do mnie. Oni mogą dokładnie wiedzieć, kim
jesteśmy i co wiemy.

– Chryste, przepraszam.

– Nie masz za co. Gdybyś została jak należy wprowadzo-
na w temat, pilnowałabyś się przed czymś takim. Lacey, nie
przejmuj się tym. Ci ludzie są piekielnie przebiegli, a ja mogę
się mylić. Tak czy inaczej, dowiemy się tego jeszcze dziś.

– A jeśli jesteśmy spaleni?

– To nie będzie koniec świata. Mamy tu jeszcze innych ludzi. I między innymi dzięki tobie jesteśmy bliżej, niż byliśmy.

– Więc co mam robić?

– Zostań w kolegium jeszcze parę godzin i zachowuj
się normalnie. A przynajmniej tak normalnie, jak to możliwe w twoim przypadku – powiedział. – Sprawę dodatkowo
utrudnia fakt, że w to wszystko zamieszana jest policja. Przynajmniej tak nam się wydaje. Nie wiemy jeszcze, czy to tylko paru przekupionych miejscowych gliniarzy, czy to sięga
aż do Met, ale nie możesz ufać nikomu poza mną. Zrozumia-
łaś?

Skinęłam głową. Ludzie wychodzili już z kaplicy, organi-
sta przygrywał im na do widzenia.

– Na M11 są roboty drogowe, więc będę musiał jechać
dłuższą trasą, ale jeśli wszystko pójdzie dobrze, wrócę tu
przed północą i zadzwonię do ciebie. Kojarzysz hotel o nazwie Varsity?

Znów przytaknęłam ruchem głowy.

– Chyba tak. Zaraz za rogiem, mały, betonowy budynek.
Wygląda na bardzo modny.

– Tam się zatrzymam – powiedział. – Jak już wrócę, napiszę ci SMS z numerem pokoju.

Jeden z pedeli wyszedł z portierni i ruszył przez dziedziniec w naszą stronę, kiwając po drodze głową paru członkom kongregacji. Kiedy go obserwowałam, z kaplicy wyszedł chór. Prawie sami chłopcy, niektórzy zaledwie nastoletni, w czarnych togach z jaskrawoczerwonymi kołnierzami i z czerwono-czarnymi chwościkami przy śmiesznych, płaskich czapeczkach.

– Pan już wychodzi, sir? – spytał pedel Joesbury'ego. Był to George.

– Tak, dziękuję – odparł Joesbury. Odwrócił się do mnie i zniżył głos. – Jeszcze jedno. W kwestii Bella. – Byłam tak ucieszona naprawą stosunków z Joesburym, że zupełnie zapomniałam o tym drobiazgu. – Jeśli po tym wszystkim okaże się czysty, to ja nie mam nic przeciwko temu – oznajmił. – Wygląda na miłego gościa. Tylko jeszcze przez chwilę trzymaj się od niego z daleka i nie trać sprawy z oczu, okej?

Nagle w miejscu, gdzie zwykle miałam język, poczułam dużą, ciężką kluchę.

– Nie mogę się już doczekać, kiedy się dowiem, o co w tym wszystkim chodzi – powiedziałam, bo musiałam coś powiedzieć, a to, co przyszło mi do głowy, jakoś nie wydawało się właściwe.

Joesbury położył dłoń na mojej potylicy braterskim gestem, który sprawił, że miałam ochotę go uderzyć. Albo się rozpłakać.

– Skarbie – powiedział. – Jak już się dowiesz, pożałujesz.

Wsiadł do samochodu i odjechał, kiedy George otworzył mu bramę.

67

Przyłączysz się dzisiaj do nas, szefie?

Mężczyzna siedzący za biurkiem pokręcił głową.

– Mam zjazd kolegium. – Wskazał ruchem głowy ekran przed sobą. – Widziałaś to, Stacey?

Stacey, szczupła blondynka po trzydziestce, która już od paru miesięcy podkochiwała się w swoim nowym szefie, ucieszyła się z okazji, by przejść na drugą stronę biurka i pochylić się nad nim. Z tak bliska czuła jego wodę po goleniu i zapach ciepłej bawełny koszuli. Widziała połysk jego włosów.

– Boże święty, to nie jest sfingowane? – Obraz na ekranie na sekundę wygnał z jej głowy fantazję, w której przyciskała twarz do tego szerokiego barku i głębiej wdychała męski zapach.

– Raczej nie – odparł. – Jej rodzice rozpętali piekło.

– To było tutaj, prawda? Ona była studentką na naszym uniwersytecie.

Filmik miał zaledwie cztery minuty i trzydzieści sześć sekund. Ukazywał młodą kobietę wiszącą za szyję na drzewie. Jej nogi wściekle wierzgały w powietrzu, palce tak gorączkowo szarpały pętlę, jakby chciały rozerwać samą szyję na strzępy. Stacey trudno było patrzeć na wyraz jej twarzy.

– Dziwię się, że YouTube tego nie zdjął – stwierdziła. Filmik dobiegł końca. Ku jej zaskoczeniu szef puścił go od nowa.

– W końcu zdejmą – powiedział. – Lada dzień. Jesteśmy jednymi z ostatnich widzów.

Stacey spojrzała na liczbę wyświetleń w prawym dolnym rogu ekranu.

– *Prawie milion wejść* – *powiedziała.* – *Ludzie są chorzy.* – *Odsunęła się i wyszła zza biurka. Miała na sobie najobciślejszą spódnicę, ale jego oczy nie powędrowały za nią.*

– *To na pewno* – *potwierdził szef.* – *Baw się dobrze, Stace.*

To był sygnał, że ma sobie iść. Gdyby została jeszcze chwilę, mógłby pomyśleć, że mu się narzuca. Była już przy drzwiach, kiedy szef znów się odezwał.

– *Wyobraź sobie* – *zaczął, ale kiedy się obejrzała, wciąż patrzył na monitor i odniosła wrażenie, że mówi do siebie. Że zapomniał o jej obecności.* – *Gdyby tak każdy z tych klientów zapłacił funta za ten przywilej.*

Zamykając drzwi, Stacey pomyślała, że chyba wreszcie wyrosła z tego dziecinnego zauroczenia.

68

Blokady drogowe, znane też pod nazwą kolczatek, są używane przez policję na całym świecie do kończenia pościgów za rozpędzonymi piratami drogowymi. Zwykle składają się ze stalowych zębów długości od czterech do ośmiu centymetrów, zamocowanych do składanej stalowej ramy. Kolczatki rozkłada się w poprzek jezdni przed pędzącym samochodem. Działają w ten sposób, że przebijają opony i jeśli zostaną użyte prawidłowo, szybko zatrzymują pojazd, minimalizując obrażenia uczestników i zniszczenie mienia.

Zwykle kolce są puste w środku i po wbiciu w oponę zapewniają powolne uchodzenie powietrza. Pojazd przejedzie jeszcze pewien dystans, dopóki opony nie opróżnią się całkowicie, ale prawdopodobieństwo wypadku jest dzięki temu znacznie zredukowane. Z kolei pełne kolce powodują wybuch opon, co nieodmiennie prowadzi do kłopotów.

Inspektor Mark Joesbury był dobrym kierowcą. Funkcjonariusze policji są szkoleni w szybkiej i pewnej jeździe z maksymalną koncentracją. Jego uzdolnienia w tym kierunku zostały zauważone, kiedy jeszcze był kadetem, dzięki czemu posłano go na liczne kursy jazdy, w tym również kurs unikania zagrożeń na drodze.

W świetle dziennym być może w porę zauważyłby kolczatkę domowej roboty rozłożoną w poprzek A10. Gdyby tak było, miałby większą szansę wyhamowania przed nią niż większość kierowców jeżdżących po brytyjskich drogach. Po ciemku, przy dużej prędkości i z głową zajętą czym innym, nie miał żadnych.

Jego bmw wjechało w nabijaną gwoździami stalową rurę z prędkością prawie stu kilometrów na godzinę. Wszystkie cztery opony wybuchły z odgłosem strzału z broni palnej. Samochód uderzył w barierę energochłonną, przebił się przez nią, zjechał z szosy i sturlał z zadrzewionej skarpy. Zatrzymał się na dachu. W ostatniej przytomnej chwili Mark Joesbury pomyślał, że nie przekazał informacji, którymi podzieliła się z nim Lacey.

Po powrocie zastałam Tox rozwiązującą niedorzecznie skomplikowane równania przy heavy metalu, od którego podskakiwało wszystko, co nie było przybite do podłogi. Wyszczerzyła się do mnie, powiedziała coś bezgłośnie i ściszyła muzykę.

– Nastaw się, że przyjeżdżam do was na ferie wielkanocne – oznajmiła.

– Już się cieszę – odparłam, zastanawiając się, czy Joesbury zdołałby wyczarować dom w Shropshire i pulchną panią z klasy średniej, które będzie udawać naszą matkę.

Tox wciąż szczerzyła się w uśmiechu.

– Przeszkadzają ci Guns'N'Roses? – spytała.

– Im głośniej, tym lepiej – odparłam. Uwierzyła mi. Rozkręciła muzykę na cały regulator, a ja poszłam do swojego pokoju, żeby czytać i czekać.

Kiedy huk i trzask wypadku ucichły w ciemnościach, spomiędzy drzew wyłoniły się dwie zakapturzone postacie. Jeden z mężczyzn chwycił resztki kolczatki i ściągnął je na pobocze. Drugi przelazł przez połamaną barierę i zszedł po skarpie. Gdy dotarł do samochodu, towarzysz dołączył do niego.

Człowiek w kabinie wisiał do góry nogami w pasie bezpieczeństwa. Głowę miał wykręconą pod nienaturalnym kątem.

– Nie żyje? – spytał pierwszy mężczyzna.

– Nie wiem – odparł drugi. – Na to wygląda.

– Bierzmy graty.

Przynieśli ze sobą łom, żeby otworzyć bagażnik. Nie był potrzebny. Kraksa uszkodziła zamek i klapa była otwarta. Torba Joesbury'ego leżała trzy metry niżej na stoku. Znaleźli w niej laptop i komórkę, które Joesbury zabrał Lacey niecałe pół godziny wcześniej. Z kabiny samochodu zabrali jego komórkę. Znaleźli kurtkę z portfelem, który też sobie przywłaszczyli. W końcu odsunęli się o parę kroków, by ocenić miejsce wypadku.

– Podpalamy? – zasugerował pierwszy.

Drugi pokręcił głową.

– Zbyt oczywiste – powiedział. – Znajdą zapałkę. A on mi wygląda na trupa. Chodź.

Odwrócili się i ruszyli w górę skarpy. Słysząc kolejny samochód, przygięli się do ziemi. Samochód pojechał dalej; jego pasażerowie nie mieli pojęcia o wraku leżącym kilka metrów od drogi.

– Znajdą zapałkę? – spytał nagle ten pierwszy. – Chyba żartujesz. Nie spali się po prostu?

– Nie. Łebki zapałek zawierają krzemionkę. Bardzo trwały związek.

– Człowiek co dzień uczy się czegoś nowego.

Mężczyźni przeszli przez drogę i między drzewami dotarli do polnego traktu, na którym zostawili własny samochód. Wsiedli i odjechali. Od kiedy zostawili bmw za sobą, żaden nawet się nie obejrzał.

Wybiła dziewiąta i Tox poszła się spotkać ze swoim chłopakiem. Minęła dziewiąta trzydzieści, a Joesbury ciągle się nie odzywał. Serce zabiło mi jak oszalałe o dziewiątej czterdzieści pięć, kiedy rozległo się pukanie do drzwi. Popędziłam przez pokój, żeby je otworzyć. W progu stał Nick Bell.

– Cześć.

– Co się stało? – spytałam. Nigdy nie widziałam u niego tak poważnej miny.

Położył mi dłoń na ramieniu.

– Mogę wejść?

Nie miałam najmniejszej ochoty na jego towarzystwo, ale czułam, że coś się stało. Odsunęłam się i pozwoliłam mu wejść do pokoju. Podszedł blisko i spojrzał na mnie, jakby planował mnie pocałować, ale nie był do końca pewny własnych uczuć.

– Niestety mam złe wieści – oznajmił.

W pierwszej chwili przyszedł mi do głowy Joesbury. Bzdurny pomysł. Nick nie znał Joesbury'ego i nie miał pojęcia o moim rzekomym bracie. Kazałam sobie wziąć się w garść i skinęłam Nickowi głową, żeby mówił dalej.

– Bryony zmarła dwie godziny temu – powiedział. – Odebrała sobie życie.

Nie mogłam przereagować. Laura byłaby smutna, współczująca, nic więcej.

– Przykro mi – wykrztusiłam. – Wiem, że była dla ciebie ważna.

Nick wyciągnął ręce. Weszłam w jego objęcia i uściskałam go, wiedząc, że do końca muszę grać swoją rolę.

– Co się stało? – spytałam.

Odsunął się ode mnie i podszedł do biurka Talaith.

– Na oddziale był jakiś pilny przypadek – wyjaśniał. – Wszyscy byli zajęci. Zdołała wstać z łóżka, odczepić wszystkie kable i kroplówki. Oczywiście sprzęt podniósł alarm, ale na oddziale panowało zamieszanie. Zanim ktokolwiek do niej przyszedł, zdążyła otworzyć okno i wyskoczyć.

Nie byłam w stanie nic powiedzieć, bo jedyna myśl, jaką miałam w głowie, brzmiała: jednak ją dopadli.

– Umywalka była zakrwawiona – ciągnął Nick. – Podejrzewamy, że podeszła do lustra, zobaczyła się po raz pierwszy i nie była w stanie sobie z tym poradzić.

Dopadli ją. Wygrywali na wszystkich frontach.

– Była studentką medycyny – ciągnął Nick. – Wiedziała, jakie są rokowania dla jej ran, jaka czeka ją przyszłość. Przepraszam, pewnie nie chcesz o tym wszystkim słuchać.

Nie obchodziło mnie, że być może tak było lepiej, że Bryony, tak okaleczona, nie miałaby żadnej przyszłości. Mogłam myśleć tylko o tym, że utrzymanie tych dziewczyn przy życiu było moim zadaniem. I nawaliłam.

– Mam mnóstwo pracy – powiedział Nick. – Zawsze jest dużo administracyjnej roboty, kiedy ktoś umiera. No i nagrałem wiadomość jej rodzicom, więc muszę być w szpitalu, jeśli oddzwonią. Możemy przełożyć tę kolację na inny dzień?

– Oczywiście – odpowiedziałam. Ulżyło mi, że nie muszę wymyślać wymówki. – Ja też mam dużo pracy. Odprowadzę cię do bramy.

Jak to zrobili? Musiał być jakiś ostateczny wyzwalacz, coś, co pchnęło ją do tego kroku. Potrzebowałam się dowiedzieć, kto ją dzisiaj odwiedzał. Oprócz George'a i mężczyzny, który szedł obok mnie. Ale nie mogłam wrócić do szpitala. Musiałam czekać na Joesbury'ego.

Kiedy szliśmy przez Pierwszy Dziedziniec, znów zaczął padać śnieg.

– Czy tutejsze drogi robią się nieprzejezdne, kiedy pada? – spytałam Nicka. Joesbury'ego nie było już od czterech godzin.

– Tylko kiedy zima zaskoczy drogowców – odparł Nick. Spojrzał w górę. – Te płatki są maleńkie. Raczej nie grozi nam kolejna wielka śnieżyca.

– To dobrze – powiedziałam. Chciałam spojrzeć na zegarek. W tej chwili zegar na pobliskiej kościelnej wieży wybił godzinę. Wyszliśmy przez małe, drewniane drzwi na ulicę; Nick obrócił się przodem do mnie. Zmusiłam się do dreszczu, który szybko zmienił się w prawdziwy.

– Musisz wracać do środka – powiedział. – Do zobaczenia niedługo.

Pozwoliłam, żeby mnie pocałował, i postarałam się nie odsunąć za szybko. Patrzyłam za nim, kiedy przeszedł parę kroków ulicą, po czym pomachałam mu uroczo, gdy się obejrzał. W końcu zawróciłam w stronę Pierwszego Dziedzińca.

Przecięłam go szybko i weszłam na Drugi Dziedziniec, wyciągając z kieszeni nowy telefon, choć wiedziałam, że przecież bym go usłyszała, gdyby przyszedł jakiś SMS. Do diabła, gdzie się podział ten Joesbury? Cztery godziny! Powinien był już wrócić.

O dziesiątej wieczorem Evi wiedziała już, że nic więcej nie zrobi dziś dla Jessiki. Dziewczyna została przeniesiona do zabezpieczonego skrzydła psychiatrycznego, byli z nią rodzice i dostała lek uspokajający, żeby dobrze się wyspać przez noc. Przy odrobinie szczęścia bez żadnych koszmarów.

Kiedy jechała przez główną recepcję szpitala, zadzwonił jej telefon. Megan Prince. Evi, świadoma, że jej serce przyspieszyło, dała sobie chwilę.

– Halo, Meg.

– Cześć, Evi. Możesz rozmawiać? – Zwykle tak wesoły głos Megan był niższy niż zwykle.

– Oczywiście. Co się stało?

– Możemy się spotkać jutro z samego rana? Pacjentów mam dopiero na dziesiątą. Mogę podjechać do ciebie o dziewiątej?

Nie. Gdzieś, gdzie będą ludzie.

– Ja muszę być jutro wcześnie w gabinecie, ale o dziewiątej znajdę dla ciebie czas. Może być?

– Tak, jasne. Świetnie. To do zobaczenia, Evi.

Rozłączyła się. Okej, o co mogło chodzić? Megan nigdy wcześniej nie prosiła jej tak znienacka o spotkanie. Powinna powiedzieć Laurze? Może nawet mieć ją pod ręką?

Jadąc na wózku przez parking, zdecydowała, że powie Laurze po fakcie. Mogło nie chodzić o nic ważnego, a przecież w przychodni pełnej ludzi nic nie mogło jej się stać.

Pojechała do domu wykończona i obolała, ale, o dziwo, od dawna nie była w tak dobrym nastroju. Wmawiała sobie, że to przez to, że Jessica odnalazła się żywa. W głębi duszy wiedziała, że to zasługa ostatniej rozmowy z Laurą. „Na twoim miejscu zadzwoniłabym do niego". I nagle Evi nie potrafiła sobie przypomnieć, dlaczego skontaktowanie się z Harrym było niemożliwe.

Suczka czekała tuż za drzwiami.

– Cześć, Sniffy – powiedziała Evi; nagrodziła ją miękka pieszczota nosa i spojrzenie brązowych oczu, mówiące jej, że jest jedyną i najważniejszą osobą na świecie. Sniffy poszła za nią do kuchni i Evi otworzyła jej tylne drzwi, by wypuścić ją do ogrodu. Nagle dotarło do niej, że oddanie Sniffy, kiedy już znajdą się właściciele, nie będzie łatwe.

Włączyła czajnik i komputer. W chwili, kiedy woda zawrzała, seria brzdęknięć powiedziała jej, że przyszło kilka nowych maili. Większość była związana z pracą, w jednym był zabawny łańcuszek przysłany przez kuzynkę. Ale jej spojrzenie przyciągnął list od kobiety z Lancashire, której syna Evi leczyła w zeszłym roku. Miał załącznik. Alice nigdy nie przysyłała jej maili. Owszem, od czasu do czasu listy, czasem nawet dzwoniła, ale to był pierwszy mail od niej. A znała przecież tylko jedną Alice Fletcher. Otworzyła list. W załączniku był artykuł z gazety, wycięty z „Lancashire Telegraph".

„Kochana Evi,

Spodziewam się, że słyszałaś już straszną nowinę. Z pewnością jesteś równie zszokowana i zrozpaczona jak my. Możemy sobie powtarzać, że Bóg zabiera do siebie tych, których najbardziej kocha, ale ostatecznie chyba nikt nie potrafi znaleźć sensu w takich wydarzeniach.

Pomyślałam, że chciałabyś przeczytać nekrolog, który ukazał się w najnowszym »Telegraph«. Nie oddaje mu sprawiedliwości, ale co by oddało? W planach jest nabożeństwo ku czci jego pamięci. Będę cię informować na bieżąco.

Wciąż za tobą tęsknimy. Całusy,

Alice"

Minutę później zimna, sucha dłoń zanurzyła się w piersi Evi i ścisnęła jej serce. Chciała otworzyć usta i zawyć, ale jak miała to zrobić, kiedy w jej płucach nie została ani odrobina powietrza?

Gazetowy nekrolog opowiadał o wspaniałym człowieku, słudze bożym, kochanym i szanowanym przez wszystkich, którzy go znali; o człowieku, który został zabrany z tego padołu łez zbyt szybko, w kwiecie wieku, w wyniku tragicznego wypadku podczas wspinaczki. Podane były szczegóły jego kariery, wymienione kościelne i naukowe stanowiska, które piastował, było nawet zdjęcie. Evi nie widziała niczego. A jednocześnie rozumiała wszystko.

Harry nie żył.

69

Wyszłam ze Świętego Jana, przeszłam kawałek Bridge Street i skręciłam w Thompson's Lane, gdzie, jak wiedziałam, znajdował się hotel Varsity. W recepcji siedziało dwóch młodych nocnych portierów.

– Dobry wieczór – powiedziałam. – Nazywam się Laura Farrow. Czy ktoś zostawił może wiadomość dla mnie?

Jeden zrobił tępą minę, drugi spojrzał na biurko przed sobą.

– Nic tu nie widzę – odpowiedział ze wschodnioeuropejskim akcentem. – Nazwisko gościa?

Dobre pytanie. Nie miałam pojęcia, jakiego nazwiska używał Joesbury incognito.

– Pan Johnson? – spróbowałam, bo wiedziałam, że inicjały zwykle pozostawały takie same. Chłopak spojrzał na monitor komputera.

– Mamy pana Jacksona – odparł.

– A jest u siebie? – spytałam, choć wiedziałam, że chwytam się brzytwy. Chłopak odwrócił głowę, żeby popatrzeć na haczyki z kluczami na ścianie za sobą.

– Nie – powiedział, odwracając się z powrotem do mnie. – Jego klucz jest u nas.

Podziękowałam dwóm młodzieńcom i wyszłam. Joesbury wspomniał, że w mieście jest więcej tajniaków, ale nie miałam szans ich odnaleźć. Gdybym zadzwoniła do Scotland Yardu i powiedziała, kim jestem, pewnie połączyliby mnie z OS10. Ale to mógłby być najgorszy możliwy ruch. Nie ufaj policji, przykazał mi Joesbury.

Okej, nie zamierzałam panikować. Joesbury potrafił o siebie zadbać. Evi była pod opieką Sniffy. Jessica leżała na chronionym oddziale zamkniętym. Bryony już nie mogliśmy pomóc. Wszystko wskazywało na to, że następna na liście jestem ja, a z pewnością nie zamierzałam odbierać sobie życia. Musiałam po prostu siedzieć i czekać.

Po powrocie do kolegium miałam wielką ochotę na gorącą herbatę, ale pamiętając podejrzenia Evi, że już raz podano mi narkotyki, nie zamierzałam ryzykować. Wyszorowałam zęby, napiłam się kranówki i przebrałam w piżamę. Zgasiłam światło, zastanawiając się, czy w ogóle zdołam zasnąć. Nagle coś mi przyszło do głowy.

Według Talaith Bryony najbardziej bała się utraty urody. Śniła o oszpeceniach. A jeśli ten ogień nie miał jej zabić? Jeśli to był tylko ostatni etap fizycznych i psychologicznych tortur? Jeśli dzisiaj ktoś tylko zadbał, żeby okno nie było zamknięte i żeby Bryony spojrzała w lustro?

Słysząc pikanie SMS-a, o mało nie wyskoczyłam z łóżka. Chwyciłam komórkę z półki przy łóżku. Joesbury. Och, Bogu niech będą dzięki.

„Jest opóźnienie", napisał. „Siedź na miejscu. Nie kontaktuj się z nikim oprócz mnie".

Och, Bogu dzięki, Bogu dzięki. Kiedy raz po raz powtarzałam sobie to w głowie, świat zaczął się z niej wyślizgiwać.

Mężczyzna, który trzymał w dłoni komórkę Marka Joesbury'ego, po cichu odłożył ją na biurko przed sobą.

– Mamy jeszcze maksimum dwadzieścia cztery godziny – powiedział. – Odleciała już?

Ekran komputera przed nim rozbłysł i ukazała się na nim młoda kobieta w łóżku. Wyglądało na to, że śpi.

– Powinna – usłyszał. – Dostała tyle, że powaliłoby słonia.

– To jak, wchodzimy? – spytał trzeci mężczyzna w pokoju.

Ten przy biurku pokręcił głową.

– No nie wiem.

– To ostatnia szansa i przynajmniej wiemy, że ten sakramencki pies nam nie przeszkodzi.

– Zbyt ryzykowne. Tam węszy jeszcze ktoś. Wykończymy ją jutro.

– A co z Evi Oliver?

– Już od trzech tygodni nie miała chwili ulgi od bólu i tak namieszaliśmy jej w głowie, że ledwie odróżnia dzień od dnia. Z tego, co mówi Meg, jest na granicy. Lada chwila pęknie.

– Czy to dobrze? Nie zamknęliśmy jej jeszcze na oddziale.

– Może będziemy musieli sobie to odpuścić. Nie ma czasu, żeby wykorzystać je obie, a pozbycie się jej zawsze było priorytetem. – Odchylił się na krześle. – A poza tym Laura bardziej przypadła mi do gustu.

70

Laura! Laura! Musisz się obudzić.

Głos, dłoń sięgająca ku mnie przez ciemność. Musiałam się do niej wspiąć. A chciałam tylko spać.

– Chyba będę musiała wezwać pogotowie. Czy ktoś może mi podać torbę?

Dłoń lekko klepiąca mnie po policzku. Dłoń Evi. Już niemal widziałam nad sobą jej bladą, sercowatą twarz. Mżyła, wyostrzała się i rozmywała, i rozumiałam, że bardzo chce ze mną porozmawiać. Och, ale tak przyjemnie mi się spało.

– Dzięki – odezwał się głos Evi. – Zostań z nią, mów do niej.

Inna osoba. Jedna z dziewczyn z bursy. Widziałam jej długie, ciemne włosy i kremową skórę. Brązowe oczy patrzące w moje. Pokój powoli nabierał ostrości.

– Już dobrze – powiedziałam i przekonałam się, że z jej pomocą mogę usiąść. Byłam w swoim pokoju w Świętym Janie. Jakaś inna dziewczyna stała w saloniku. Ani śladu Tox. W końcu Evi pojawiła się w drzwiach.

– Już dobrze – powtórzyłam. Nie wiedziałam, czy zdołam wydobyć z siebie coś więcej. Miałam uczucie, że mówię przez gęstą siatkę. Jakąś moskitierę albo przez matowe szkło, jakie widuje się w oknach łazienek. Znów się zapadałam. – Żadnej karetki – wydusiłam.

Evi miała minę, jakby chciała się kłócić. W końcu zwróciła się do obu dziewczyn.

– Dziękuję za pomoc – zwróciła się do nich. – Czy mogę was zawołać, gdybym was jeszcze potrzebowała?

Studentki, zdziwione, ale posłuszne, dały się odprawić i wyszły z pokoju.

– Dzwoniłam i dzwoniłam – powiedziała Evi, kiedy zostałyśmy same. – Myślałam, że zwariuję, kiedy nie odbierałaś.

Odsunęłam kołdrę i spuściłam nogi. Pokój zaczął wirować i na sekundę musiałam zamknąć oczy. Kiedy je otworzyłam, zegar przy łóżku wskazywał wpół do dziesiątej rano.

– Co się stało? – spytała Evi. – Mam do kogoś zadzwonić?

– Daj mi chwilkę. – Jezu, musiałam wziąć się w garść.

Działając jak na autopilocie, znalazłam dres, sportowe buty i się ubrałam. Evi otworzyła usta, żeby coś powiedzieć. Zmieniła zdanie, ale sądząc z jej miny, nie zamierzała długo siedzieć cicho. Już samo ubieranie mnie wykończyło. Kiedy skończyłam, musiałam z powrotem usiąść na łóżku.

– Wygląda na to, że miałaś rację – przyznałam. – W kwestii tych narkotyków. Coś zażyłam. Nie pytaj mnie, jak i kiedy, ale...

– Musimy odstawić cię do szpitala... – zaczęła Evi.

– Nie ma czasu – przerwałam jej. – I chyba nic mi nie jest. Po prostu mam potężnego kaca. Świeże powietrze, kawa, coś do żarcia i będzie dobrze. – Żeby jej to udowodnić, zdołałam wstać i się nie zachwiać. – Bufet? – zasugerowałam. Potrzebowałam wydostać się z tego pokoju. Evi jednak nigdzie się nie wybierała.

– Jak oni to robią? – spytała, rozglądając się. – Powiedz mi dokładnie, co robiłaś wczoraj wieczorem.

Oparłam się o drzwi i opowiedziałam jej wszystko, podkreślając, że przez cały wieczór nic nie jadłam i piłam tylko wodę z kranu. Podjechała wózkiem do umywalki.

– Nie mogli zaprawić wody w kranie – mruknęła do siebie. – A gdyby tu weszli i wbili ci igłę w ramię, obudziłabyś się.

Wzięła tubkę pasty i powąchała ją.

Pokręciłam głową.

– Pasta do zębów? Chyba żartujesz.

– LSD typowo zażywa się w postaci małych kawałeczków bibuły kładzionych na języku – powiedziała. – Narkotyki bardzo szybko wchłaniają się w ustach. Użyłaś płynu do płukania?

Skinęłam głową.

Evi schowała pastę i płyn do torby i zapięła ją.

– Okej – powiedziała. – Idziemy stąd.

Poszłyśmy do Bufetu. Wzięłyśmy sobie po mocnej kawie i tost dla mnie. Z każdą chwilą czułam się lepiej. Wciąż było fatalnie, ale szło ku lepszemu. Za to z Evi było wręcz odwrotnie. Zupełnie jakby ta akcja ratunkowa ją wykończyła. Twarz miała różową i spuchniętą, oczy przekrwione. Każda zmarszczka na jej skórze mówiła o bólu, a jej głos był głosem poważnie chorej kobiety. Albo takiej, która przepłakała całą noc.

– Słyszałaś o Bryony? – spytałam ją, kiedy usiadłyśmy już przy stoliku możliwie daleko od innych.

Skinęła głową.

– Dzisiaj rano. – Niewiele więcej mogłyśmy powiedzieć.

– Jak tam Jessica? – dopytywałam się dalej.

– Żyje – odparła. – I na razie to nasz jedyny powód do radości.

– Powiedziała cokolwiek?

Evi skinęła głową.

– Właśnie dlatego próbowałam się z tobą skontaktować. Wczoraj późnym wieczorem była mocno pobudzona. Większość z tego to była jej zwykła paplanina o klaunach. Klauny ją goniły, klauny ją napadały, klauny wisiały na drzewach, powieszone za szyje. Już wcześniej miewała koszmary na ten temat.

Świat ciągle działał jakby na zwolnionych obrotach. A może tylko ja. Zamknęłam na sekundę oczy, zaczerpnęłam kilka głębokich oddechów.

– I o psie. Ciągle gadała o jakimś psie. Że udało jej się uciec i schować w rowie, ale pies ją znalazł.

Sala wirowała. Otworzyłam oczy i dotarło do mnie, że Evi przestała mówić i gapi się w przestrzeń. Zupełnie jakby gdzieś wyszła. Jej ciało wciąż siedziało po drugiej stronie stolika, ale sama Evi była całkiem gdzie indziej.

– Evi? – Jej ciemnoniebieskie oczy spojrzały na mnie. Rozpływały się od łez. – Mówiłaś o Jessice – przypomniałam jej delikatnie.

Wzdrygnęła się lekko.

– Tak. Potem zaczęła mówić o swoim pokoju w Świętej Katarzynie – podjęła na nowo. – Że to był jej pokój, ale jednocześnie nie był, że oni go zmienili, sprawili, że był zły i że cały czas ją obserwowali.

– To samo mówiła Bryony.

– Też mnie to uderzyło. Dlatego chciałam się z tobą zobaczyć. Druga sprawa, to to, że Megan Prince dzwoniła do mnie wieczorem i prosiła, żebym dzisiaj się z nią spotkała. Umówiłam się z nią na dziewiątą, ale się nie zjawiła. Ona też nie odbiera telefonu, ale nie chcę, by było zbyt oczywiste, że usiłuję ją złapać.

– Słusznie – zgodziłam się. – Niech sama jeszcze raz się z tobą skontaktuje.

Skinęła głową.

– Tak, też tak pomyślałam.

– Evi – powiedziałam – stało się coś jeszcze? Prawdę mówiąc, wyglądasz tak, jak ja się czuję.

Evi patrzyła na mnie przez chwilę, ale w końcu pokręciła głową.

– Złe wieści z rodzinnego miasta – odparła. – Poradzę sobie z tym. Wszystko jest w porządku.

Nie było, ale nie miałam teraz czasu się z nią sprzeczać. Tym bardziej że to, co powiedziała, wreszcie do mnie dotarło. Do diabła, ależ byłam zamulona.

– Evi, co ty powiedziałaś o drzewach?

– Kiedy?

– O Jessice. Mówiła, że klauny wisiały na drzewach?

– Majaczyła – odparła Evi. – Mówiła o ucieczce przez las, o nietoperzach i klaunach pijących herbatę. Mówiła, że na drzewach były klauny powieszone za szyje. Jak dla mnie to wyjątkowo dziwaczny obrazek.

– Czegoś takiego się nie zapomina – przyznałam. – No dobrze, muszę coś załatwić. Jedziesz teraz do domu?

– O co chodzi? – spytała Evi. – Coś ci przyszło do głowy?

– Pewnie nic ważnego – powiedziałam. – Po prostu muszę coś sprawdzić. Wpadnę później, jeśli pozwolisz. Wyprowadzę psa.

Odprowadziłam Evi do samochodu i pomachałam jej na pożegnanie.

Kiedy tylko odjechała, poszłam do własnego auta i spojrzałam na mapę. Tego dnia, kiedy miałam bliskie spotkanie trzeciego stopnia z myszołowem, znalazłam się w niewielkim lasku z horroru, który, tak się składało, znajdował się bardzo blisko kompleksu przemysłowego, Starej Ludwisarni, po której plątał się Scott Thornton. I gdzie znajdował się stary dzwon. Bell, napisała Bryony. Dzwon.

Jessica mówiła, że znalazł ją pies. Ludwisarnia była niedaleko domu Nicka. W piątek wieczorem, kiedy byłam u niego na przyjęciu, Jessica była zaginiona. Słyszałam krzyk kobiety. Minutę czy dwie później pojawiła się Sniffy.

Joesbury kazał mi siedzieć w kolegium. I choć czułam się odrobinę lepiej, w dalszym ciągu nie byłam w wystarczająco dobrej formie, żeby jeździć samochodem po Cambridgeshire. Ale nie miałam pojęcia, kiedy Joesbury wróci, a nie mogłam się pozbyć okropnego przeczucia, że kończy nam się czas. Wyjęłam komórkę i napisałam SMS.

„Kompleks przemysłowy Stara Ludwisarnia, 11 rano". Wcisnęłam „wyślij". Gdyby coś poszło nie tak, Joesbury będzie przynajmniej wiedział, gdzie jestem.

Wysoki ciemnowłosy mężczyzna wsiadał właśnie do samochodu, kiedy zadzwonił jego telefon.

– Domyśliła się wszystkiego – powiedział głos. – Możesz tam pojechać?

– Myślałem, że Scott tam jest?

– Nie mogę go złapać. Może wyskoczył po jedzenie, a to znaczy, że nie włączył alarmu i nie pozamykał wszystkiego. Wiesz, jaki on jest.

– Już jadę. Co mam z nią zrobić?

– Zatrzymaj ją tam. O prochach też już wiedzą. Musimy to zrobić dzisiaj.

Wchodząc do domu, Evi znów szlochała. Przejażdżka do Świętego Jana, żeby sprawdzić, co u Laury, wyczerpała jej wszystkie siły, i teraz ból, przenikający nogę i plecy, dosięgnął głowy. Czuła się, jakby mózg jej spuchł i napierał na kości czaszki.

Harry. Sama świadomość, że jest gdzieś na świecie, może nawet myśli o niej, była jak raj w porównaniu z tym, co czuła teraz. Miała trzydzieści cztery lata, przed sobą pewnie jeszcze ze czterdzieści, a nie miała pojęcia, jak przetrwać najbliższe dziesięć minut.

Sniffy wyszła z kuchni, wymachując ogonem, i wcisnęła wilgotny nos w jej dłoń. Głaszcząc suczkę po głowie, Evi pokuśtykała korytarzem do sypialni. Jeszcze tylko troszkę, najwyżej parę dni, dopóki Laura jej potrzebuje. Położyła się na łóżku i opatuliła kołdrą.

Dojazd do Ludwisarni zajął mi raptem piętnaście minut. Minęłam kompleks i przejechałam jeszcze kilkaset metrów drogą B1102. Zaparkowałam w małej zatoczce. Wyjście z samochodu, nie mówiąc już o poruszaniu się na własnych nogach, było ostatnią rzeczą, na jaką miałam ochotę, ale wiedziałam, że jeśli zbliżę się do kompleksu pieszo, trudniej będzie mnie zauważyć.

Powoli, ale uparcie, coraz przytomniejsza w zimnym powietrzu, szłam przez las i zbliżałam się do ludwisarni, bystro rozglądając się za Jimem Notleyem czy kimkolwiek, kto mógł się tu kręcić. Kiedy minęłam miejsce, w którym przyłapał mnie w zeszłym tygodniu, zobaczyłam, że solarne lampki wciąż tam są, ale wiszące kukły zostały zdjęte.

Klauny wiszące na drzwiach? Te postacie, które tu widziałam, nie były klaunami. To były lalki z koszmarnie oszpeconymi twarzami. Czy były przeznaczone dla Bryony?

Na skraju zagajnika znajdował się drewniany płot, który odgradzał go od wąskiej, brukowanej ścieżki biegnącej brzegiem kompleksu. Starając się nie unosić głowy, przelazłam na drugą stronę. Budynek 33 był jednym z nowszych. Ściany były skonstruowane z wielkich arkuszy zardzewiałej blachy, blaszany dach miał łagodny spadek. Na omszałym chodniku stał potężny, milczący klimatyzator; tuż nad nim znajdowało się małe okienko zamalowane czarną farbą. Podeszłam do narożnika, skąd widziałam jednoczenie tylną i boczną ścianę.

Jedna kamera przemysłowa, niemal na wysokości dachu, skierowana na front budynku. Nie mogłam sobie pozwolić, żeby mnie rozpoznano na nagraniu, więc związałam włosy i założyłam kaptur bluzy. Wiedziałam, że dopóki nie podniosę głowy, będę nie do zidentyfikowania.

Dwa okna umieszczone bardzo wysoko we frontowej ścianie sugerowały, że budynek może mieć piętro. Główne drzwi były zamknięte, podobnie jak magazynowe wrota w kolejnej ścianie, którą obejrzałam. Zrozumiałam, że dostanie się do środka nie będzie łatwe.

Wróciłam na tył i dałam sobie parę minut na złapanie tchu. Potem obszukałam ziemię, znalazłam kawałek betonu, naciągnęłam rękaw na dłoń i rozwaliłam kamieniem zamalowaną szybę w okienku nad klimatyzatorem. Miałam tak obolałą głowę, że brzęk wydał mi się nienaturalnie głośny. Poczekałam chwilę na alarm, ale nic nie zaczęło hałasować. Wybiłam z futryny resztę szkła i wspięłam się do okienka.

W pierwszej chwili znalazłam się w pułapce. Niecały metr od okienka stał wysoki, płaski arkusz jakiegoś twardego materiału, blokujący mi drogę. Był pochylony w moją stronę, opierał się skośnie o ścianę nad moją głową. Ugiął się lekko, kiedy go pchnęłam, ale nie chciałam przewrócić tego czegoś, więc przesunęłam się w bok i wyszłam zza wysokich arkuszy sklejki. Naliczyłam ich dwanaście, opartych o ścianę w sztaplach po cztery. Te od wierzchu zostały pomalowane tak, by imitować cegły. Nie było to zbyt wyrafinowane dzieło, malunek był toporny i pośpiesznie wykonany, ale i tak było jasne, co to ma być. Stary, kruszący się, wilgotny mur z cegieł, jak w wiktoriańskich piwnicach czy tunelach. Wyglądało to na teatralną scenografię. Poza tym pomieszczenie nie było przepastną halą, jakiej się spodziewałam, ale dość ciasną salką, a podobieństwo do teatralnych kulis zwiększały jeszcze wielkie,

czarne reflektory na trójnogach, stojące w jednym z kątów.
Czy mogłam być w teatrze? W pomieszczeniu były jedne
drzwi. Otworzyły się cicho, ukazując dużą, ciemną przestrzeń.
Uniosłam latarkę, którą przyniosłam z samochodu i znalaz-
łam się w miejscu, jakiego chyba najmniej się spodziewałam.
W wesołym miasteczku.

71

Inspektor John Castell stał na progu domu Evi i patrzył na nią
z góry. Evi, której nagle zmiękły nogi, przytrzymała się futryny.

– Evi, obawiam się, że mam złe wiadomości – powiedział. – Megan nie żyje.

Wprost przed sobą miałam karuzelę, jakby żywcem wy-
jętą z czasów wiktoriańskich. Malowane konie stawały dęba
na słupkach, gotowe pląsać w kółko, kiedy zagra muzyka.
W świetle latarki karuzela połyskiwała złoceniami, nad głową widziałam jej karbowany dach w białe i czerwone paski.
Po jednej stronie karuzeli stał mały namiot wróżki i maszyna Sprawdź Się, Siłaczu. Głębiej znajdowała się jeszcze jedna
karuzela, o wiele mniejsza niż ta pierwsza. Zaprojektowana
była dla małych dzieci i zamiast koni miała czerwone, niebieskie i żółte słoniki z wysoko uniesionymi trąbami, błyszczące
od malowanych klejnotów.

Skraj promienia latarki zahaczył o coś i aż podskoczyłam
na widok koszmarnego, przerażającego klauna, patrzącego
wprost na mnie. Otworzyłam usta do krzyku, ale w porę zorientowałam się, że to tylko malunek. Nigdy nie widziałam tak

groteskowego, przerażającego klauna ze szponiastymi dłońmi
i twarzą na wpół wilka, na wpół demona. Za nim było więcej takich samych: koszmarnych klaunów ze sklejki, które,
widziane z zaskoczenia, w słabym świetle, przez kogoś pod
wpływem narkotyków, wydawałyby się zapewne bardzo rze-
czywiste.

Jessica najbardziej bała się klaunów. Ten gabinet osobli-
wości prawdopodobnie został stworzony w jednym celu: by
ją przerazić. Ruszyłam dalej, nie mając ochoty stać zbyt blisko tych makabrycznych postaci. Ciekawe, co ci zwyrodnialcy
stworzyli dla Nicole, Bryony, Jackie, dla wszystkich pozostałych dziewczyn w tej psychologicznej izbie tortur.

I co zaplanowali dla mnie.

W tylnej części magazynu moja latarka wyłowiła wąskie
schodki prowadzące na zabudowaną antresolę. U ich szczytu
znajdowały się drzwi. Dziesięć kroków do góry i przekonałam
się, że nie są zamknięte na klucz. To był zły pomysł. Gdyby
coś się stało, znajdowałam się zbyt daleko od drogi ucieczki.
Ale z drugiej strony wiedziałam, że usłyszę, jeśli pod budynek
podjedzie jakiś samochód.

Pokój za drzwiami tonął w ciemnościach. Były tu cztery
okna, ale rolety nie wpuszczały światła. Musiałam zadowolić
się latarką.

Na niskim, szklanym stoliku pod dalszą ścianą stał duży
telewizor, a na wprost niego, pośrodku podłogi, pojedynczy
fotel. Pod dwiema ścianami pokoju biegły długie blaty zastawione profesjonalnym sprzętem komputerowym. Na jednym
z blatów stały dwa duże przedmioty schowane pod cienkimi, plastikowymi workami. Miałam przeczucie, że wiem, co
to jest, ale chcąc się upewnić, podeszłam bliżej i uniosłam
pierwszy worek. Pod drugim było to samo. Kamery. Ale nie
proste, trzymane w dłoni kamerki wideo, jakie w dzisiejszych

czasach są w większości domów. Takich kamer używały ekipy telewizyjne, robiące reportaże w terenie. Ciężkich, potężnych, z wielkimi obiektywami.

Na małym, zakurzonym stoliku leżał film DVD. Zdjęcie na okładce przedstawiało dziewczynę o długich ciemnych włosach, w jakiejś piwnicy, ze związanymi nadgarstkami i kostkami. Mogłaby to być okładka jakiegokolwiek komercyjnego thrillera. Wiedziałam, że nie jest, bo rozpoznałam dziewczynę. Tytuł filmu brzmiał *Nicole*. Tak po prostu.

Nagle wszystko poukładało mi się w głowie. Budynek 33 był studiem filmowym.

Evi siedziała z Castellem w kuchni. Nie pamiętała, jak tu przyszła. Czy John wziął ją pod ramię i przyprowadził tutaj? Być może. Czy wysunął jej krzesło i przytrzymał ją, aż uznał, że utrzyma się w nim sama?

– Megan nie żyje? – powtórzyła.

Castell spuścił głowę, przeciągnął dłonią po twarzy. Kiedy znów spojrzał na Evi, wyraz jego twarzy był staranny, dopracowany.

– Wiem – powiedział. – Do mnie też to nie dociera.

Czekał, aż Evi zada nieuniknione pytania, a ona nie miała pojęcia, jak powinny brzmieć.

– Jeszcze za wcześnie, żeby mieć pewność – podjął chwilę później – ale podejrzewamy, że potknęła się u szczytu schodów. Wykładzina nie była dobrze przybita, a ona miała na sobie te głupie szpilki.

Evi powiedziała sobie, że nie wolno jej zareagować, że jej twarz nie może niczego zdradzić. Bo Meg była wysoka i chodziła długim krokiem. Latem nosiła sandały, hippisowskie sandały ze skórzanych pasków. Zimą niskie botki.

Nigdy w życiu nie nosiła szpilek.

Kątem oka dostrzegłam ruch. Monitor jednego z komputerów właśnie przeszedł w stan uśpienia. Ktoś tu był niedawno i pewnie zaraz wróci. Zerknęłam za roletę najbliższego okna; w pobliżu nie było żadnych samochodów.

Kiedy ekran włączył się na nowo, ukazała się na nim stop-klatka z jakiegoś filmu. Półnaga dziewczyna robiła sobie makijaż, pochylona nad umywalką w stronę kamery, która musiała być ukryta za lustrem. Przesunęłam mysz po blacie i kliknęłam na strzałkę, by puścić film.

Dziewczyna przeciągnęła pędzelkiem po wargach, a potem cofnęła się o krok i napuszyła długie włosy. Wsunęła dłoń w biustonosz, żeby podciągnąć pierś wyżej. To samo z drugiej strony – kobiety robią tak, żeby mieć ładniejszy dekolt. Wyprostowała ramiona, po raz ostatni zerknęła w lustro, a w końcu odwróciła się w stronę ubrań rozłożonych na łóżku.

Zrobiło mi się niedobrze. Ten film został nakręcony w moim pokoju. Dziewczyną byłam ja.

Zamknęłam swój domowy filmik, zapamiętując ścieżkę dostępu do pliku, po czym otworzyłam wyszukiwanie. Wiedziałam już, czego szukam, dzięki czemu odnalezienie reszty plików nie było trudne. Jakby dla mojej wygody ktoś ponazywał je wszystkie moim imieniem. *Laura 001* pokazywał scenę na trawniku przed bursą. Ten filmik miał prawie siedem minut długości i musiałam przewinąć go w przyspieszonym tempie, ale i tak było wiadomo, o co chodzi. Przez większość czasu kamera skupiała się na moim mokrym, drżącym ciele, nawet kiedy leżało na ziemi utytłane w błocie. *001* był już wystarczająco fatalny. *Laura 002* był gorszy. Miał zaledwie dwadzieścia dwie sekundy i pokazywał, jak śpię.

W pierwszej chwili wszystko wyglądało nieszkodliwie. Tyle tylko że byłam sztywna. Leżałam jak trup, płasko na plecach, z wyciągniętymi nogami i rękami u boków. Nie poruszało się nic, z wyjątkiem głowy.

Moja twarz drżała z wysiłku. Drobnymi, szarpanymi ruchami rzucałam głową z boku na bok i wiedziałam – bo jakaś część mojego umysłu to pamiętała – że próbowałam się obudzić.

Okno koło mojej głowy otworzyło się i w tym stanie pół snu, pół jawy, wywołanym środkami uspokajającymi, usłyszałam to. Przestałam się wiercić i znieruchomiałam. Potem znów zaczęłam się rzucać, jak bezradna paralityczka, która próbuje uciekać, niezdolna ruszyć się więcej niż centymetr za każdym szarpnięciem. Słyszałam skomlenie wydobywające się z mojego gardła, kiedy ciemna postać wlazła przez okno i pochyliła się nade mną.

Pot ściekał mi między łopatkami. Pamiętałam to. Ten sen, w którym ktoś wszedł do mojego pokoju i patrzył na mnie, a ja robiłam wszystko, co w mojej mocy, żeby się poruszyć, ale byłam sparaliżowana. Nigdy w życiu nie czułam się bardziej bezradna, a teraz okazało się, że każda sekunda tego koszmaru była rzeczywista.

Ciemna postać – nie sposób było stwierdzić, kto to był, ale włosy miał chyba za krótkie na Thorntona – chwyciła kołdrę i zaczęła ją ze mnie ściągać. Pomyślałam, że nie mogę oglądać tego dalej i wyciągałam już rękę, żeby wyłączyć film, kiedy nagle coś rzuciło się na intruza. Zamaskowany osobnik odwrócił się w panice, uniósł rękę, żeby się osłonić i wierzgnął nogą. Moja wybawczyni – suczka Sniffy, niech ją Bóg błogosławi – cofnęła się i była w tej chwili poza kadrem, ale słyszałam jej warkot i szczekanie. Intruz wyjrzał przez okno, wyszedł na zewnątrz i zniknął. Film się skończył.

Wróciłam do wyszukiwania. Tyle znajomych imion: Bryony, Nicole, Jackie, Nina, Kate, Jayne, Evi, i każde imię w przynajmniej kilku odsłonach. Nie chciałam oglądać żadnego z tych filmów, ale było coś, co musiałam wiedzieć.

Wybrałam plik z nazwą *Nicole*, który wyglądał na ostatni, *Nicole 010*, i wcisnęłam „odtwarzaj". Scena była kręcona w nocy, za pomocą jakiegoś noktowizyjnego sprzętu, bo monochromatyczny obraz przypominał nocne filmy przyrodnicze. Kabriolet Nicole stał zaparkowany na poboczu pustej, wiejskiej drogi. Dziewczyna siedziała za kierownicą, wyglądała na nieprzytomną. Na moich oczach wysoki mężczyzna (tym razem chyba Thornton, sądząc po włosach) poprawił jej pas bezpieczeństwa, zaciskając go mocniej, a drugi zamaskowany facet sprawdził węzeł liny uwiązanej do drzewa. Thornton podciągnął rękaw na jej prawej ręce, a tymczasem jego towarzysz przełożył przez głowę Nicole pętlę liny. Thornton miał w dłoni coś, co wyglądało na strzykawkę. Wstrzyknął jej zawartość nieprzytomnej dziewczynie, ściągnął rękaw na miejsce. Ten drugi przekręcił kluczyk w stacyjce i silnik mini zaczął pracować. Obydwaj mężczyźni wyszli z kadru.

Następny fragment musiałam przewinąć. Nicole potrzebowała jakichś dwóch minut, żeby się obudzić. Głowa jej się kiwnęła, opadła do przodu i znów uniosła się powoli, i tak kilka razy, zanim dziewczyna ocknęła się na dobre. Prawą ręką powędrowała do góry, wymacała pętlę na szyi. Dziewczyna obejrzała się, by sprawdzić, gdzie jest drugi koniec.

I wiecie co? Ja naprawdę miałam nadzieję, że tego nie zrobi. Że oprzytomnieje w ostatniej chwili, zdejmie pętlę z szyi i wciśnie gaz do dechy, by uciec tym potworom.

Oczywiście tak się nie stało. Kilka chwil siedziała nieruchomo, a potem nagle, w przypływie gorączkowej aktywności spojrzała w lusterko, zwolniła ręczny hamulec, kurczowo ścisnęła kierownicę i pomknęła naprzód.

Kamera śledziła ją całą drogę. Uchwyciła oderwaną głowę, turlającą się poboczem jak zagubiona piłka, i została wyłączona dopiero wtedy, kiedy zbliżające się światła ostrzegły operatora, że nadjeżdża jakiś samochód.

– I wygląda na to, że sporo wypiła – powiedział Castell. – Ja pracowałem wczoraj wieczorem. Zwykle staram się mieć na nią oko, kiedy u niej jestem, ale... Tak czy inaczej, złamała sobie kark. To był moment. Na pewno nic nie poczuła.

– Nie wiedziałam, że Megan miała problem z piciem – powiedziała Evi. Sniffy przysunęła się ukradkiem i ciężko oparła o jej nogę.

Castell powoli, ze smutkiem kiwał głową.

– No cóż, oni doskonale potrafią to ukrywać.

– Megan nie żyje? – powtórzyła Evi, przeciągając dłonią po głowie Sniffy, po jej aksamitnych uszach.

Castell zmrużył oczy, pochylił się odrobinę bliżej.

– Podać ci coś? – spytał. – Chcesz drinka? Szklaneczkę brandy?

Evi pokręciła głową.

– Nie powinnam pić alkoholu.

Twarz Castella była wcieleniem współczucia.

– To prawda, ale i tak to robisz. Pijesz całkiem sporo.

– Słucham?

Sniffy trąciła Evi nosem, domagając się więcej pieszczot.

Castell wyciągnął się nad stołem, jakby chciał jej dotknąć. Evi cofnęła rękę. Zerknął w dół, a potem znów w jej twarz.

– Evi, niełatwo mi to mówić, ale Megan się o ciebie martwiła. Przede wszystkim o to, że ciągle pracujesz przy swoim fatalnym stanie zdrowia. Napisała nawet list do twojego lekarza, z kopią dla władz uczelni. Opisała tam wszystkie swoje wątpliwości co do twojej osoby.

Evi objęła barki Sniffy i przyciągnęła ją odrobinę bliżej.

– Bzdury – powiedziała. – Megan nie rozmawiałaby o mnie z tobą. To by było absolutnie nieetyczne.

Castell wzruszył ramionami.

– List jest w jej komputerze – odparł. – Mogę ci go wydrukować w każdej chwili.

Potrzebowała sekundy, żeby dotarło do niej, co powiedział.

– Masz dostęp do komputera Meg?

Zmrużone oczy.

– Do czego zmierzasz?

Castell też studiował w Cambridge piętnaście lat temu. Nie medycynę, ale znał parę osób z tego kierunku. Spotykał się z Megan od paru miesięcy, często nocował w jej domu. Jeśli miał dostęp do komputera Megan, to mógł widzieć wszystkie jej notatki na temat Evi. Wiedział o niej wszystko. Wiedział, co ją spotkało, czego się bała.

– Posłuchasz mojej rady, Evi? – zapytał.

– Słucham – odparła Evi, zastanawiając się, czy na jej twarzy widać strach.

– Złóż rezygnację. Jeszcze dzisiaj. Powiedz, że potrzebujesz paru miesięcy dla siebie. Wtedy list, który napisała Meg, zostanie tam, gdzie jest. Nikt nie musi o nim wiedzieć.

Nie sprzeciwiaj się, niech myśli, że wygrał. Oparła głowę na dłoniach, zastanowiła się chwilę.

– Pewnie masz rację – powiedziała po kilku sekundach. – Dziękuję.

– I bardzo bym nie chciał oskarżać cię o marnowanie czasu policji – ciągnął Castell. – Szkieleciki w szafie, zamaskowani mężczyźni w ogrodzie, krew w wannie i znikające maile. Tyle wezwań i żadnych konkretów na potwierdzenie. Twoja wiarygodność może zostać podważona na dobre. Będzie ci trudno jeszcze kiedykolwiek wrócić do pracy w zawodzie.

Zgadzaj się na wszystko. Nie jesteś w tym sama. Laura będzie wiedziała, co robić.

– Masz rację – powiedziała, zmuszając się, żeby spojrzeć mu w oczy. – To były bardzo ciężkie miesiące. Dziękuję, John. – Odsunęła krzesło od stołu i sięgnęła po kulę. Musiała dać jakiś sygnał, że ta rozmowa dobiegła końca. – I bardzo ci współczuję z powodu Meg. Wiem, jacy byliście sobie bliscy.

Castell wstał, zbierając się do wyjścia.

– Ładny pies – powiedział, idąc do drzwi.

Musiałam się stąd wydostać. I nie chodziło tylko o to, że oglądanie tych chorych filmów było ponad moje siły. Ryzykowałam też, że poważnie zaszkodzę śledztwu Joesbury'ego. Prowadziłam nielegalne przeszukanie. Jeśli wyjdzie na jaw, że to zrobiłam, wszystko w tym pokoju może zostać uznane za dowód niedopuszczalny przed sądem. A wtedy Joesbury naprawdę mnie zabije.

Otworzyłam na nowo pierwszy filmik ze mną w roli głównej, przesunęłam do miejsca, w jakim go zastałam i kliknęłam pauzę. Poświęciłam jeszcze minutę na otwarcie listy ostatnio przeglądanych plików, by wykasować ślad po tych, które oglądałam. Ktoś, kto wiedział, co robić, szybko znalazłby ślady mojego grzebania w komputerze, ale przy odrobinie szczęścia nikt nie będzie miał powodów, żeby cokolwiek podejrzewać.

Jeszcze jedna sekunda, by podejść do stolika telewizyjnego i podnieść okładkę na DVD z tytułem *Nicole*.

Nie miałam czasu tego puszczać i nie musiałam. Dobrze wiedziałam, co bym zobaczyła. Nagrania Nicole w jej pokoju w kolegium, kiedy myślała, że jest sama. Zobaczyłabym, jak się rozbiera, jak chodzi w samej bieliźnie albo piżamie. Zobaczyłabym, jak śpi, a w tym czasie ktoś wchodzi do jej pokoju, dotyka jej, molestuje ją, a ona nie może tego powstrzymać, nie będzie nawet pamiętać tego wyraźnie następnego dnia.

W pewnej chwili zniknie z kolegium i zostanie sprowadzona tutaj, gdzie rozegra się scenariusz oparty na jej najgorszych koszmarach. Niemal z pewnością dojdzie do jakichś seksualnych nadużyć, nawet do gwałtu, i to wszystko zostanie utrwalone na filmie.

Zakończenie właśnie obejrzałam, choć w nieobrobionej wersji. Nicole, fizyczny i psychiczny wrak, znajdzie się w sytuacji, w której odebranie sobie życia będzie dziecinnie proste. Śmierć była puentą, do której zmierzała cała fabuła. Ci ludzie kręcili filmy ostatniego tchnienia.

„Jak już się dowiesz, co się tutaj dzieje, pożałujesz", powiedział Joesbury. Miał rację.

Serce tłukło mi się w piersi jak szalone, a ból głowy zaatakował ze zdwojoną siłą. Musiałam znaleźć Joesbury'ego i doprowadzić do aresztowania Scotta Thorntona, Megan Prince i Nicka Bella. Jeśli są niewinni, dowiodą tego zza krat. Trzeba było znaleźć Iestyna Thomasa. Jim Notley też mógł być w to zamieszany. Zdecydowałam, że wrócę do samochodu i napiszę kolejny SMS do Joesbury'ego. Jeśli nie dostanę odpowiedzi, zadzwonię do Dany Tulloch.

Byłam już w połowie drogi do drzwi, kiedy usłyszałam kogoś na parterze. Sekundę później ktoś włączył potężne, magazynowe lampy i znalazłam się w pułapce.

72

Musisz się obudzić, przystojniaku. Słyszysz mnie? Możesz powiedzieć, jak się nazywasz?

Światło raniło oczy Joesbury'ego. Bardzo nie chciał ich otwierać.

– Jesteś w szpitalu, kochany. Szpital Lister w Stevenage. Miałeś wypadek samochodowy. Pamiętasz cokolwiek?

– Rita, właśnie zadzwonili, że samochód jest własnością firmy transportowej w Dagenham. Wypożyczony na nazwisko niejakiego Michaela Jacksona.

– Naprawdę?

– Tak mi powiedzieli.

– Panie Jackson? Michael? Tak panu na imię?

– Mick – wymamrotał Joesbury. – A jak ktoś zaczyna mi nucić *Billie Jean*, zwykle dostaje w nos. Przeżyję?

Rzuciłam się do najbliższego okna. W pokoju nie było się gdzie schować; jeśli to okno się nie otwierało, to było po wszystkim. Słyszałam więcej niż jedną parę nóg pod sobą, od czasu do czasu słowo czy dwa. Nie robili specjalnego hałasu, ale też nie starali się być cicho. To mogło oznaczać, że nie wiedzą, że tu jestem. Albo że nie mam jak uciec.

Wiedziałam, że jeśli zacznę się zastanawiać, całkiem stracę głowę, więc wskoczyłam na biurko i weszłam za roletę. Okno po otwarciu powinno dać się ustawić do pozycji poziomej, co dawałoby mi mnóstwo miejsca, by przez nie wyjść. Problem w tym, że na futrynie był rygiel z zamkiem, a nigdzie nie widziałam klucza. Słyszałam, że ktoś mówi coś po cichu u stóp schodów. Miałam jakieś dziesięć sekund.

Sprawdziłam, czy klucz nie wisi gdzieś na futrynie, po czym przebiegłam po biurku do kolejnego okna. Kroki na górnych stopniach schodów. Ani śladu klucza przy drugim i trzecim oknie, a została mi może sekunda. Klamka drgnęła pod naciskiem dłoni.

Jednym okiem rozglądałam się za jakąś bronią, drugim ostatni raz zerknęłam na czwarte okno. Nareszcie klucz, przylepiony taśmą do ściany.

Klamka nie poruszyła się, a ten ktoś, kto był po drugiej stronie drzwi, rozmawiał z drugą osobą na dole. Zerwałam taśmę ze ściany i uwolniłam kluczyk.

Klamka odchyliła się do pionu i drzwi zaczęły się otwierać, kiedy wetknęłam maleńki, złoty klucz w zamek okna i przekręciłam go. Do środka wionęło zimne powietrze. Nie było już po co być cicho. Kiedy przerzuciłam ciało na zewnątrz, męski głos krzyknął:

– Cholera!

Gdybym była przy pierwszym oknie, pewnie by mnie złapał. Zdążył chwycić mnie za nadgarstek, ale nie dość mocno, by mnie utrzymać, kiedy cały ciężar mojego ciała i grawitacja zadziałały przeciwko niemu. Przez sekundę wisiałam za oknem, patrząc w znajomą twarz.

Tom, uczelniany konserwator o łagodnych oczach i szerokich ramionach, który niósł mi walizki w dniu przyjazdu, który naprawiał mi pękniętą rurę, który miał dostęp do mojego pokoju i pewnie do każdego innego studenckiego pokoju w Cambridge, kiedy tylko chciał. Tom. Thomas? Kiedy szeroko otworzyłam oczy ze zdumienia, on zmrużył swoje z rozbawieniem. W tej chwili wyślizgnęłam mu się z palców i wylądowałam boleśnie, ale bez szwanku, w śniegu na dole.

Pobiegłam, nie oglądając się. Po sekundzie głuche tąpnięcie powiedziało mi, że Tom też wyskoczył przez okno. Pędziłam dalej z pochyloną głową, pracując rękami. Czułam kłucie w kostce, więc jednak upadek z wysokości miał jakieś konsekwencje, ale wiedziałam, że jeśli dopadnę głównej ulicy biegnącej przez środek kompleksu, w niektórych budynkach będą ludzie.

Trzydzieści metrów przed sobą zobaczyłam dostawczą furgonetkę. Kierowca stał przed jednym z budynków i patrzył w jakieś papiery. Słyszałam już za sobą ciężki oddech, kiedy dopadłam do furgonetki, wskoczyłam do kabiny i zatrzasnęłam drzwiczki, wciskając zamek.

Chciałam się zamknąć tylko na chwilę, by zdążyć wezwać pomoc. Nie liczyłam na to, że w stacyjce będą kluczyki. Były. Nie zastanawiając się nawet, czy to dobry pomysł – a tego dnia jeszcze żaden mój pomysł nie był dobry – zapaliłam silnik, zwolniłam ręczny i wcisnęłam gaz, dokładnie w chwili, kiedy Tom pociągnął drzwi przedziału ładunkowego, a kierowca chwycił za klamkę od mojej strony.

Ruszyłam ostro, by nie dać mojemu prześladowcy czasu na wdrapanie się na pakę. We wstecznym lusterku widziałam osłupiałą minę kierowcy. Tom pędził już z powrotem w stronę budynku 33, a przy frontowych drzwiach zobaczyłam Scotta Thorntona.

Wyjechałam na główną drogę i skręciłam w stronę mojego samochodu.

Ponad dwieście osiemdziesiąt kilometrów dalej motocykl marki Triumph zamruczał i umilkł, jak wielki kot z dżungli układający się do drzemki. Kierowca, wysoki mężczyzna, wyłączył silnik, rozłożył nóżki i zsiadł.

Dzień zdawał się wyprany z resztek światła; deszcz jeszcze przybrał na sile, kiedy mężczyzna ruszył chodniczkiem do domu. Był to zimny, twardy jak ołów północny deszcz, ledwie odrobinę bardziej płynny od gradu. Kiedy motocyklista przekręcał klucz w zamku, usłyszał telefon dzwoniący w przedpokoju. Wszedł do środka, zdjął kask, podrapał się po krótkich, miodowych lokach i podniósł słuchawkę.

– Harry Laycock – powiedział. Jasna cholera, ależ był mokry. Był w domu od pięciu sekund, a już zdążyła się pod nim zrobić kałuża.

– Harry? To ty, Harry?

– O ile się orientuję – powiedział, przyciskając słuchawkę ramieniem do ucha i usiłując zrzucić mokrą kurtkę. Strumień wody pociekł mu po karku. Z głębi domu wyszedł duży rudy kot, który adoptował Harry'ego ponad rok temu; Harry już dawno przestał na niego fukać w nadziei, że kocur sobie pójdzie. – Co tam, Alice?

– Cały i zdrowy?

Kot wcisnął się między jego nogi, nie zauważając albo mając gdzieś, że są okryte mokrą skórą.

– Przemarznięty, zmoknięty jak kura i bardzo spragniony czegoś, czego ślubowałem nie tykać przez cały styczeń – odparł Harry. – Ale poza tym mam się całkiem nieźle.

– Co to się dzieje, do diabła? – zapytała Alice, jakby do siebie albo do kogoś, kto był z nią w pokoju.

Harry uwolnił jedną rękę i przełożył słuchawkę na drugi bark.

– No to może mi powiesz? – rzucił. Mokra kurtka wylądowała na kocie. Jego przyjaciółka Alice była Amerykanką, przez co była bardziej skłonna do okazywania uczuć niż większość jego brytyjskich znajomych, ale dawno nie słyszał jej tak poruszonej. – Z rodziną wszystko w porządku? – spytał szybko, by uciszyć własny niepokój.

– Wszyscy zdrowi. Harry, odzywała się do ciebie Evi?

Jak obuchem w łeb. Tyle wystarczyło, by mu przypomnieć, że brakuje mu kawałka serca.

– Evi się do mnie nie odzywa – powiedział. Kot wyślizgnął się spod mokrej skóry, spojrzał na niego lekceważąco i z gracją ruszył korytarzem.

– Dwie godziny temu napisała do mnie mail – odparła Alice. – Cały ten czas usiłuję się do ciebie dodzwonić. Do niej też, i żadne nie odbiera.

– Wszystko u niej dobrze?

– Prześlę ci ten list. Włącz komputer. Musisz to natychmiast zobaczyć. Dzieje się coś bardzo złego.

Oficjalna definicja filmu ostatniego tchnienia, zwanego też filmem typu snuff, mówi, że to utrwalony na dowolnym nośniku komercyjny materiał filmowy, służący zasadniczo osiągnięciu gratyfikacji seksualnej, w którym główny bohater autentycznie ponosi śmierć. Była o tym mowa na kursie w szkole policyjnej na temat nielegalnych materiałów fotograficznych i filmowych. Widziałam nawet krótkie wycinki filmów, które rzekomo zaliczały się do gatunku snuff. Pamiętałam na przykład *Holokaust kanibali*. I jeszcze jeden, *Kwiat z krwi i kości*. Pod koniec zajęć, kiedy już nawet facetom było niedobrze, powiedziano nam, że wszystko było sfingowane.

Sierżant prowadzący nasz kurs wyraził się bardzo jasno: filmy snuff to miejska legenda i nie udowodniono autentyczności żadnej ze znanych produkcji. Kiwaliśmy mądrze głowami. Jak się nad tym zastanowić, było to oczywiste. Możliwości tworzenia efektów specjalnych, dostępne nawet dla filmowców amatorów, sprawiły, że przemoc stała się zbędna.

Choć rzeczywiście na ekstremalnej pornografii można zarobić ogromne pieniądze, nasz sierżant twierdził stanowczo, że ludzie, którzy produkują i dystrybuują takie materiały, to biznesmeni prowadzący profesjonalne studia filmowe, tyle że zajmujące się niesmaczną tematyką. Nie ryzykowaliby morderstwa tylko po to, żeby nakręcić film.

– A pornografia dziecięca? – spytał kolega z kursu. – Kary za nią są bardzo surowe, a ludzie i tak to robią.

– To trudniej sfingować – padła odpowiedź. – Da się udawać sadystyczne morderstwo. Nie da się udawać dziecka.

Więc oficjalne stanowisko policji na całym świecie jest takie, że filmy ostatniego tchnienia to tylko kinematograficzne straszydła. Przerażająca idea, nic poza tym. Nie istnieją.

Jadąc kradzionym samochodem z powrotem w stronę własnego auta, rozmyślałam, że ta teoria niedługo zostanie podważona. To, co widziałam w Budynku 33, było działalnością komercyjną, nie miałam co do tego wątpliwości. Były tam urządzenia pozwalające wyprodukować tysiące kopii filmów. Kolejne tysiące zostaną rozprowadzone online przez niewykrywalne konta.

Nie miałam pojęcia, jak wielki jest rynek nielegalnej pornografii, ale biorąc pod uwagę, że ta legalna, gnieżdżąca się na przedmieściach Hollywood, przynosi producentom kilka miliardów dolarów rocznie, domyślałam się, że musi być spory.

Przesiadłam się z furgonetki do własnego samochodu i ruszyłam do miasta, usiłując po drodze dodzwonić się do Joesbury'ego. Anonimowy głos kazał mi zostawić wiadomość, więc poprosiłam, żeby natychmiast oddzwonił do Laury. Kiedy byłam już na obrzeżach miasta, zjechałam na pobocze, żeby pomyśleć.

Piękny dom Evi w stylu królowej Anny był własnością uczelni. Tom z pewnością miał do niego wstęp. Kiedy Evi poprosiła o zmianę zamków, prawdopodobnie robił to on. Kiedy kazała sprawdzić termę z ciepłą wodą po incydencie z krwawą kąpielą, to też mógł być on. Za każdym razem, kiedy usiłowała zabezpieczyć się przed prześladowcami, prześladowca we własnej osobie wyprzedzał ją o krok. Zadzwoniłam po kolei pod wszystkie numery, które mi podała. Do domu, do gabinetu, na komórkę. Kiedy nie odbierała żadnego z telefonów, ogarnęły mnie złe przeczucia. Musiałam ją znaleźć.

Ale najpierw musiałam załatwić sobie małą polisę ubezpieczeniową.

Wyjęłam notes ze schowka (nie spotkałam jeszcze gliniarza, który jeździłby bez notesu) i w paru zdaniach opisałam, gdzie byłam przez ostatnie dwie godziny i co tam zobaczyłam. Poskładałam kartkę i wcisnęłam ją w zgięcie fotela kierowcy.

Wiedziałam, że jeśli coś mi się stanie, mój samochód zostanie przeszukany przez techników kryminalistycznych. Znajdą ten liścik w mgnieniu oka. To, czy rzeczy z magazynu zostaną uznane za dowód w sprawie, było dyskusyjne – byłam tam nielegalnie – ale przynajmniej nasi ludzie będą wiedzieli to co ja.

Już miałam ruszyć, kiedy zadzwonił mój telefon. Chwała Bogu. Złapałam go tak szybko, że o mało go nie upuściłam.

– Laura, tu Nick Bell.

W kabinie nagle brakło tlenu. Bell nie mógł mieć tego numeru. Telefon był nowy, a ja nie dałam numeru nikomu. Znał go tylko Joesbury.

– Cześć – wykrztusiłam.

– Co porabiasz? – spytał i zabrzmiało to tak zwyczajnie, że przez sekundę wszystko, co się właśnie wydarzyło, wydawało mi się nierealne.

– Wyszłam pobiegać – powiedziałam. – Właśnie wracam.

– Jest jakaś szansa, że wpadniesz?

– A jesteś w domu? – Spojrzałam na zegarek. Było tuż po pierwszej.

– Weterynarz przyjeżdża obejrzeć Cienistogrzywego – odparł i miałam wrażenie, że stłumił ziewnięcie. – Pół nocy przez niego nie spałem. Muszę tu być, żeby zrobić przerażoną minę, kiedy dostanę rachunek. Ale mam coś dla ciebie.

– Tak? – zdziwiłam się.

– Bryony zostawiła list do ciebie. Wpadł pod łóżko. Twoja zwariowana współlokatorka znalazła go dzisiaj rano, kiedy przyszła do szpitala po jakieś książki. Zapytała, czy mógłbym ci go przekazać. Chyba myślała, że ja wcześniej się z tobą
spotkam niż ona.

Bryony zostawiła dla mnie list. Czy naprawdę? Nie mogłam tego wiedzieć. Co miałam robić, do diabła?

– Szczerze mówiąc – ciągnął Nick – bardzo chętnie sko-
rzystałem z pretekstu, żeby do ciebie zadzwonić. To były ciężkie dwa dni.

Co ty powiesz.

– Muszę zadzwonić w parę miejsc. Odezwę się do ciebie
za pięć minut.

Kiedy tylko się rozłączył, jeszcze raz spróbowałam zadzwonić do Joesbury'ego. No już, odbierz. Znów odezwała się poczt-
ta głosowa. Nagrałam wiadomość, żeby natychmiast oddzwonił.

Cholera, cholera, cholera. Nie, nie ma mowy, żebym pojechała do Bella. Nawet do niego nie oddzwonię. A więc do Evi.

Właśnie zapaliłam silnik, kiedy przyszedł SMS. O wilku
mowa.

„Nie mogę teraz gadać, Flint. Co tam?"

Co tam? Do cholery! Nie nadążałam pisać.

„Oni kręcą filmy snuff. Budynek 33, Stara Ludwisarnia.
Nick Bell ma ten numer. Chce, żebym do niego teraz przyjechała. Jadę do Evi".

Wcisnęłam „wyślij". Odczekałam chwilę. Nie miałam pojęcia, jak szybko klika Joesbury. Okazało się, że całkiem szybko.

„Bell jest czysty. Pracował dla nas. Sam do niego jadę
z chłopakami. Spotkamy się tam za piętnaście minut".

73

Zachodnia Walia, dwadzieścia trzy lata wcześniej

A nie sprawią wszystkie Króla konie ni żołnierze.

Lestyn zorientował się, że jego mała siostra jest w gabinecie ojca. Otworzył drzwi i wszedł do środka. Tato leżał na podłodze, twarzą w dół, siostra siedziała obok niego. W pierwszej chwili Iestyn pomyślał, że coś razem budują. Otworzył usta, żeby burknąć z pogardą. Zamierzał wyjść jak najszybciej, żeby nie dać się zaprząc do pilnowania małej.

Nagle zauważył, że jego siostra siedzi w lśniącej kałuży gęstej, galaretowatej cieczy, koloru i konsystencji rzadkiego dżemu truskawkowego. Jej ręce miały ten sam odcień, włosy miała poklejone tym czymś. Uniosła ładną, bladą buzię i spojrzała na niego, po czym wróciła do swojego zajęcia. Pracowicie odbudowywała głowę ojca, podnosząc z dywanu fragmenty kości i próbując je dopasować do siebie, jakby to były puzzle 3D. I śpiewała sobie przy pracy.

– Że w jedną Humpty Dumpty całość znów się zbierze.

74

Kiedy dziesięć minut później zajechałam pod dom Nicka, jego range rover stał zaparkowany niedaleko bocznego wejścia. Nie zobaczyłam żadnego innego samochodu.

„Bell jest czysty. Pracował dla nas".

Boże święty, czym jeszcze zastrzeli mnie ten drań?

„Myślisz, że jesteś jedyną tajniaczką w tym mieście?"

Nick Bell nie mógł być tajnym funkcjonariuszem policji. Praktyka lekarska to zbyt skomplikowana przykrywka. Ale potajemnie współpracować z OS10, tak jak robiła to Evi? To nie było niemożliwe. W takim razie, czy wiedział, kim ja jestem? A może próbował mnie rozpracować, kiedy ja... Jezu, nawet nie mogłam o tym myśleć.

Tylne drzwi były otwarte, pinezką przypięto do nich kartkę.

„Na górze", napisano na niej odręcznie.

O mało się ze sobą nie przespaliśmy. Chryste, ależ to będzie żenujące.

Śpiewny ton zawiadomił mnie, że dostałam kolejny SMS. Znów Joesbury.

„Spóźniony 3 minuty. Tylko żebym was nie złapał na obściskiwaniu".

To mnie przerastało. Oddam całą sprawę Joesbury'emu i chłopakom jak tylko się zjawią i już nigdy w życiu nie dam się wciągnąć w żadne akcje OS10. Może nawet złożę podanie do drogówki.

Pchnęłam drzwi i weszłam przez kuchnię. Ani śladu psów. W kuchni było ciepło, ale miałam wrażenie, że dom jest pusty.

– Cześć! – zawołałam z połowy wysokości schodów. – To ja.

Nie było odpowiedzi. Nick mógł być na zewnątrz, ze zwierzętami, ale liścik był jasny: miałam iść na górę. Zatrzymałam się u szczytu schodów. Wciąż ani śladu gospodarza. Główna sypialnia, w której spędziłam przedwczorajszą noc, znajdowała się od frontu domu, za mną, podobnie jak pokój gościnny. Jedne i drugie drzwi były zamknięte. Łazienkę miałam po lewej. Też zamknięta.

– Hej, śliczna, jestem tutaj! – zawołał.

Ruszyłam przed siebie i przystanęłam w progu pokoju, którego wcześniej nie widziałam. Ledwie zdążyłam zauważyć, że Nick siedzi pochylony nad starym biurkiem z puszką pasty w jednej ręce i skórzaną uzdą w drugiej, kiedy usłyszałam skrzypnięcie schodów za sobą. Joesbury.

Odwróciłam się; w tej samej chwili Nick się wyprostował i oboje spojrzeliśmy na drzwi. Głupkowaty uśmiech zastygł mi na twarzy. Mężczyzna blokujący nam drogę nie był Joesburym.

– Boże święty – powiedział Nick nad moim ramieniem.

Powinnam sama kopnąć się w tyłek za własną głupotę, że dałam się uwięzić w pokoju na piętrze. Mężczyzna w drzwiach, którego ostatnio widziałam biegnącego za porwaną furgonetką w kompleksie przemysłowym, zignorował mnie.

– Cześć, Nick – powiedział. – Kopę lat.

Pokój był jasno oświetlony, korytarz dość ciemny, ale mimo to oczy Toma straciły wszelką barwę. Były jak sadzawki w środku nocy, czarne i puste, i nie mogłam sobie przypomnieć, dlaczego kiedykolwiek wydawały mi się łagodne. W następnej sekundzie zaczęłam analizować sytuację – rozglądałam się po pokoju za drogą ucieczki, bronią, sposobem odwrócenia uwagi, czymkolwiek. Tak naprawdę wystarczyło zachować spokój i grać na czas. Joesbury z kawalerią miał tu być lada sekunda.

– Iestyn Thomas, jak się domyślam? – spytałam. W pokoju była cała kolekcja twardych przedmiotów, z którymi mogłabym bliżej zapoznać Thomasa, gdybym tylko miała okazję.

– Laura, co się tu...? – zaczął Nick, spoglądając to na mnie, to na człowieka w drzwiach.

W tej chwili Thomas wszedł do pokoju i moja nadzieja, że jest sam, zgasła. Był z nim Scott Thornton; jego niebieskie oczy błyszczały tak samo jak przez maskę Zorro tamtego wie-

czoru, kiedy o mało mnie nie utopił. A potem zjawił się jeszcze jeden mężczyzna. Tego nie znałam, widziałam go tylko
raz, jak wychodził wczoraj z domu Megan Prince.

– John? – A więc Nick go znał, ale jego zaskoczony, coraz
bardziej niespokojny ton mówił jasno, że nic nie rozumie. –
Co się tu dzieje? Coś się stało?

– Nick nie ma o niczym pojęcia – powiedziałam. – Puśćcie go. Albo go zwiążcie i zostawcie tutaj. Tak czy inaczej, nie
będzie żadnym zagrożeniem.

Nerwowy śmiech Nicka, bardziej przypominający krztu-
szenie się.

– Laura, nie wygłupiaj się. To jest John, inspektor Castell.
Policjant. Z tutejszego wydziału dochodzeniowego.

John Castell, człowiek, który kierował dochodzeniami
w sprawach samobójstw. Och, brakło mi słów.

Nie, właściwie nie.

– To ja jestem policjantką – powiedziałam. – On jest po-
kręconym, psychopatycznym gnojem.

Słysząc to, wreszcie się ruszyli. Thornton i Thomas chwy-
cili Nicka. Ignorując jego coraz bardziej paniczne protesty,
rozdzielili nas. Castell i ja mierzyliśmy się wściekłym wzrokiem i modliłam się, by mieć odwagę poważnie go uszkodzić,
zanim mnie obezwładni. Albo zanim nadejdzie pomoc, a skoro już o tym mowa, do cholery, gdzie ten Joes...

– Nick, skąd miałeś mój numer? – spytałam, nie odrywając oczu od Castella. – Zadzwoniłeś do mnie przed chwilą na
nowy numer. Kto ci go dał?

– Do cholery, w tej chwili wynoście się z mojego do...

Nie wiem, kto uderzył Nicka, zobaczyłam tylko, jak osuwa
się na dywan, ale w tym momencie jeszcze ktoś pojawił się na
podeście schodów i nie byłam w stanie zrobić nic, gapiłam się
tylko jak jakiś półmózg.

„Twoja zwariowana współlokatorka znalazła go dzisiaj rano, kiedy przyszła do szpitala po jakieś książki".

Talaith Robinson, moja zwariowana współlokatorka, podeszła do Castella i przylgnęła do niego jak smród do zgniłego mięsa.

– Cześć, Lacey – powiedziała.

75

Brzeg rzeki Cam, pięć lat wcześniej

Niedawna letnia burza strząsnęła miliony liści z wierzb. Unosiły się na nieruchomych zakolach rzeki i wydawały się tak solidne, że miało się ochotę po nich przejść. Ozdabiały łódki zacumowane wzdłuż brzegu i pokrywały ziemię cętkowanym, zielonym dywanem. Upał znów narastał, wilgotna ziemia zaczynała parować.

Inspektor John Castell zdjął marynarkę i przewiesił ją przez ramię. Rozluźnił krawat. Powietrze było gęste od dmuchawców i małych zielonych owadów. Całe mnóstwo nasion i muszek przysiadło mu na koszuli, we włosach. Zostawił je, ucieszony tym niezwykłym doświadczeniem bycia przyozdabianym przez naturę.

Kiedy wszedł pod baldachim jednego z większych drzew, poczuł się, jakby zanurzył się w zaczarowany tropikalny las. Tutaj, ukryta przed światem pod zieloną kopułą, czekała kobieta.

Jej sukienka była długa i uszyta z lekkiego, zwiewnego materiału, który potrafił jednocześnie przylegać do jej krągłości i podfruwać w lekkim wietrzyku. Jej włosy też były długie. Była jak istota z innych czasów. Miała niewiele ponad dwadzieścia lat, była o wiele za młoda dla niego, ale to nie musiało mieć ja-kiegokolwiek znaczenia.

– Cześć, stary – powiedział jeden z dwóch mężczyzn, którzy byli z nią; ten, z którym John Castell przyszedł się tu spotkać. – Poznaj moją siostrę.

76

Cienkie pikanie SMS-a obudziło Evi z ciężkiego snu około czwartej po południu. Obróciła się na łóżku i wzięła telefon. SMS był od Laury.

„Wezwali mnie do Londynu i przenieśli do innej sprawy. Przełożeni nie uważają, że warto się tym dalej zajmować. Sugeruję, żebyś przekazała wszystkie swoje podejrzenia miejscowej dochodzeniówce. Miło było cię poznać. Laura"

Nie do końca dobudzona, jeszcze raz przeczytała SMS. Laura wyjechała. Evi usiadła na łóżku. Dzień na dworze już prawie zgasł i sypialnię wypełniały cienie. Zorientowała się, że przespała całe popołudnie – przegapiła dwa spotkania ze studentami i dwugodzinny dyżur w przychodni. A mimo to nikt do niej nie dzwonił. Zupełnie jakby nawet nie zauważyli jej nieobecności.

Wstała i przykuśtykała do kuchni. Czuła, że stało się coś jeszcze, tylko nie potrafiła tego sprecyzować. Dopiero kiedy zobaczyła puste miejsce przed kuchenką, gdzie położyła dy-wanik Sniffy, zrozumiała. Dywanika nie było. Nie było też mi-sek z karmą i wodą, które postawiła koło zlewu. Nie było też samej Sniffy. Wszelkie ślady bytności psa zniknęły z domu. Jakby nigdy nie istniała.

Świeże, zimne powietrze wczesnego wieczoru szczypało Joesbury'ego w twarz, ale pomogło mu oprzytomnieć. Kawałek przed sobą widział drewnianą ławkę, na której kulił się w szlafroku samotny palacz. Skorzystanie z ławki wydawało mu się bardzo dobrym pomysłem, tyle że nie był pewien, czy zdoła z niej potem wstać.

Wyjście ze szpitala, zanim lekarz prowadzący był skłonny go wypuścić, nie było łatwe, ale Joesbury się uparł. Odczekał do kolejnej dawki przepisanych leków przeciwbólowych i zdołał się ubrać. Teraz potrzebował telefonu.

Świadom swoich zakrwawionych ciuchów i posiniaczonej, spuchniętej twarzy, skręcił i dotarł na róg ulicy. Dwieście metrów przed nim stał rząd automatów telefonicznych. Pierwszy numer, który wybrał, nie odpowiadał. Spróbował jeszcze raz. Po trzeciej próbie zrezygnował i zadzwonił do Scotland Yardu.

– Jezu, Mark, co się dzieje? – rzucił nadinspektor Phillips, kiedy odebrał słuchawkę w OS10. – Spodziewaliśmy się ciebie dwadzieścia cztery godziny temu.

Posłuchał wyjaśnień Joesbury'ego na temat wypadku i że zginęły laptopy jego i Lacey, a nawet jego fałszywy dowód.

– To była zasadzka? – spytał Phillips.

– Policjant z drogówki, który przyszedł mnie odwiedzić, stwierdził, że wszystkie cztery opony były w strzępach. Sam wyciągnij wnioski.

– Wygląda na to, że po sobie sprzątają. Wycofuję wszystkich.

– Czekaj, szefie. Posterunkowa Flint miała dla mnie informacje. Nazwiska i możliwą lokalizację. Cholera, wyleciało mi z głowy.

Ciężkie westchnienie w słuchawce.

– Nie zapisałeś tego?

– Z moją pamięcią jest wszystko w porządku, kiedy nie mam wstrząsu mózgu – odparł Joesbury. – Jej samochód miał nadajnik. Działa jeszcze?

– Daj mi sekundę. A przy okazji zorganizuję kogoś, żeby po ciebie pojechał.

Joesbury czekał, a świat wokół niego robił się coraz bardziej zamazany. Zamknął oczy i otworzył dopiero kiedy poczuł, że zaraz się przewróci.

– Już to mam – powiedział Phillips. – Czego potrzebujesz?

– Możesz mi podać miejsca, w których była od wczorajszego ranka?

Minęła chwila.

– Spędziła noc w Endicott Farm, między Burwell a Waterbach. Wiedziałeś o tym?

Joesbury poczuł, że ból głowy się nasila.

– Tak. Wróciła do Świętego Jana przed dziewiątą, a potem pojechała do szpitala. Co dalej?

– Pojechała na St Clement's Road, niedaleko centrum miasta. Siedziała tam jakieś czterdzieści minut.

– O właśnie – powiedział Joesbury. – Scott Thornton, numer 108. Miałem tam posłać obserwatorów. Cholera, straciliśmy dwadzieścia cztery godziny.

– Mam załatwić nakaz przeszukania?

– Chyba tak. Niepokoili ją też Nick Bell i Megan Prince, dwójka miejscowych lekarzy. I ktoś o nazwisku Thomas. Ianto? Iestyn. Właśnie, Iestyn Thomas. Dokąd pojechała potem?

– Urządziła sobie ośmiokilometrową wycieczkę za miasto, do wsi o nazwie Boxworth. Przez dziesięć minut stała na głównej ulicy, potem wróciła do miasta i przez parę minut stała pod domem Evi Oliver. Potem do szpitala, a potem na Queen's Road. Nie ruszyła się stamtąd przez całą noc.

– Szefie, niech ktoś się dowie, kto mieszka w Boxworth niedaleko miejsca, gdzie parkowała. Może padnie jakieś znajome nazwisko.

– Jeszcze coś?

– Co robiła dzisiaj?

– Rano nic, aż do dziesiątej siedemnaście. O tej godzinie samochód ruszył za miasto – ciągnął Phillips. – Pojechała w stronę Komplek...

– Kompleksu Przemysłowego Stara Ludwisarnia. Budynek 33 – dokończył Joesbury. – Wcześniej w tygodniu widziała, jak wchodził tam Scott Thornton. Proszę, powiedz mi, że tam nie pojechała.

– Zaparkowała na drodze B1102, niecały kilometr od kompleksu. Spędziła tam osiemdziesiąt minut i można tylko zgadywać, co kombinowała przez ten czas. Potem znowu pojechała na Endicott Farm.

Znowu do Bella. Nie mogła przez pięć minut trzymać się z daleka od tego kmiota?

– A potem co?

– Samochód stał tam prawie pół godziny, a potem wrócił do Świętego Jana. I stoi tam dalej.

– Jest w Świętym Janie?

– Samochód jest.

– Możesz posłać George'a, żeby jej poszukał?

– George już jest w drodze po ciebie. Poślę do niej kogoś innego.

– Szefie, potrzebuję jeszcze czegoś. Możesz sprawdzić, czy używała telefonu, który jej wczoraj dałem?

– Masz za dużą wiarę w moje techniczne umiejętności, stary. Poczekaj.

Joesbury czekał, słuchając, jak Phillips dzwoni do jednego z techników. W końcu wrócił do słuchawki.

– Jeden przychodzący SMS wczoraj późnym wieczorem – oznajmił Phillips. – Nie podam ci szczegółów, mam tylko numer, z którego to przyszło.

– Nikt nie powinien do niej pisać. Nikt oprócz mnie nie miał jej numeru.

– Ten SMS był od ciebie.

Joesbury oparł się o pleksiglasową szybę budki, mówiąc sobie, że zwymiotowanie w tym momencie w niczym nie poprawi sytuacji.

– Wczoraj późnym wieczorem krwawiłem na szpitalną poduszkę – wykrztusił. – Ktoś pisał do Lacey z mojego telefonu. Jeszcze coś?

– Wychodzący SMS dzisiaj przed południem do ciebie. Zakładam, że go nie przeczytałeś. I jeszcze jeden zapis parę godzin później. Tym razem połączenie przychodzące ze stacjonarnego telefonu.

– Nikt nie miał jej numeru. Nie mógł do niej dzwonić nikt oprócz mnie.

– Czekaj, już mam. Proszę bardzo. Dzwonił do niej miejscowy lekarz. Doktor Nicholas Bell.

Cisza.

– Jesteś tam, Mark?

77

Obudziłam się w swoim pokoju w Świętym Janie. Leżałam w swoim łóżku, mocno ściskając misia od Joesbury'ego, w swojej zwykłej piżamie: dresowych spodniach i podkoszulku. Przez sekundę wszystko było tak normalne, jakbym to ja była jedynym przejawem szaleństwa na tym świecie. Byłam zmęczona, potężnie skacowana i czułam, że kończyny będą mi się trzęsły, jak tylko spróbuję się ruszyć, ale poza tym wszystko było okej.

Bez zastanowienia spojrzałam w miejsce, gdzie znajdowała się kamera, która mnie filmowała, i w tej chwili zrozumiałam, że wszystko się zmieniło. Kamery nie było. Nie mogło być. Rury, w których musiała zostać ukryta, zniknęły. Kosmetyki stojące przy umywalce były moje, ale lustro było inne. Tamto przyśrubowane do ściany w moim pokoju było lekko wyszczerbione w górnym prawym rogu. To było całe, nietknięte.

Odsunęłam kołdrę i usiadłam. Podłoga też była nie taka, jak trzeba. Wyglądała na czystszą i nowszą, a ściana za zagłówkiem łóżka nie była z gipsu, ale z jakiegoś o wiele miększego, cieplejszego materiału. Ze sklejki.

Powiedziałam sobie, że nie będę panikować. Będę myśleć. Było to trudne z tak zamuloną, zaćmioną głową, ale nie niemożliwe. Tylko powoli.

Nick! Do diabła, co zrobili Nickowi?

Nie mogłam pomóc Nickowi, jeśli spanikuję. Najpierw ocena sytuacji. Byłam w budynku 33 i odtworzyli tu mój pokój ze sklejki, tak jak w przypadku Jessiki. Jak ona to mówiła? Mój pokój, ale nie mój?

Musiałam zachować spokój.

Im chodziło o to, żeby mnie nastraszyć, żeby nakręcić kolejne makabryczne sceny do tych ich chorych filmów. Jeszcze nie chcieli mojej śmierci. Miałam ogromną przewagę nad dziewczynami, które były tu wcześniej. Wiedziałam, gdzie jestem i jak się stąd wydostać. A te gnoje mnie nie znały. Nie mogły wiedzieć, co mnie przeraża. Z pewnością czekało mnie coś nieprzyjemnego, ale dam temu radę. Pisnę parę razy, będę udawać bardziej przerażoną, niż jestem. Niech sobie kręcą swój film. A ja przez cały czas będę szukać okazji.

Dobra, wszystko po kolei. Co mi podali? Pamiętałam, że Castell trzymał mnie od tyłu, że Thornton bez ceregieli wbił mi igłę w szyję, a potem, jak przez mgłę, że nieśli mnie po schodach. Później już nic. Obstawiałam jakiś silny środek uspokajający i najwidoczniej przestawał już działać, skoro się obudziłam. Będę powolna i ospała, daleka od szczytowej formy, ale zasadniczo nic mi nie będzie.

Wstałam z łóżka i poczułam, że pokój się przechyla. Kiedy nie mogłam już sobie z tym poradzić, sięgnęłam nad łóżkiem do okna. Zasłonki były zaciągnięte i po prostu wiedziałam, że jest za nimi coś, czego nie chcę zobaczyć. Powtarzając sobie, że wytrzymam, chwyciłam jedną z zasłon i delikatnie odsunęłam ją na bok.

Jezu kochany!

Szarpnęłam się do tyłu i padłam plecami na drzwi szafy. W głowie miałam czarną przestrzeń, która puchła jak balon. Nie pęknę. Nie pęknę. Potrzeba czegoś więcej niż makabrycznego zdjęcia, żeby mnie złamać. Kiedy już byłam w stanie, zmusiłam się, żeby jeszcze raz spojrzeć na koszmarny obrazek, który przypięli do ściany tego fałszywego pokoju dokładnie tam, gdzie powinno być okno.

Za drugim razem, kiedy już wiedziałam, czego się spodziewać, było łatwiej. Tak naprawdę widziałam to już wcześniej wiele razy. Odgrzebali i powiększyli zrobioną ponad sto lat temu, pośmiertną fotografię zamordowanej kobiety. Nieszczęśnica leżała na łóżku swojego wynajętego londyńskiego pokoiku, okaleczona nie do poznania.

Trzy miesiące wcześniej w Londynie pracowałam nad dużą sprawą morderstw kobiet, zabijanych z równie zimną krwią i równie brutalnie jak ta na zdjęciu, i teraz ci durnie myśleli, że właśnie to jest mój najgorszy koszmar.

Nawet się do niego nie zbliżyli.

Podeszłam z powrotem do łóżka i usiadłam na chwilę, żeby odzyskać oddech i oprzytomnieć. Wiedziałam, że będę musiała wyjść z tego pokoju. Przekonać się, co przygotowali dla mnie za drzwiami. Ale to za chwilę. Jeszcze jedną chwilę.

Po ścianie płynęła krew.

Zamknęłam oczy. To nie jest prawdziwa krew, to nie jest prawdziwa krew, to samo zrobili Evi, straszyli ją sztuczną krwią. To farba, teatralny rekwizyt, cokolwiek. Podejdę tam, zamoczę w niej palce i bardzo dużymi literami napiszę na ścianie: „Pieprzcie się", a kiedy dorwę w ręce tę sukę, Talaith Robinson, pokażę jej, jak wygląda duża ilość krwi, i to będzie jej własna krew.

Otworzyłam oczy i przekonałam się, że krew zniknęła. Mimo to wstałam i podeszłam, żeby sprawdzić. Ściana była biała i czysta.

Okej, sprawa wyglądała gorzej, niż myślałam. Podali mi jakiś środek halucynogenny. Jeszcze raz zajrzałam za zasłonkę. Zdjęcie zamordowanej kobiety wciąż tam było. Wyciągnęłam rękę, dotknęłam go. Było prawdziwe. Rzeczywisty obraz wywołał powiązaną z nim halucynację. No cóż, przynamniej wiedziałam teraz, jak to działa.

Jezu, ale przechodzić przez to bez tej wiedzy, jaką miałam?

Nie miałam teraz czasu martwić się, co przeżyły inne dziewczyny. Ja byłam przygotowana. Poradzę sobie. Nogi miałam słabe i drżące, ale słuchały moich poleceń. Przeszłam przez pokój, otworzyłam drzwi i wyjrzałam.

Zobaczyłam słabo oświetlony korytarz, wąski, ginący w czerni. Ściany były ze starych cegieł, sufit niski. Te pomalowane arkusze sklejki, które widziałam w magazynie, były dla mnie.

– No, dawajcie, co tam macie – mruknęłam pod nosem i wyszłam za próg z pełną świadomością, że zgrywam odważniarę, by naprawdę dodać sobie odwagi, i że to nie działa. Można sobie mówić, że oni mogą cię tylko nastraszyć, ale strach potrafi być naprawdę paskudny, kiedy jesteś sama w ciemnym miejscu, na łasce psychopatów, i nie masz pojęcia, co za chwilę na ciebie wyskoczy.

Jakimś cudem się trzymałam. Ruszyłam przed siebie, dotarłam do zakrętu i weszłam w kolejny wąski zaułek ze sztucznej cegły. Wyglądało to jak coś, co student akademii plastycznej namazałby w dwie godziny, i mówiłam sobie, że nie – nie! – to na mnie nie działa. Nie podziałała też na mnie mała niespodzianka parę metrów dalej, gdy reflektor z sufitu wyłowił z ciemności jakiś kształt na podłodze. Kiedy się zbliżyłam, zrozumiałam, że to ludzka postać. Jeszcze bliżej i wiedziałam już, że nie jest prawdziwa. Był to sklepowy manekin, rozebrany do naga i usmarowany sztuczną krwią. Joesbury i ja znaleźliśmy bardzo podobnego, kiedy pracowaliśmy przy zeszłorocznej sprawie. Ale to mógł wiedzieć każdy, kto poszukał odpowiednio wytrwale, i okej, bałam się, bardzo się bałam, nie było już sensu udawać, że jest inaczej, ale ze strachem potrafiłam sobie poradzić. Zamierzałam się stąd wynieść.

W tej chwili manekin otworzył oczy i uśmiechnął się do mnie.

Kiedy oprzytomniałam na nowo, stałam oparta o jedną ze sklejkowych ścian, mamrocząc: „Tego nie ma, tego nie ma, tego nie ma", w dłonie mokre od potu.

Cholera, to wyglądało bardzo realistycznie. Odpychając od siebie myśl, że manekin wstał z podłogi i w tej chwili zagląda mi przez ramię, zmusiłam się, żeby spojrzeć. Leżał dokładnie tam, gdzie przedtem, z zamkniętymi oczami, nieruchomymi ustami, ale po raz pierwszy ogarnęły mnie wątpliwości, ile takich numerów jeszcze zniosę. To, co oni mieli mi do zaoferowania – być może. Ale to, co dorzucał na dokładkę mój własny umysł, to była już zupełnie inna historia.

W tej chwili słabe oświetlenie zgasło całkowicie i patrzyłam w ciemność tak gęstą i ciężką, że mogła się ciągnąć w nieskończoność. Potem gdzieś daleko przede mną z sufitu zaświecił pojedynczy snop światła. W jasnej plamie, którą utworzył na zakurzonej podłodze magazynu, stał mężczyzna w ciemnym ubraniu i trzymał długi lśniący nóż.

Śmieszne, powiedziałam sobie, choć coś zimnego spływało mi po plecach. Śmieszne, śmieszne. Postać przede mną – nie mogłam oderwać od niej oczu, nie mogłam nawet mrugnąć – to na pewno tylko sylwetka wycięta ze sklejki, jak te klauny, które widziałam wcześniej.

Postać się poruszała. Okej, prawda czy halucynacja? Prawda czy nie? Nie potrafiłam stwierdzić, ale naprawdę musiałam się szybko zdecydować, bo on szedł w moją stronę. Zamknęłam oczy. Wciąż tam był, kiedy je otworzyłam. Wystarczająco rzeczywisty. Odwróciłam się i pobiegłam w ciemność.

Po sekundzie zatrzymałam się jak wryta. Na suficie zapalił się kolejny reflektor i druga czarno odziana postać stała dokładnie pośrodku tunelu. Wszystko kryło się w cieniu, z wyjątkiem stalowego ostrza noża, które lśniło w jego prawej dłoni. Odwróciłam się jeszcze raz i w tej chwili znów zapadła ciemność.

Pobiegłam przed siebie z wyciągniętymi rękami i nie myślałam już o znalezieniu wyjścia. Przestało mi zależeć. Musiałam tylko uciec przed tymi nożownikami.

Nagle zobaczyłam swój pokój. Po obu stronach drzwi były ceglane ściany, które, jak wiedziałam, nie były prawdziwe. Podeszłam do jednej z nich, pchnęłam mocno i poczułam, że jej podstawa przesuwa się po podłodze. Między płytami utworzyła się luka na tyle duża, że mogłam się przez nią przecisnąć. Pierwszą rzeczą, jaką zobaczyłam po drugiej stronie, była karuzela. Niedaleko leżał przewrócony na bok namiot wróżki. Maszyna Sprawdź Się, Siłaczu leżała rozmontowana na podłodze. To z pewnością było miejsce, w którym nie miałam się znaleźć.

– Laura! – zawołał głos, męski, ale wysoki i rozchichotany. – Lacey-Laura! Gdzie jesteś? – Nagle słabe światła znów zgasły.

Instynkt kazał uciekać, zdrowy rozsądek kazał iść powoli: dotrzeć do ściany i ruszyć wzdłuż niej. Być może okno, które wybiłam tego ranka, nie zostało jeszcze naprawione. Gdybym je znalazła, wydostałabym się stąd.

Pomaleńku ruszyłam przed siebie. Wydawało mi się, że po prawej dostrzegłam jednego z przerażających klaunów. Był przechylony do tyłu, jakby oparty o... tak, byłam przy ścianie.

Skradając się wzdłuż ściany budynku, zaczęłam się zastanawiać, dlaczego nie włączyli potężnych magazynowych lamp. Spodziewając się, że lada chwila zaleje mnie powódź światła, dotarłam do kąta. Dalej. Dopóki lampy były wyłączone, miałam szansę. Futryna. Drzwi otworzyły się, prześlizgnęłam się przez nie i nie mogłam uwierzyć we własne szczęście.

Byłam w składziku, do którego włamałam się przed południem. Pomieszczenie rozjaśniały latarnie świecące na zewnątrz. Okno, które rozbiłam, było zastawione kawałkiem ciężkiej płyty gipsowo-kartonowej; potrzebowałam niecałej sekundy, żeby odsunąć ją od ściany.

Na dworze było ciemno. Wylądowałam na wybrukowanej ścieżce, ale w tej samej chwili zza narożnika budynku wyłonił się Scott Thornton, blokując mi drogę ucieczki. Był ubrany dokładnie tak jak wtedy, kiedy parę dni temu wpadł do mojego pokoju, goły od pasa w górę, w masce Zorro zakrywającej oczy, z powiewającymi lokami, których nie sposób było nie rozpoznać. Bez wielkiej nadziei spojrzałam w drugą stronę i przy drugim narożniku zobaczyłam kolejnego napastnika, ubranego podobnie jak Scott. Do środka nie mogłam wrócić. Nie miałam wyboru: mogłam tylko przeskoczyć przez ogrodzenie i uciec w las.

Nie byłam w stanie biec szybko ani daleko. Środek uspokajający, który mi podali, wciąż trzymał mnie w szponach. A kiedy wyszłam na świeże powietrze, halucynogen zadziałał na całego. Wszędzie dookoła mnie pałały kolory, gwiazdy były jak wielkie latarnie wiszące tak blisko, że mogłabym ich dotknąć, a bajeczne stwory patrzyły na mnie ogromnymi oczami. Drzewa przybrały powykręcane, udręczone kształty, gałęzie sięgały po mnie, kiedy je mijałam. I z każdym krokiem w ten las miałam wrażenie, że cofam się w czasie. Wszystkie lata pracy w policji zniknęły, nowe życie, które stworzyłam sobie z wraku poprzedniego, przestało istnieć.

Nie byłam już Lacey Flint, znów byłam przerażoną szesnastolatką, na dworze, o północy, a oni się zbliżali.

Kiedy czyjaś dłoń chwyciła mnie za włosy, w ostatniej przytomnej chwili pomyślałam, że jakimś cudem, choć było to całkowicie niemożliwe, jednak wiedzieli, co przeraża mnie najbardziej. Jakimś cudem zdołali się dokopać do tego jednego wspomnienia, którego nie mogłam wypuścić na światło dzienne, bo wszystko, co dobre, normalne i bezpieczne w moim życiu, ległoby w gruzach.

Krzyknęłam raz – mój piskliwy wrzask wzbił się w korony drzew. Gdzieś z wysoka odpowiedział mi drapieżny ptak.

78

Granatowy sedan podjechał pod budkę i drzwiczki pasażera otworzyły się jakby same z siebie. Joesbury wsiadł. Kierowca ubrany był w uniform pedela Kolegium Świętego Jana.

– Dzięki, stary – powiedział Joesbury. – Co się dzieje?

George wrzucił kierunkowskaz i włączył się do ruchu; kierowca auta z tyłu gwałtownie wcisnął hamulce i ze złością uniósł obie ręce.

– Hammond był u szefa policji i poprosił o natychmiastowe wsparcie mundurowych – odparł George. – Miejscowi nie są zachwyceni, ale na razie się na wszystko zgadzają. Wydaliśmy nakazy aresztowania Nicka Bella i Scotta Thorntona, ale na razie ani śladu żadnego z nich. Nasza prośba o wydanie nakazu aresztowania Megan Prince została odrzucona z uzasadnieniem, że pani Prince zmarła zeszłej nocy. Wypadek w domu, jak wynika z raportu dochodzeniówki. Spadła z własnych schodów po wypiciu trzech czwartych butelki czerwonego wina. Co ciekawe, jej chłopak sam jest śledczym z wydziału dochodzeniowego. Niejaki John Castell, jeszcze jeden absolwent Cambridge. Coś ci to mówi?

– Raczej nie, ale masz rację, że to ciekawe. Jakieś podejrzane okoliczności zgonu tej Prince?

– Nie, jeśli wierzyć wstępnym raportom, ale daje do myślenia, nie sądzisz?

Joesbury zgodził się, że faktycznie daje do myślenia.

– Więc ciągle ich ganiamy? – spytał.

– Jedyny, którego udało się przymknąć, to Jim Notley, psychofarmer posterunkowej Flint. Siedzi teraz w miejscowym areszcie i upiera się, że tylko wydzierżawił kawałek ziemi, że o niczym nie wie i że chce adwokata. Możliwe, że mówi prawdę. Prawdę mówiąc, nie sprawia wrażenia zbyt bystrego. Nasi ludzie stoją przed numerem 108 na St Clement's Road, przed farmą Notleya i domem doktor Oliver. Nie mogą wejść, dopóki nie zostaną podpisane nakazy. To samo w Starej Ludwisarni i na farmie Bella. Wysłaliśmy też list gończy za Talaith Robinson, współlokatorką posterunkowej Flint.

Ostre spojrzenie w bok przeszyło głowę Joesbury'ego wściekłą szpilą bólu.

– Twój samochód wpadł w zasadzkę niecałą godzinę po twojej wizycie w kolegium u Flint – zauważył George. – Kto jeszcze widział was razem?

– Jezu, przecież to dzieciak.

– Ma dwadzieścia sześć lat, jest starsza, niż wygląda. I nie urodziła się jako Talaith Robinson. Nazywała się Talaith Thomas. Robinson to było nazwisko jej ojczyma. Jej ojciec odstrzelił sobie głowę, kiedy miała trzy lata. Ciało znalazła ona i jej starszy brat, Iestyn Thomas, którego kazałeś nam namierzyć.

– Wcześniej czy później będziesz musiał powiedzieć mi o Lacey – stwierdził Joesbury i jej imię jakby przylepiło mu się do wnętrza ust.

George po raz pierwszy oderwał oczy od drogi.

– Jej samochód wciąż jest zaparkowany na Tyłach – odparł. – Nie ma jej nigdzie w kolegium, chociaż kluczyki i bagaże są w jej pokoju.

Światła przed nimi zmieniły się na pomarańczowe. George wcisnął gaz i samochód przemknął przez skrzyżowanie, kiedy rozbłysły czerwienią.

– Nikt jej nie widział od dzisiejszego ranka – ciągnął George, skręcając za róg i przyspieszając. Joesbury'ego ogarnęła fala mdłości. Zamknął oczy, otworzył je i skupił wzrok na nocnym niebie zamiast na światłach samochodów pędzących z naprzeciwka. Księżyc stał nisko, bladopomarańczowy, niemal w pełni. – Dwie dziewczyny z jej korytarza twierdzą, że źle się czuła – powiedział George. – Jakoś wpół do dziesiątej zjawiła się u niej lekarka, sama z siebie. O ile wiemy, nikt jej nie wzywał. Musiały obudzić Lacey. Lekarka była młoda, na wózku, więc możemy założyć, że była to Evi Oliver. Potem ona i Lacey poszły na śniadanie do Bufetu i od tej pory ślad po nich zaginął. Doktor Oliver nie zjawiła się w przychodni, w której pracuje, ani w swoim pokoju w kolegium. Koledzy próbowali się z nią skontaktować przez cały dzień, ale nie otwiera drzwi w domu.

Mózg Joesbury'ego sprawiał wrażenie silnika, któremu potrzebny jest gruntowny przegląd. Nie wchłaniał informacji dość szybko.

– Posterunkowa Flint i doktor Oliver mogą być razem – ciągnął George. – Może się gdzieś ukrywają.

– Lacey jest z Bellem – powiedział Joesbury. – Musimy się dostać na tę jego farmę. Gdzie masz telefon?

– W schowku, skoro koniecznie musisz. Ale z całym szacunkiem, jeśli ona tam jest, a my wejdziemy nieprzygotowani, możemy ją narazić na jeszcze większe niebezpieczeństwo. Nadinspektor Phillips poprosił o negocjatora, na wypadek gdyby trzeba było ją odbić.

Śledczy Richards z Policji Cambridgeshire siedział w nieoznakowanym policyjnym samochodzie przed domem Evi. Sterczał tak już czterdzieści minut, kiedy ryk silnika motocykla wyrwał go z marzeń na jawie o niedawnym wyjeździe na narty, o pokojówce z Blackburn i jacuzzi w śniegu. Wielki, wyczynowy motor zaparkował za jego autem; śledczy obserwował w lusterku wstecznym, jak kierowca zgasił reflektor, zsiadł i pomaszerował chodniczkiem pod dom. Zaczął łomotać do drzwi, zanim Richards zdążył wysiąść z samochodu.

79

Bywają chwile, kiedy przebudzenie wydaje się najtrudniejszą rzeczą, o jaką kiedykolwiek cię proszono. Na przykład pierwszy poranek po śmierci dziecka. Albo kiedy opuścił cię człowiek, którego uwielbiasz. Oddałabyś wszystko, a już z pewnością resztę życia, by pozostać w tej ciemności niewiedzy.

Tak się nigdy nie dzieje, prawda? Zawsze wracasz do własnego życia. Świat wciąż jest. Ty wciąż jesteś. Jednak śmierć już zapuściła w tobie korzeń i wiesz, że będzie rosnąć, jak nowotwór obdarzony głosem, od teraz aż do dnia, kiedy pożre cię w całości.

Wzięłam głęboki wdech, by sprawdzić, że wciąż mogę. Bolało mnie, byli dość brutalni, ale nie było najgorzej. Przez rzęsy widziałam zarysy swojego pokoju w Świętym Janie. Było w nim jasno. Ja byłam zgrzana, mokra i lepka – to pewnie pot. Narkotyki, które mi podali, przestały już działać i absolutna jasność, jak srebrne światło, przenikała mi głowę.

Nie mogłam być w Świętym Janie, za dużo wiedziałam. Nie mogli ryzykować odesłania mnie z powrotem. Wciąż byłam w budynku 33, w tej ich replice mojego pokoju, i tu już zostanę. Nie przeżyję, żeby powiedzieć komukolwiek, co mi zrobili. W ciągu najbliższych godzin zabiją mnie i nigdy nie opowiem nikomu o godzinie, którą spędziłam w lesie za tym budynkiem. Jeśli będę miała szczęście, może sama nie będę miała czasu przeżyć jej na nowo.

Otworzyłam oczy i zobaczyłam biały gładki sufit. Mój prawdziwy sufit w Świętym Janie był malowany farbą strukturalną.

Może pozwolą mi napisać list, jeśli tylko będzie przypominał pożegnalny list samobójczyni. I będę mogła zrobić to, co, jak sądziłam, nie było możliwe. Będę mogła wyznać Joesbury'emu, ile dla mnie znaczył. Drogi Marku, napiszę, i to imię będzie tak dziwne, tak niezwiązane z mężczyzną w mojej głowie. Drogi Marku, i pewnie na tym poprzestanę, bo to, co czułam do tego człowieka, nie dało się ubrać w słowa, i będzie musiało wystarczyć, że moja ostania myśl na tym świecie będzie o nim.

W pokoju było zimno i pot na moim ciele stygł, zaczynał swędzieć. Moja dłoń odruchowo dotknęła brzucha. Trafiła na coś twardego, śliskiego i mokrego. Ułamek sekundy później siedziałam już, gapiąc się na kluchę krwawej tkanki w moich dłoniach. Moje całe ciało było pokryte krwią. Ledwie widziałam własną skórę, a wszędzie dookoła, wokół łóżka, leżały narządy, wnętrzności, kawały ciała, serce, nawet coś, co wyglądało na płuca. Rozharatali mnie, wywlekli ze mnie wnętrzności i zostawili wciąż żywą, żebym zobaczyła, co zrobili.

Padłam na podłogę, twardą i zimną. Pokój wypełniał skowyt, którego autorką mogłam być tylko ja, ale miałam wrażenie, że dobiega ze ścian. Tuż przy mojej śliskiej od krwi lewej stopie leżał trójkątny kawałek tkanki. Wiedziałam, że to moja własna macica, a przy niej połyskujący, ostry, stalowy nóż.

Skończ to od razu.

Ta myśl była tak jasna, jakbym wypowiedziała ją na głos.

Jeszcze tylko odrobina bólu – tyle go już przetrwałaś, parę sekund więcej nie zrobi różnicy – i będzie po wszystkim. Już cię więcej nie skrzywdzą, nigdy nie będziesz musiała myśleć o tym, co ci zrobili. Wiesz, że dasz radę, już raz to zrobiłaś, chwyciłaś nóż w rękę, przyłożyłaś do nadgarstka i...

...nóż był w mojej dłoni. Klęczałam, trzęsąc się z zimna, a może z szoku, a rękojeść w mojej dłoni była ciepła i gładka. Na ostrzu topornie wyryto pięć liter. L A C E Y. Mój nóż.

Chwila odwagi i po sprawie. Głęboki wdech.

Myśl. Cichutki, niepewny protest, ledwie słyszalny. Skoro zostałam rozpruta, dlaczego nie boli?

Patrzyłam na bliznę na lewym nadgarstku. Przypomniałam sobie palący, wściekły ból tamtej chwili, kiedy ciało się rozeszło i buchnęła krew, przypomniałam sobie krzyki dzwoniące mi w uszach.

Możesz to zrobić jeszcze raz. Nawet tego nie poczujesz, twoje ciało i tak jest pełne środków uspokajających i znieczulających, to nacięcie najwyżej połaskocze, będzie jak pocałunek matki, który słodko cię uśpi.

Rękę miałam wyciągniętą, dłoń skierowaną do góry jak ofiarę, rękojeść noża była jak stary przyjaciel i byłam gotowa.

A jednak – jak pukanie do drzwi późną nocą – gdzieś była ta dręcząca myśl, domagająca się uwagi. Skoro czułam podłogę pod sobą, zimną i twardą, i drewno rękojeści, i mokrą lepkość pokrywającej mnie krwi, dlaczego nie czułam bólu?

Zrób to! Jest po wszystkim. Twoje życie i tak było niczym. Czy był choć jeden dzień, który nie byłby zimny, ciężki i samotny? Kto w ogóle zauważy, że cię nie ma?

Czy środek farmakologiczny mógł znieść ból, a pozostawić inne odczucia? Jakoś nie wydawało mi się to prawdopodobne. Zmusiłam się, żeby wreszcie dobrze się przyjrzeć mojemu zmasakrowanemu ciału. To, co zobaczyłam, dało mi odwagę, by dotknąć.

Byłam cała i zdrowa. Jezu, absolutnie nic mi nie było. Przyłożyłam dłoń do lewej piersi i poczułam bicie serca. I oddychałam, oczywiście że tak, moje płuca były tam, gdzie zawsze. Pod tą krwią, która – wiedziałam już – nie była moja, mój żołądek był cały, nienaruszony. Położyli mnie nagą na łóżku, pokryli krwią i flakami, które pewnie nawet nie były ludzkie, i mieli nadzieję, że to będzie ta ostatnia kropla, która przepełni czarę.

Ciągle możesz to zrobić. Za drugim razem zawsze jest łatwiej.

– Nie – powiedziałam i odłożyłam nóż na podłogę obok siebie. Leżał w karmazynowej kałuży, jego ostrze połyskiwało obietnicą. A cichy głosik szepnął w mojej głowie: Jesteś pewna?

80

Śledczy Richards dostał się do wnętrza domu Evi, wybijając małe okno łazienki. Kilka sekund później otworzył frontowe drzwi.

– Sir, proszę zostać w przedpokoju – zwrócił się do Harry'ego. – Proszę niczego nie dotykać.

Harry słyszał, jak Richards rozmawia cicho przez krótkofalówkę, otwierając najpierw jedne drzwi, potem kolejne. Zobaczył kuchnię, w której wszystko było jakby bliżej podłogi niż zwykle, a potem coś, co wyglądało na sypialnię.

Dom Evi. Alice podała mu adres już miesiąc temu. Wiele razy oglądał go na Google Earth i próbował sobie wyobrazić wnętrze. Wydawało mu się, że będzie bardziej przytulne, widział w wyobraźni szerokie paleniska i miękkie, złote światło, a nie ten zimny, wykładany kafelkami, wielki hol.

Z boku drzwi stał wózek inwalidzki o lekkiej ramie. Harry wyciągnął rękę, by pogłaskać podłokietnik, ale w porę sobie przypomniał. Miał niczego nie dotykać. Wprost przed sobą miał schody. Wyposażone w windę. Nie potrafił sobie wyobrazić Evi używającej takiego urządzenia. Evi, którą znał, wdrapałaby się na te schody samodzielnie, choćby ją to miało zabić.

Jakiś dźwięk z piętra. Szuranie. Potem niski jęk.

– Jest na górze – zawołał i ruszył, przeskakując po dwa schody. U góry zatrzymał się i zaczął nasłuchiwać.

– Proszę nie iść dalej – usłyszał polecenie z dołu. – Proszę natychmiast tu zejść.

Harry, który znów usłyszał ten dźwięk, pobiegł korytarzem. Na chybił trafił otworzył ostatnie drzwi i zatrzymał się jak wryty.

Patrzyły na niego przerażone, zdezorientowane oczy. Jęk powtórzył się. Kroki z tyłu powiedziały mu, że Richards go dogonił.

– Co to ma być? – powiedział Richards, zaglądając Harry'emu przez ramię.

Harry ruszył naprzód, ukląkł i odpiął kaganiec z psiego pyska. Pies znów mógł swobodnie dyszeć, ale się nie ruszył; leżał tylko z otwartym pyskiem, z suchym, szorstkim językiem. Harry zaczął szarpać supły i udało mu się na tyle rozluźnić więzy na przednich łapach, że zdołał je zsunąć. To samo zrobił z tylnymi łapami i pies pozbierał się z podłogi.

George i Joesbury dojechali na Endicott Farm w chwili, kiedy sierżant dowodzący oddziałem specjalnym dostał informację, że podpisano nakaz przeszukania i wolno mu wkroczyć na teren nieruchomości. Właśnie łomotał do frontowych drzwi i wykrzykiwał ostrzeżenia do osób, które mogły być za nimi. Joesbury i George wysiedli z samochodu. George wyjął odznakę policyjną i zaręczył za Joesbury'ego posterunkowemu, który wyszedł im na spotkanie.

Właściwie obsłużony policyjny taran może uderzyć w zamknięte drzwi z siłą trzech ton. Wielowiekowe, spróchniałe drewno frontowych drzwi domu Nicka Bella pokruszyłoby się pod naciskiem silnego ramienia. Młody posterunkowy wymachujący taranem przebił się przy pierwszej próbie i wpadł przez próg.

Kiedy George i Joesbury ubrani w kamizelki kuloodporne weszli za sierżantem, usłyszeli brzęk tłuczonego szkła, świadczący, że inni funkcjonariusze wchodzą do budynku ze wszystkich stron. Gdzieś zaczął szczekać pies.

Oddział rozbiegł się po domu, wykrzykując ostrzeżenia, wykopując drzwi, zapalając światła. Sprawdzali każde pomieszczenie i przechodzili dalej. Joesbury i George zostali poinstruowani, by trzymać się z tyłu.

– Ofiara na górze.

Joesbury ruszył naprzód, ale dłoń George'a na ramieniu powstrzymała go. Sierżant wbiegł na górę z ciężkim tupotem i zniknął w pokoju po prawej. Po sekundzie usłyszeli, że wzywa przez radio karetkę. Joesbury ruszył znów i tym razem nikt go nie powstrzymywał.

Powietrze na górze wydawało się jakby gęstsze, napierało na niego, wstrzymywało go, jakby nie chciało pozwolić, żeby zobaczył ciało rozciągnięte na podłodze. Ale i tak je zobaczył. Rozłażąca się kałuża krwi powoli rosła na wyblakłym dywanie. Jaskrawe włosy były pociemniałe i mokre. Poważna rana głowy. Długie nogi w dżinsach. Niebieski sweter. Nick Bell.

81

Kiedy kopnęłam nóż jak najdalej od siebie, wstałam z podłogi i spróbowałam otworzyć drzwi. Zamknięte na klucz, oczywiście. Nie było żadnego wyjścia z tego drewnianego pudełka, chyba że rozbiłabym ściany kopniakami, a na to raczej nie miałam dość energii. Ściągnęłam więc z łóżka zakrwawione wierzchnie prześcieradło i rzuciłam je do kąta. W kranie nie było wody, ale oczyściłam się ręcznikiem, na ile się dało. Na łóżku leżał koc, w dużej części czysty. Naga i przemarznięta położyłam się pod nim, ścisnęłam misia od Joesbury'ego i zrobiłam jedyne, co mogłam zrobić. Zasnęłam.

Obudził mnie telefon. Mój telefon, gdzieś niedaleko. Kierując się dźwiękiem, znalazłam go pod poduszką. Przegapili mój telefon. Nie miałam pojęcia, jak mogli być tak głupi, ale wiedziałam, że wystarczą sekundy, by powiedzieć komuś, gdzie jestem. Ekran świecił. Joesbury! Dzwonił do mnie Joesbury.

– To ja. Mają mnie. Jestem w Starej Ludwisarni. Budynek 33.

– Spokojnie, Flint, nie panikuj – odparł Joesbury ze swoim charakterystycznym, południowolondyńskim akcentem. – Masz coś ważnego do powiedzenia? Bo ja zaraz kończę szychtę.

– Jestem w Starej Ludwisarni. Oni mnie... – Urwałam. To nie był Joesbury. I słyszałam go stereo, przez telefon i gdzieś wprost znad głowy. W tej chwili zauważyłam, że światło przybiera na sile, zalewa pokój, dociera gdzieś z góry. Usłyszałam tłumiony chichot i zadarłam głowę.

Fałszywy sufit mojego „pokoju" został usunięty, a za potężnym reflektorem, który świecił wprost na mnie, ujrzałam sufit hali magazynowej. Kiedy reflektor przesunął się odrobinę, by oświetlić moją fałszywą szafę, dostrzegłam wąską stalową kładkę jakieś trzy metry nad moją głową. Oparci o barierkę stali na niej Talaith Robinson i John Castell. Włosy Talaith zwisały wokół jej twarzy jak wodorosty w zatęchłym stawie.

Nagle usłyszałam metaliczny stukot dwóch par butów na kładce. Scott Thornton i Iestyn Thomas szli do Castella i Talaith. Kiedy dotarli do tamtej parki, i oni spojrzeli na mnie.

I wreszcie miałam ich przed sobą: trzech mężczyzn, którzy wybrali mnie na swoją ofiarę pierwszego wieczoru, jaki tutaj spędziłam, i kobieta, która prawdopodobnie dała im cynk na mój temat.

Wiedziałam, że spróbują jeszcze raz. Wcześniej nie złapałam się w ich pułapkę i byłam pewna, że nie zrezygnują. Teraz przede wszystkim musiałam być spokojna i sprytna. Grać na czas. Nie dać im tego, czego chcieli, ale nie wkurzać ich zanadto. Uniosłam lewy nadgarstek i spojrzałam w miejsce, gdzie powinien być mój zegarek.

– Wie ktoś, która godzina? – spytałam.

Żadnej odpowiedzi. Ramiona Talaith zatrzęsły się trochę, jakby prawie, prawie się śmiała. Castell trzymał w dłoni telefon. To on udawał przed chwilą Joesbury'ego.

– Bo zdaje się, że czas wam się kończy – ciągnęłam. – Scotland Yard wie wszystko o tym miejscu i o was. Obserwowali was już od miesięcy.

– Doprawdy? – spytał Castell.

– W nogach łóżka jest woda – powiedziała Talaith. – Powinna być jeszcze w miarę ciepła. I ciuchy. Umyj się i ubierz.

Mycie i ubieranie było niezłym pomysłem. Robienie tego na oczach tych ludzi już znacznie gorszym.

– Zostawiłaś jeden z tych szczurzych ogonów, które nazywasz włosami, w reżyserce na górze – powiedziałam do niej. –

Pewnie w tej chwili analizują go najlepsi technicy w Met. Na twoim miejscu zaczęłabym szybko uciekać.

Talaith zerknęła z ukosa na Castella. Ten ledwie dostrzegalnie pokręcił głową.

– Ona kłamie – rzucił. – A nawet jeśli nie, to dzieliła z tobą pokój przez tydzień. Sama mogła tu nanieść dowolną ilość twoich włosów.

– Jeśli się nie umyjesz, Lacey – powiedział Iestyn Thomas – spłuczemy cię wężem. To zawsze się podoba klientom.

Talaith otrząsnęła się ze swojej chwilowej paniki. Oparła się jeszcze mocniej o Castella.

– Co takiego jest w mokrym kobiecym ciele? – spytała go.

– Na mnie na pewno działa – odparł, patrząc jej prosto w oczy.

– Bierzcie pieniądze i uciekajcie – powiedziałam. – Możecie się nawet z tego wykręcić. Ale jeśli zabijecie policjantkę, nigdy nie przestaną was ścigać.

Cała czwórka patrzyła na mnie obojętnie. Żadne nie wydawało się ani odrobinę wzruszone moimi pogróżkami. Zrozumiałam, że to nie będzie takie proste. Zaczęłam kombinować, co w pokoju może mi posłużyć za broń, gdzie mogę się schować.

– O, my cię nie zabijemy, Lacey – odezwał się w końcu Castell. – Zrobisz to sama.

– Wiecie co, chłopcy – zaczęła Talaith – wydaje mi się, że ta scena z wami, którą nakręciliśmy w lesie, nie wyszła najlepiej. Co powiecie na powtórkę?

– Czy wy mnie słuchacie? – Teraz już krzyczałam. Nie mogłam przeżyć tego jeszcze raz i pozostać przy zdrowych zmysłach. – Wczoraj o siódmej wieczorem powiedziałam o was moim przełożonym. Mieli całą dobę na zaplanowanie akcji. Wy psychopaci, zostały wam sekundy, jeśli w ogóle cokolwiek!

– Oj, wiedziałam, że o czymś zapomnieliśmy jej powiedzieć. – Talaith pstryknęła palcami, patrząc na Castella z udawana irytacją, po czym znów przechyliła się przez barierkę nade mną. – Sorry, kotku. Ten twój przystojny chłopak nie żyje.

Kłamała. Była złą, wyrachowaną suką i kłamstwo było jej drugą naturą. Musiała kłamać. A jednak żebra mi się kurczyły, ściskały wszystko w środku, jak wyciskarka do soków zgniata miąższ pomarańczy. Nick dzwonił do mnie dzisiaj; dzwonił na numer, którego nie znał nikt oprócz Joesbury'ego. Jak to zrobił?

– Miał wczoraj wieczorem wypadek na A10 – wyjaśnił Castell. – Opony mu wybuchły. Zjechał z drogi i sturlał się ze skarpy.

– Och, żałuję, że tego nie widziałam – powiedziała do niego Talaith.

– Prawda, widok był niezły – przyznał i znów zwrócił się do mnie. – Zabrali go do szpitala Lister w Stevenage, ale dojechał martwy.

-- Dzwonił do mnie wczoraj – powiedziałam do nich, ale tak naprawdę chyba chciałam przypomnieć samej sobie.

– Nie no, nie kłam – odparł Thomas. – Wysłał ci SMS z informacją, że jest opóźnienie, że masz siedzieć na tyłku i nie kontaktować się z nikim oprócz niego. Chciałem dodać coś osobistego, ale John powiedział, że to już przegięcie.

Parę minut temu nazwisko Joesbury'ego wyświetliło mi się na ekranie komórki, którą zostawili mi pod poduszką. Jak by to było możliwe, gdyby nie mieli jego telefonu? Tylko w ten sposób mogli zdobyć mój nowy numer i podać go Nickowi. Mieli telefon Joesbury'ego. Od jego wyjazdu wczoraj wieczorem nie dzwonił do mnie. Pisał tylko SMS-y. A przecież zadzwoniłby, gdyby był cały i zdrowy. Nie. Niemożliwe, żeby mówili prawdę.

– Chcesz się jeszcze raz zastanowić nad tym nożem, Lacey? – spytał Castell.

82

Harry siedział na podłodze w kuchni Evi, od czasu do czasu głaszcząc długi, smukły bok suczki, która leżała przy nim. Miał niewyraźną świadomość, że jest głodny. Stracił poczucie czasu, ale minęło wiele godzin, od kiedy wyruszył w podróż na południe. Nie miał pojęcia, na co czeka. Wiedział tylko tyle, że nic innego nie mógłby robić, nie chciałby być gdzie indziej.

Ekipa policjantów w mundurach, która pojawiła się wkrótce po znalezieniu psa, była szybka i dokładna. Prawdopodobnie wiedzieli, czego szukają. W ciągu kilkunastu minut znaleźli ukryty sprzęt do obserwacji i nadawania w kilku pomieszczeniach. Ktoś podglądał Evi w jej domu.

– Sir.

W drzwiach kuchni stał sierżant. W prawej ręce trzymał przejrzystą, plastikową koszulkę zawierającą pojedynczy, biały arkusz papieru.

– Pan ma na imię Harry, zgadza się?

Harry skinął głową.

– Harry Laycock – powiedział, wstając z podłogi. Pies zaskomlił, nie chciał, żeby Harry odchodził.

Sierżant podał mu koszulkę.

– Musi pan to przeczytać, sir – powiedział. – A potem pomóc mi zgadnąć, dokąd mogła pójść.

Harry wziął koszulkę; w tej chwili pies wstał niepewnie na nogi. Pismo Evi było duże i schludne, z ozdobnymi pętelkami na końcówkach liter. Użyła pióra wiecznego i liliowego atramentu. List składał się z zaledwie pięciu słów.

„Odeszłam, żeby być z Harrym".

– Co to znaczy, sir? Gdzie mogłaby pana szukać?

– Ona myśli, że nie żyję – stwierdził Harry. – To jest list samobójczy.

Mark Joesbury patrzył, jak ratownicy pakują nieprzytomnego Nicka Bella do karetki. Jego twarz zakrywała maska tlenowa, pomagająca mu oddychać, kroplówka zaczęła już uzupełniać płyny, które stracił, a błyszczące, srebrne koce zapobiegały dalszemu spadkowi temperatury jego ciała.

Kiedy karetka odjechała, zmuszona pełznąć powoli po nieoświetlonej, dziurawej drodze, brązowo-biały pointer poszedł za nią kilka kroków, potem usiadł na środku drogi, by patrzeć, jak znika. Joesbury poczuł, że świat wokół niego odsunął się jakby kawałek dalej.

Zawrócił do domu bardziej dlatego, że nieruchome stanie przez dłuższą chwilę powodowało zawroty głowy, niż dlatego, że potrzebował tam wejść. W ostrym, sztucznym świetle reflektorów przyniesionych przez policyjny oddział widział krew na śniegu.

Kiedy zobaczył Lacey Flint pierwszy raz, była cała we krwi. Zjawiła się na miejscu zbrodni w chwili, kiedy ofiara umierała. Krew tej kobiety ochlapała jej twarz, pomalowała ciemną czerwienią przód jej bluzki. Ratownicy z pogotowia, które wezwała, myśleli, że i ona jest poważnie ranna.

George stojący przy samochodzie, odwrócony plecami do Joesbury'ego, rozmawiał przez policyjną krótkofalówkę. Przełączył się na odbiór i zaczął mówić coś do śledczego stojącego obok niego. Joesbury uchwycił kilka ostatnich słów.

– Czego nie możecie mi powiedzieć?

Plecy George'a zesztywniały; kiedy odwrócił się, by spojrzeć na Joesbury'ego, jego dobroduszna twarz była ściągnięta.

– Nie ma jej w Starej Ludwisarni – oznajmił. – Technicy
właśnie tam wchodzą.

Kiedy tylko na nią spojrzał, uderzyły go dwie rzeczy. Po
pierwsze to, że niemal z całą pewnością była najpiękniejszą
kobietą, jaką kiedykolwiek widział. Po drugie, że najprawdopodobniej jest zimną, wyrachowaną morderczynią.

– Czego nie możecie mi powiedzieć? – powtórzył.

George wyciągnął rękę, jakby chciał utrzymać Joesbury'e-
go na dystans.

– Szefie, za wcześnie, żeby cokolwiek stwierdzić. Powinniśmy wracać. Możemy jeszcze raz sprawdzić jej pokój. Ludzie przeszukują jej samochód. No chodź, dobrze ją znasz.
Najprędzej cokolwiek zauważysz.

Joesbury się nie ruszył. Dwaj policjanci spojrzeli na siebie.

– Jest oczywiste, że ktoś zwiał się stamtąd w pośpiechu –
zauważył. – Nie mieli czasu posprzątać. Podobno jest tam
mnóstwo gadżetów, jakich mógłby używać seryjny morderca.
Nietrudno się zorientować, do czego miało im to służyć. Ekipa znalazła też niezłą podróbkę jej pokoju ze Świętego Jana.
Jest możliwe, że coś się tam stało, ale za wcześnie, żeby...

– Co znaleźli?

– Mnóstwo krwi, Mark. I części ciała. Narządy.

Patrzyła mu prosto w oczy tymi swoimi orzechowo-nie-
bieskimi oczami, które potrafiły się zrobić takie zimne, jakby go wyzywała. Patrzyła na niego tak, jak patrzą tylko wino-
wajcy.

– I nóż, niestety – ciągnął George. – Nóż z jej imieniem.

Suczka stała przy drzwiach kuchni. Chciała wyjść.

– Ja ją wprowadzę – powiedział Harry.

– Proszę się trzymać blisko drzwi – rzucił posterunkowy, który czekał razem z nim. – Musimy jeszcze przeszukać ogród.

Harry otworzył drzwi, nie puszczając psiej obroży. Suczka wyszła na dwór, obwąchała schodek i wskoczyła na niski kamienny murek okalający patio Evi. Harry wszedł tam za nią. Światło z domu sięgało mniej więcej jednej czwartej trawnika. Dalej panował miękki półmrok, bo śnieg potrafi rozjaśnić najciemniejszą noc.

Ogród był duży, dłuższy niż szerszy, i po obu bokach oflankowany wysokimi murami. Schodził łagodnym skosem ku o wiele niższemu murkowi z furtką pośrodku. Za tym niższym murem widać było ogłowione wierzby.

Suczka zaczęła skomlić w tej samej chwili, kiedy Harry zauważył ślady stóp na śniegu. Puścił jej obrożę.

Ślady prowadziły przez trawnik, omijały wielki cedr pośrodku i kierowały się do furtki. Małe ślady odciśnięte przez małe stopy. I nierówne – ten po prawej o wiele głębszy i wyraźniejszy niż ten po lewej, jakby osoba, która je zrobiła, wyraźnie utykała. Kilkanaście centymetrów od lewego śladu stopy znajdowały się małe dołki odciśnięte przez lekką aluminiową kulę.

Suczka dotarła do furtki sekundę przed Harrym. Stanęła na tylnych łapach, szczeknęła raz i znów padła na cztery łapy. Zanim Harry otworzył furtkę, przesadziła mur jednym skokiem.

Za murem znajdował się krótki, zaśnieżony stok, łagodnie nachylony ku brzegowi rzeki. Z wody wystawał drewniany pomost. Na brzegu obok pomostu stał kajak, srebrzysty na tle śniegu. Tuż przy kajaku, jedną ręką obejmując własne kolana, drugą psa, siedziała Evi. Rozejrzała się. Jej twarz była widmowo biała.

– Cześć, Harry – powiedziała.

Znów zbliżali się do Cambridge. Joesbury wyczuwał wysokie budynki, wyrastające wokół nich. Tamtej pierwszej nocy zabrał Lacey na kolację, nieomal zmusił ją, żeby z nim poszła. Siedziała naprzeciw niego w restauracji na Wandsworth Road, w pomarańczowym kombinezonie, z twarzą błyszczącą i różową po pryszicu, a on myślał: jak to jest możliwe? Jak mogę się zakochiwać w morderczyni?

– W domu na St Clement's też nic – powiedział George, który siedział za kierownicą i zdawał się mieć jakieś pojęcie, dokąd jadą. – Tylko mnóstwo sprzętu komputerowego. Twarde dyski zostały wyczyszczone, ale wygląda na to, że większość ofiar była podglądana właśnie stamtąd. Ten kompleks przemysłowy służył do filmowania bardziej skomplikowanych scen i obróbki materiałów.

– Oni uciekli, zgadza się?

Joesbury nie miał dość siły, żeby obrócić głowę. Dotarło do niego nagle, że nie czuje żadnego bólu. Mdliło go i kręciło mu się w głowie, i miał poczucie, że rzeczywisty świat ucieka coraz dalej, ale nie czuł bólu. Nie wiedział, co mu dali w szpitalu, ale było mocne. Może pozwoliliby mu to brać przez resztę życia?

– Na to wygląda – przyznał George. – Ale nie mogli uciec daleko i jeśli jadą własnymi samochodami, jest duża szansa, że ich wyłapiemy.

Była z nim na jednym z najgorszych miejsc zbrodni, jakie widział, i nawet się nie wzdrygnęła. Spokojnie, w milczeniu obeszła z nim ciało, zrobiła wszystko, o co ją poprosił. A potem, choć doskonale wiedziała, co ten morderca robi kobietom, natychmiast się zgodziła, kiedy poprosił, żeby była przynętą. Weszła w ciemność, nie oglądając się za siebie, a on przyrzekł sobie wtedy, że już nigdy nie narazi jej na niebezpieczeństwo.

– Uwaga wszystkie patrole, uwaga wszystkie patrole.
George pogłośnił policyjne radio. Byli już prawie w kolegium.

– Do wszystkich patroli znajdujących się w pobliżu Kolegium Świętego Jana. Mamy zgłoszenie o potencjalnej samobójczyni na kaplicznej wieży. Biała kobieta po dwudziestce. Najprawdopodobniej studentka, Laura Farrow. Proszę natychmiast udać się na miejsce zdarzenia.

Jeden z pedeli pojawił się za bramą, by ją otworzyć. Joesbury nie czekał. Wyskoczył z samochodu i popędził przez kawałek trawnika do głównego wejścia dla studentów. Przemknął obok dyżurnego pedela i znalazł się na Pierwszym Dziedzińcu. Wieża była przed nim.

– Alice do ciebie zadzwoniła, tak? – spytała Evi. – Przepraszam, że napędziłam wam strachu.

Harry zdjął kurtkę i okrył ramiona Evi. Zapomniał już, jak jej włosy błyszczały w ciemności, jak przypominały mu polerowany orzech. Ale nie zapomniał, jakie są miękkie.

Uniosła ręce, może po to, by szczelniej okryć się kurtką, może po to, by go dotknąć. Jej dłoń w jego dłoni była jak śnieg, mokra i zimna.

– Musisz wejść do środka – powiedział. Kiedy siadał przy niej, zahaczył stopą o kajak, który zaczął zsuwać się po zboczu. Harry wyciągnął się, by złapać linę.

– Zostaw – rzuciła Evi.

Na ziemi przed nimi leżał młotek; do jego zagiętego końca przylgnął kawałek błękitnego drewna.

Evi pochyliła się bliżej, lekko oparła głowę o jego ramię.

– Wiedziałam, że nie możesz nie żyć – powiedziała. – Domyśliłam się, kiedy wreszcie zniknął ból. Gdybyś umarł, Alice zadzwoniłby do mnie, a nie przysyłała wycinek z gazety.

Byłaby o tym jakaś wzmianka na twoim profilu na Facebooku. Zrozumiałam, że znowu próbują namieszać mi w głowie.

Kajak zsunął się kawałek dalej w stronę wody. Evi położyła dłoń na ramieniu Harry'ego, żeby nie wstawał.

– Zostaw go – powtórzyła.

– Kto? – spytał. – Kto mieszał ci w głowie?

– Nie wiem na pewno. Wiem tylko, że jeden z nich jest oficerem policji. Narobi mi kłopotów, jeśli jeszcze tu jest.

– Najpierw będzie miał ze mną do czynienia, kocie.

Drobniutkie zmarszczki na policzku Evi pojawiły się powoli, niemal niechętnie, jakby nie uśmiechała się od dawna i jej mięśnie nie bardzo pamiętały, jak to się robi.

– Zapomniałam, że mnie tak nazywałeś – powiedziała. – Sądzę, że to wszystko zaczęło się od bardzo poharatanego psychicznie młodego człowieka, który znajdował ulgę w bólu dzięki dręczeniu i straszeniu innych. Gdzieś po drodze przyłączyło się do niego więcej osób i cały ten mroczny interes zaczął sam się nakręcać, aż zrobił się niemal nie do powstrzymania.

Kajak dotarł do wody. Rzeka, wyczuwając ofiarę w szponach, zaczęła go ciągnąć. Harry wypuścił powietrze przez zaciśnięte wargi i objął Evi ramieniem. Suczka, siedząca z drugiej strony, polizała jego dłoń. Nie miał pojęcia, o czym mówiła Evi, ale to nie miało znaczenia. Mieli mnóstwo czasu.

– Po co ci był ten młotek? – spytał.

– Żeby wybić dziurę w dnie kajaka – odparła Evi. – Miałam w nim odpłynąć jak lady Shalott. Spora dawka płynnej morfiny, którą sobie wstrzyknęłam przed wyjściem, miała powstrzymać mnie przed próbami dotarcia na brzeg, kiedy kajak pójdzie na dno. Jeśli mówię trochę jak kosmitka, to właśnie przez to.

– Evi...

– To mnie uratowało, Harry. Ta morfina. Po raz pierwszy od wielu tygodni nie czułam żadnego bólu. I byłam w stanie myśleć.

Patrzyli, jak kajak spływa z nurtem, coraz głębiej zanurzony w wodzie.

– Z moimi lekami też się bawili – powiedziała Evi. – Wchodzili do domu, zabierali pigułki, które łykam, zastępowali je czymś innym, zapewne jakimś placebo. I robili mi różne dziwne dowcipy, żeby mnie przestraszyć.

– Policja znalazła kamery w twoim domu – powiedział Harry. – I sprzęt nadawczy. Wiedziałaś o tym?

– Domyślałam się – odparła Evi. – Obserwowali mnie już od dłuższego czasu.

Zimno śniegu zaczęło przenikać przez skórzane spodnie Harry'ego. Kajak był już bardzo nisko w nurcie rzeki, prawie zniknął w ciemności. Woda zaczęła przelewać się przez burty.

– Oto mój pogrzeb – stwierdziła Evi. Patrzyli, jak łódka znika, a potem Evi odwróciła się, by spojrzeć Harry'emu w twarz. Zobaczył, że jej ręka unosi się, poczuł palce głaszczące jego policzek, a potem wiatr na wilgotnej skórze.

– To przez zimno, kocie – zauważył. – Oczy mi łzawią.

– Powinniśmy wejść do domu.

– Byłoby dobrze.

Harry wstał i podniósł Evi. Zostawiwszy kulę w śniegu, wzięła go pod rękę i ruszyli razem z powrotem przez ogród, do domu. Suczka pobiegła przodem; zatrzymała się tylko na skraju trawnika, by się upewnić, że idą za nią. Z ostatnim, piskliwym szczęknięciem – no, pospieszcie się – wbiegła przez kuchenne drzwi.

– Jest twoja? – spytał Harry.

– Tak – odparła Evi.

– A jak się dogaduje z kotami?

83

Wtorek, 22 stycznia (kilka minut przed północą)

Joesbury czuje zimne powietrze i w tej samej chwili widzi drzwi na szczycie. Wypada na dach bez żadnego pojęcia, co zrobi, jeśli ona już skoczyła. Ani co zrobi, do diabła, jeśli nie skoczyła.

– Lacey! – krzyczy. – Nie!

Dach jest pusty.

Za plecami słyszy tupot kroków na kamieniu i ciężki oddech. Ktoś jeszcze dotarł na szczyt schodów i po sekundzie jest na zewnątrz.

Już nigdy nie dowie się, jak to jest obudzić się przy niej.

Joesbury widzi mężczyznę, który zatrzymuje się na sekundę, chwyta oddech, a potem biegnie na krawędź dachu, zostawiając ścieżkę śladów na nieskalanym śnieżnym dywanie. Patrzy, jak tamten wychyla się przez gzyms, świeci na dół potężną latarką, a potem wstaje i przechodzi na drugą stronę dachu. Na górze jest teraz jeszcze jeden człowiek. Obydwaj obchodzą gzyms, wychylają się, świecą latarkami, ich ślady rozłażą się po dachu jak pajęczyna. Na dole są ludzie, którzy coś do nich krzyczą.

Już nigdy się nie przekona, jaką będzie miała minę, kiedy pozna jego syna.

Na wieży są policjanci w mundurach, mówią do krótkofalówek, pytają, czy z dachu jest jakieś inne zejście. Wszyscy się śpieszą, są zdezorientowani. Cały śnieg został już zadeptany.

Jego kupki zbierają się w kątach. Lepi się do butów. Nagle jakiś mężczyzna wyszczekuje rozkaz. Wrażenie pośpiechu narasta. Radia trzeszczą. Ludzie szybko opuszczają dach. Znikają jeden po drugim, robi się pusto, aż zostaje tylko Joesbury i jeden z pedeli.

– Szefie.

Nigdy nie zobaczy, jak robią jej się kurze łapki. Nie zażartuje sobie z jej pierwszego siwego włosa.

– Mark!

Joesbury odwraca się do George'a, który w słabym świetle jest szary na twarzy.

– Znaleźli ją? – pyta i nagle ogarnia go nadzieja, że jej twarz nie będzie może bardzo zmasakrowana, że będzie mógł popatrzeć na nią ostatni raz. Na jej doskonałą, nieskażoną twarz. Nagle dociera do niego, że kiedy otworzył drzwi na dach, śnieg też był nieskażony, niepoznaczony żadnymi śladami.

– Tu jej nie ma – mówi George. – To telefoniczne zgłoszenie to była podpucha. Ale wiemy, gdzie jest. Tym razem to potwierdzone. Postawili ją na innej wieży. Na kościele Mariackim, niecały kilometr stąd. Czekaj!

Dłoń George'a wystrzeliła do góry, łapiąc Joesbury'ego za kurtkę na plecach.

– Podobno stoi na gzymsie – mówi George. – Posterunkowy, który jest na miejscu, mówi, że jest na ostrym haju i grozi, że skoczy, jeśli ktokolwiek się do niej zbliży.

– Z drogi, George.

George robi krok naprzód i stanowczo blokuje drogę Joesbury'emu. Podaje mu telefon.

– Posterunkowy Leffingham – mówi. – Jest z nią na wieży. Powodzenia, szefie.

84

Sokół odbiera wrażenia zmysłowe każdym z tysięcy piór. Kiedy wzbija się w powietrze, energia spływa mu przez skrzydła, wzmacnia bicie serca; kiedy ślizga się na prądach wznoszących, czuje miękkie, bijące w górę ciepło, a kiedy nurkuje za zdobyczą, pióra na skrzydłach i na grzbiecie są jak żywy ogień.

Też czuję teraz to wszystko, tutaj, na szczycie świata, mając nad sobą tylko gwiazdy.

Gwiazdy, jakich jeszcze nigdy nie widziałam. Ogromne, srebrne talerze, odbijające światło jeden od drugiego, aż całe nocne niebo wygląda jak ogromna, podświetlana pajęczyna, i wszystkie one są prawie w zasięgu moich rąk.

Robię krok naprzód i czuję, że nic nie ważę. Jeszcze krok i wieża niemal zostaje za mną. Ta nagła wiedza idzie do głowy jak szampan; ta oszałamiająca świadomość, że latanie jest takie łatwe. Latanie to tylko kwestia odpowiednich myśli i wiary. Mogę wypuścić myśl, by wzbiła się w niebo, a ciało za nią podąży.

Jestem na górze, na ścianie, wiatr droczy się ze mną, szarpie mnie jak rączki gromady dzieci. Chodź, chodź się pobawić.

Nagle głos. Twardy i zgrzytliwy. Obracam się i warczę. Cofa się.

Miasto wygląda tak pięknie, jakby ktoś sypnął złotym pyłem na czarny, aksamitny płaszcz, i myślę, że odwiedzę je jeszcze jeden, ostatni raz. Zanurkuję szybciej niż sokół, poderwę się w ostatniej sekundzie i poszybuję jak duch wzdłuż ulic, nad dachami.

– Laura! Podchodzę kilka kroków bliżej. Żebyśmy mogli ze sobą rozmawiać. Nie, spokojnie, skarbie. Zobacz, nie ruszam się.

Nie mam na imię Laura.

– Przepraszam, Lacey. Właśnie mi powiedzieli, że masz na imię Lacey. Ja jestem Pete. Posterunkowy Leffingham. Mogę podejść troszeczkę... Okej, okej, zostaję na miejscu.

Lacey? Tak mam na imię? Dokładnie pode mną jest drzewo, na którym wciąż są liście i zastanawiam się, czy będą łaskotać, kiedy prześlizgnę się między nimi.

– Lacey, rozmawiam z twoim przyjacielem. Mówi, że nazywa się Mark Joesbury.

Te liście są martwe. Nie będą łaskotać, rozedrą moje ciało, kiedy spadnę pośród nich z całym impetem. Gałęzie wyrwą mi włosy, wbiją się w oczy, podziurawią mnie.

– Chce z tobą rozmawiać. Mogę ci podać telefon, żeby Mark mógł z tobą porozmawiać?

– Mark Joesbury nie żyje – mówię.

Krótka pauza, podczas której posterunkowy Jakiśtam przekazuje rozmówcy wieść o jego własnym zgonie.

– Nie! – woła do mnie znowu. – Jest jak najbardziej żywy i kazał ci przekazać, że albo stamtąd zleziesz, albo ześle cię do drogówki, aż dostaniesz medal za dwadzieścia dwa lata służby.

– Joesbury to dupek – mówię. – Joesbury mnie im wystawił.

Słyszę, jak posterunkowy Leffingham mamrocze, i mówię sobie, że oni w ogóle mnie nie obchodzą. Patrzę na błyszczące, srebrne talerze, które były kiedyś gwiazdami, i przysięgam, gdybym podskoczyła, mogłabym ich dotknąć.

– Mówi, że wie. Mówi, że bardzo przeprasza. I prosi, żebyś zeszła, żeby mógł ci powiedzieć, jak bardzo mu przykro.

Wiatr jest jak koc, jak miękkie łóżko, jak opatulająca mnie kołdra.

– Ona mnie chyba nie słucha, sir. To chyba nie zadziała. Opiera się o wiatr. Chryste, jeśli zelżeje... co? Okej, zaraz... Lacey!

Och, czy on nie da mi spokoju? Zaraz będę latać.

– Lacey, Mark mówi, że znaleźli list w twoim aucie i wysłali listy gończe za trzema samochodami. Mówi, że ich złapią. Już po wszystkim.

– Widziałeś kiedykolwiek nurkującego sokoła? – pytam. – Masz pojęcie, jaką osiąga prędkość?

– Lacey, on mówi, że cię kocha.

– Powiedz mu, że pieprzy od rzeczy!

– Spokojnie, spokojnie, Lacey. Nie puszczaj... ja tylko... okej, nie podejdę ani kroku bliżej. Sir, ja naprawdę nie sądzę...

Głos Leffinghama cichnie i wyczuwam, że posterunkowy się cofa. Świetnie. Widzę promień księżycowego światła padający wprost na chodnik, jego blask rozlewa się po kamieniu jak miękka, ciepła sadzawka.

– Co? Sir, ja... Okej, spróbuję.

Promień księżyca wygląda jak ścieżka, zesłana specjalnie dla mnie.

– Lacey.

Wzdycham. Będę musiała skoczyć choćby po to, żeby uwolnić się od tego upierdliwca.

– Lacey. Mark mówi, że jest na drugiej wieży. Mówi, że cię widzi, i jeśli spojrzysz we właściwym kierunku, ty też go zobaczysz. Tam, popatrz na północ. Ma latarkę. Macha nią. O Chryste, rzeczywiście.

Nie obchodzi mnie, gdzie jest Mark Joesbury. A jednak jedna z moich wielkich, okrągłych gwiazd skurczyła się, spadła niżej i tańczy w kółko jak derwisz; widzę, czym tak ekscytuje się posterunkowy Leffingham. Po drugiej stronie miasta, tam, gdzie na moje oko jest Wieża Świętego Jana, widzę, że ktoś macha latarką, zataczając nią szeroki łuk.

– Powiedz mu, że spotkamy się w piekle – mówię i szykuję się do skoku... Znaczy, do lotu.

– Mówi, że to słyszał i że masz świętą rację, bo on też skoczy... co?

Co?

Nie patrzę już na niebo. Ani na miasto, ani nawet ponad ogromną, ciemną przestrzenią na Wieżę Świętego Jana. Gapię się na posterunkowego Leffinghama i na telefon przyciśnięty do jego ucha. Kłóci się z człowiekiem w słuchawce. Teraz przynajmniej wie, jak to jest.

– Sir, to zaczyna przekraczać... Nie, nie powiem jej tego... Kto z panem jest? Okej, okej, Jezu kochany.

Leffingham przeciąga dłonią po twarzy i przemyka mi przez myśl, że zaraz sam mnie popchnie i skończy tę całą farsę.

– Mark mówi, że jeśli ty skoczysz, to on też! – woła do mnie. – Przysięga na życie syna, bo cała ta sprawa to jego wina i jeśli ty umrzesz, on nie będzie w stanie żyć sam ze sobą i... tak, tak, już mówię... i kiedy skoczy, zabierze ze sobą latarkę... i ta latarka będzie ostatnią rzeczą, jaką będziesz widziała. I mówi, że uderzy w ziemię pierwszy, bo jest o wiele cięższy od ciebie.

– Powiedz mu, żeby się pieprzył. – Jestem na gzymsie. Zaraz polecę.

– Lacey!

Przysięgam, że to nie był głos posterunkowego Leffinghama.

– Lacey, on mówi, że nie będzie mógł żyć bez ciebie.

Patrzę w górę na moje wielkie talerze gwiazd i srebrne jedwabne pajęczyny, wśród których będę latać. Zniknęły, a zamiast nich są tylko maleńkie, świetlne punkty oddalone o miliony kilometrów. Moje miasto z czarnego aksamitu obsypanego złotem też zniknęło. Zostało tylko zwykłe miasto, piękne, ale zimne. Na północy, gdzie świetlny punkt wciąż zatacza łuki, wyobrażam sobie mężczyznę, który trzyma latarkę, stoi na gzymsie tak jak ja, i dociera do mnie, że oboje jesteśmy na skraju potężnej przygody. Czy skoczymy, czy nie.

Wybór należy do mnie.

Nie odrywając oczu od latarki Joesbury'ego, podaję rękę posterunkowemu Leffinghamowi i pozwalam się bezpiecznie sprowadzić na ziemię.

Podziękowania

Ogromnie dziękuję moim łaskawym i mądrym przyjaciołom i kolegom, bez pomocy których nie mogłabym pisać książek: Sarah Adams, Jessice, Peterowi i Rosie Buckmanom, Lynsey Dalladay, Anne Marie Doulton, Matthew Martzowi, Sarah Melnyk, Kelley Ragland, Kate Samano, Denise Stott, Martinowi Summerhayesowi, Adrianowi Summonsowi, Jess Thomas, Markowi Uptonowi, Claire Ward i Geoffowi Webbowi.

Wszelkie błędy, jakie pozostały w tekście, są moje.

Od Autorki

W ostatnich latach w Cambridge miało miejsce kilka przypadków samobójstw, ale ich szczegóły są mi nieznane. Na potrzeby powieści gromadziłam wyłącznie ogólne informacje, bez żadnych konkretów, i wszelkie podobieństwo do prawdziwych wydarzeń jest wyłącznie przypadkowe.

Od dawna uważam Cambridge za jedno z najpiękniejszych miast świata i czuję tęskną zazdrość wobec tych szczęściarzy, którzy tam mieszkają i studiują. *Karuzela samobójczyń* to wytwór wyobraźni, nic więcej.

Bibliografia

Burn Unit Barbary Ravage, *The Suicidal Mind* Edwina S. Shneidmana, *Why People Die By Suicide* Thomasa Joinera, *November of the Soul* George'a Howe'a Colta, *Dark Journey* Ronalda L. Bonnera, *The Lucifer Effect* Philipa Zimbarda, *Training Birds of Prey* Lee Williama Harrisa, *Falconry for Beginners* Jemimy Parry-Jones i *The Night Climbers of Cambridge* Whipplesnaitha.